ピタゴラスの
定理の扉を開く

～組合せ・散布図・数列・素数～

伊藤俊康

東京図書出版

はじめに　〜本書の概要〜

(1)

ピタゴラスの定理は直角三角形において、斜辺の長さを c、直角を挟む２辺の長さを a, b とした場合、３辺の関係は、

$$a^2+b^2=c^2$$

の等式が成り立つことを示している。

上記の等式で a, b, c が自然数の組合せはピタゴラス数と呼ばれ、特に a, b, c が互いに素であるピタゴラス数（a, b, c）は原始ピタゴラス数と言われている。

ピタゴラス数（a, b, c）$=(3, 4, 5)$ の場合、3, 4, 5 は互いに素であるので原始ピタゴラス数であるが、２倍した（a, b, c）$=(6, 8, 10)$ のように整数倍したものは単にピタゴラス数である。

ピタゴラス数（a, b, c）は下記の公式により無限に算出できる。

$$a=m^2-n^2 \quad b=2mn \quad c=m^2+n^2 \qquad m>n \quad m, n \text{ は自然数}$$

算出されたピタゴラス数は下記の２条件の下、ふるい分けすることで原始ピタゴラス数が得られる。

① m と n は一方が偶数で他方が奇数
② m と n は互いに素

原始ピタゴラス数は今日、パソコンと表計算ソフトを用いることにより容易に算出できる。算出された原始ピタゴラス数（a, b, c）について、a は奇数、b は偶数、c は４で割って１余る奇数であることが知られているが、第１章ではこれを数学的に確認する。

(2)

第２章〜第４章では原始ピタゴラス数の組合せについて考察した。

斜辺 c の場合、c の値によっては $(a_1, b_1, c), (a_2, b_2, c)$ のように (a, b) の組の種類が複数あることに着目し、c の値と (a, b) の組の種類の関係について調べた。同様に a の値と (b, c) の組の種類、b の値と (a, c) の組の種類の関係についても調べた。

公式によって算出される原始ピタゴラス数 (a, b, c) は昇順の傾向はあるもののランダムに出現するため、組合せの漏れが無いように出現の規則性を見出して順位を確定させた。

確定後の斜辺 c を見ると、同一の c に対して a, b の組は１種類だけでなく、条件により複数あることが分かった。例えば c が素数５の場合は $(a, b) = (3, 4)$ の１種類、c が $65 = 5 \times 13$ のように２種類の素数を持つ場合は $(a, b) = (33, 56)$、$(a, b) = (63, 16)$ のように (a, b) の組は２種類となる。更に c が $1105 = 5 \times 13 \times 17$ のように３種類の素数を持つ場合、(a, b) の組は $(a, b) = (47, 1104)$、$(a, b) = (817, 744)$、$(a, b) = (943, 576)$、$(a, b) = (1073, 264)$ の４種類となった。以下、素数の種類が $4 \rightarrow 5 \rightarrow 6$ と増すに従って、(a, b) の組は $8 \rightarrow 16 \rightarrow 32$ 種類へと増加した。

この結果から、斜辺 c の素数の種類の数を n とした場合、

(a, b の組の種類) = $2^{(n-1)}$ の式が導かれた。

次に a を基準とした場合の b, c の組の種類の変化を、斜辺 c の場合と同様の方法で調べた。

その結果、a の素数の種類を n とした場合、

(b, c の組の種類) = $2^{(n-1)}$ の式が導かれた。

更に b を基準とした場合の a, c の組の種類の変化も同様に見た。その結果、b の素数の種類を n とした場合、

(a, c の組の種類) = $2^{(n-1)}$ の式が導かれた。

第５章では第２章〜第４章で導いた一連の式「$2^{(n-1)}$」について数学的考察（証明）を m, n の組合せから試みた。

(3)

原始ピタゴラス数（a, b, c）は（a, b）を直交座標の座標、cを直交座標軸の交点からの距離と考えることができる。例えば、斜辺cが3種類の素数を持つ$1105 = 5 \times 13 \times 17$の場合、4種類の（$a$, b）の各点、$(a, b) = (47, 1104)$、$(a, b) = (817, 744)$、$(a, b) = (943, 576)$、$(a, b) = (1073, 264)$は直交座標軸の交点を中心とし、半径1105の四半円上に存在している。

第6章では座標の考えを原始ピタゴラス数全体に拡張した。拡張して得られた原始ピタゴラス数の散布図は欠損部分があるものの、規則正しく整然と配置されたものであった。欠損部分の補塡は原始ピタゴラス数算出の条件②「mとnは互いに素」を緩和することで得られ、得られたピタゴラス数を「**準原始ピタゴラス数**」と呼ぶこととした。

準原始ピタゴラス数の散布図はとても規則的であるが、この散布図に一定の条件で制限を加えた散布図を作成し、「散布図の模様を楽しむ」と題して種々の制限と散布図の模様（欠損部分）の関係を調べた。様々な制限で描かれた散布図の模様は、規則性を保ちながら広がりと独自性があるものとなっていた。

第7章では準原始ピタゴラス数の散布図の規則性を基に数列と思われる点を線でつなぎ、**4種類の数列群パターン**を得た。線でつないだ4種類の数列群を重ね合わせると規則的な幾何模様が得られた。この幾何模様から準原始ピタゴラス数の各座標は4種類の数列群と密接に結びついていることが確認でき、整然とした配置を裏付けるものとなった。

(4)

第8章では、更に原始ピタゴラス数算出の条件①「mとnは一方が偶数で他方が奇数」も緩和した散布図を作成した。得られた散布図は準原始ピタゴラス数の場合と同様、規則性があり、制限を加えると様々な模様が出現した。

第9章では準原始ピタゴラス数と異なる4種類の数列群パターンと数

列を線でつないだ別の幾何模様も確認した。

(5)

最後の第10章ではピタゴラス数 c の素数の散布図を作成した。全素数の約半数ではあるが、これにより素数を二次元空間の点として表示できた。この散布図の素数は双子素数の一方を含むことから素数中の双子素数の散布図も併せて作成した。

目　次

はじめに　～本書の概要～ 1

第１章　原始ピタゴラス数の算出 13

ピタゴラスの定理　ピタゴラス数の公式 14
　～すべてのピタゴラス数を生み出す式～ 14
原始ピタゴラス数の必要条件 16
　～２条件が必要～ 16
　～原始ピタゴラス数の条件①でのふるい分け～ 16
　～原始ピタゴラス数の条件②でのふるい分け～ 18
原始ピタゴラス数の条件①の数学的考察 20
　～条件①：ｍとｎは一方が偶数で他方が奇数の考察～ 20
原始ピタゴラス数の条件②の数学的考察 23
　～条件②：ｍとｎは互いに素の考察～ 23

第２章　原始ピタゴラス数の組合せ　斜辺ｃと (a, b) の関係 25

原始ピタゴラス数 (a, b, c) 斜辺ｃの基本知識 26
　～４で割って１余る奇数～ 26
原始ピタゴラス数 (a, b, c) の斜辺ｃに注目 27
　～斜辺ｃの素数に注視～ 27
斜辺ｃを昇順に並べ直す 28
　～並び替えて分かること～ 28
　～素数以外の数について～ 29
ピタゴラス数算出表の斜辺ｃの変化 30
　～ｎ＝1のｃに注視～ 30
原始ピタゴラス数ｃの昇順位確定の基準値 33
　～ｎ＝1が基準値～ 33
原始ピタゴラス数ｃの昇順位確定へ 34
　～ｍ＝12, ｎ＝1, ｃ＝145が基準値～ 34

昇順位が確定したcを分類する 35
～(a, b) の組の種類の確定～ 35
３種類の素数を持つcと (a, b) の組の種類 37
～cに対する (a, b) の組４種類～ 37
４種類以上の素数を持つcと (a, b) の組の種類 43
～cと (a, b) の組の種類についての一般式～ 43
原始ピタゴラス数の表を用いない (a, b) の組の種類の求め方 44
～ピタゴラス数の公式を利用する～ 44
Excel使用の計算ポイントⅠ 46

第３章　原始ピタゴラス数の組合せ　隣辺aと (b, c) の関係 51

原始ピタゴラス数 (a, b, c) 隣辺aの基本知識 52
～制限の無い奇数～ 52
ピタゴラス数算出表の隣辺aの変化 53
～m−n＝1のaに注視～ 53
原始ピタゴラス数aの昇順位確定の基準値 56
～m−n＝1が基準値～ 56
原始ピタゴラス数aの昇順位確定へ 57
～m＝11, n＝10, a＝21が基準値～ 57
昇順位が確定したaを分類する 58
～(b, c) の組の種類の確定～ 58
３種類の素数を持つaと (b, c) の組の種類 60
～aに対する (b, c) の組４種類～ 60
４種類以上の素数を持つaと (b, c) の組の種類 65
～aに対する (b, c) の組の種類についての一般式～ 65
原始ピタゴラス数の表を用いない (b, c) の組の求め方 66
～ピタゴラス数の公式を利用する～ 66
Excel使用の計算ポイントⅠ（続き） 68

第４章　原始ピタゴラス数の組合せ　対辺bと (a, c) の関係 73

原始ピタゴラス数 (a, b, c) 対辺bの基本知識 74

～偶数で４の倍数～ 74
ピタゴラス数算出表の対辺ｂの変化 75
～ｎ＝1のｂに注視～ 75
原始ピタゴラス数ｂの昇順位確定の基準値 78
～ｎ＝1が基準値～ 78
原始ピタゴラス数ｂの昇順位確定へ 79
～ｍ＝12, ｎ＝1, ｂ＝24が基準値～ 79
昇順位が確定したｂを分類する 80
～(a, c) の組の種類の確定～ 80
３種類の素数を持つｂと (a, c) の組の種類 82
～ｂに対する (a, c) の組４種類～ 82
４種類以上の素数を持つｂと (a, c) の組の種類 85
～ｂに対する (a, c) の組の種類の一般式～ 85
原始ピタゴラス数の表を用いない (a, c) の組の種類の求め方 86
～ピタゴラス数の公式を利用する～ 86
Excel使用の計算ポイントⅡ 88

第５章　原始ピタゴラス数の組の種類の数学的考察（証明） 93

(a, b), (b, c), (a, c) の組の種類＝$2^{(n-1)}$の考察 94
～(m, n) の取り得る値の種類～ 94
対辺ｂの素数が１種類の場合のｂ＝2mnの (m, n) の種類 95
～ｂ＝4＝2×2の場合の (m, n)～ 95
対辺ｂの素数が２種類の場合のｂ＝2mnの (m, n) の種類 96
～ｂ＝12＝2×2×3の場合の (m, n)～ 96
対辺ｂの素数が３種類の場合のｂ＝2mnの (m, n) の種類 97
～ｂ＝60＝2×2×3×5の場合の (m, n)～ 97
対辺ｂの素数が４種類の場合のｂ＝2mnの (m, n) の種類 98
～ｂ＝420＝2×2×3×5×7の場合の (m, n)～ 98
隣辺ａの素因数とａ＝m^2-n^2の素因数分解 100
～ａ＝(m+n)(m−n) に変形する～ 100
隣辺ａの素数が１種類の場合、ａ＝(m+n)(m−n) の種類 101
～ａ＝3の場合の (m, n)～ 101

隣辺aの素数が２種類の場合、a＝(m+n)(m−n) の種類 102
～a＝15＝3×5の場合の (m, n)～ 102
隣辺aの素数が３種類の場合、a＝(m+n)(m−n) の種類 104
～a＝105＝3×5×7の場合の (m, n)～ 104
隣辺aの素数が４種類の場合、a＝(m+n)(m−n) の種類 105
～a＝1155＝3×5×7×11の場合の (m, n)～ 105
斜辺c＝m^2+n^2も因数分解して積の形にできるのだが 107
～複素数を用いて因数分解～ 107
～c＝5 (素数) の場合のm, nを考える～ 107
「二つの平方の和」の表から斜辺cのm, nを求める 108
～cが素数の場合は表から～ 108
斜辺cが素数の場合の「二つの平方の和」と積の形 110
斜辺cが素数の累乗の場合「二つの平方の和」と積の形 111
～c＝5^2＝25の場合の (m, n)～ 111
～c＝5^3＝125, c＝13^2＝169の場合～ 111
斜辺cの素数が２種類の場合のm, nを求める 112
～m, nの求め方の手順～ 112
～c＝65＝5×13の場合の (m, n) の求め方～ 112
斜辺cの素数が３種類の場合のm, nを求める 114
～c＝1105＝5×13×17の場合の (m, n) の求め方～ 114
～確定したm, nから隣辺a、対辺bを算出～ 116

第６章　準原始ピタゴラス数の散布図と位別の分類 119

ピタゴラス数の (a, b) は直交座標の座標 120
～cが同じ (a, b) は四分円上の座標～ 120
原始ピタゴラス数の散布図と欠損座標 122
～散布図と「二つの平方の和」の表を対比する～ 122
原始ピタゴラス数の条件緩和と欠損座標の補塡 124
～準原始ピタゴラス数と完成された散布図～ 124
散布図の模様を楽しむ①　一の位で分類する 129
～cの一の位1, 3, 5, 7, 9での５分類～ 129
Excel使用の計算ポイントⅢ 129

散布図の模様を楽しむ②　一の位の５種類を組み合わせる ……141
～組合せは全部で25通り～ ……141
Excel使用の計算ポイントⅣ ……146
散布図の模様を楽しむ③　十の位で分類する ……147
～cの十の位1, 2, 3, 4, 5, 6, 7, 8, 9, 0での10分類～ ……147
散布図の模様を楽しむ④　百の位で分類する ……163
～cの百の位1, 2, 3, 4, 5, 6, 7, 8, 9, 0での10分類～ ……163
～百の位の散布図の特徴～ ……163
散布図の模様の成長を百の位「0」で確認する ……170
～百の位の模様の変化～ ……170
同心円状（四分円）の輪と斜辺cの関係 ……171
～模様の形成過程～ ……171
散布図の模様を楽しむ⑤　千の位で分類する ……173
～cの千の位1, 2, 3, 4, 5, 6, 7, 8, 9, 0での10分類～ ……173
千の位に見る同心円状（四分円）の輪 ……176
～百の位と同様の輪の形成～ ……176
～千の位の模様の行方～ ……176
第７章　準原始ピタゴラス数の数列群（４種類） ……179
準原始ピタゴラス数の座標を線で繋ぐ ……180
～４種類の数列群のパターン～ ……180
散布図の座標（a, b）を確認する ……182
～マウスポインターで確認～ ……182
数列群αの数列別の番号表記 ……183
～上に伸びる数列群～ ……183
数列群αの座標（a, b）の確認 ……184
～数列別座標の確認～ ……184
数列群αの数列①を解析する ……185
～数列①の一般項を求める～ ……185
数列群α、②～⑩の一般項を算出する ……188
数列群αの一般項の係数を解析する ……189
～数列別にまとめる～ ……189

数列群βの数列別の番号表記 190
～右上に伸びる数列群～ 190
数列群βの各数列の一般項を算出する 191
数列群βの一般項の係数を解析する 192
～数列別にまとめる～ 192
数列群γの数列別の番号表記 193
～右下に伸びる数列群～ 193
数列群γの各数列の一般項を算出する 194
数列群γの一般項の係数を解析する 195
～数列別にまとめる～ 195
数列群δの数列別の番号表記 196
～下に伸びる数列群～ 196
数列群δの各数列の一般項を算出する 197
数列群δの一般項の係数を解析する 198
～数列別にまとめる～ 198
準原始ピタゴラス数作成表と数列群δの各数列表 199
～両者は同一～ 199
数列群を重ねる$\alpha+\beta+\gamma+\delta$ 201
～幾何模様の出現～ 201

第８章　ピタゴラス数の散布図と位別の分類 203

ピタゴラス数の散布図条件①の緩和へ 204
～第２の散布図～ 204
準原始ピタゴラス数と追加されたピタゴラス数 208
～散布図の色分け～ 208
Excel使用の計算ポイントⅤ 208
座標未知の線分の交点に黒丸で印を付ける 210
準原始ピタゴラス数と座標未知の線分の交点 211
～両者の近似～ 211
座標未知の線分の交点の座標を求める 212
～交点を囲む４座標の平均～ 212
散布図の模様を楽しむ⑥　ピタゴラス数、一の位で分類する 214

～散布図のパターンは５種類～ 214
散布図の模様を楽しむ⑦　ピタゴラス数、十の位で分類する 218
～100個、500個、1000個の散布図の作成～ 218
～ピタゴラス数と準原始ピタゴラス数の散布図比較～ 223
散布図の模様を楽しむ⑧　ピタゴラス数、百の位で分類する 224
～百の位の散布図の作成～ 224
～散布図の基本パターンと準原始ピタゴラス数との比較～ 224
ピタゴラス数の百の位に見る同心円状（四分円）の輪とcの値 230
～準原始ピタゴラス数と同様の輪の形成～ 230
散布図の模様を楽しむ⑨　千の位で分類する 232
～千の位の散布図の作成～ 232
～散布図の基本パターンと準原始ピタゴラス数との比較～ 232
ピタゴラス数の千の位に見る同心円状（四分円）の輪とcの値 238
～準原始ピタゴラス数と同様の輪の形成～ 238

第９章　ピタゴラス数の数列群（４種類） 239

ピタゴラス数の数列群パターン 240
～４種類の数列群のパターン～ 240
散布図の座標（a, b）を確認する 242
～マウスポインターで確認～ 242
数列群α’の数列別の番号表記 243
～上に伸びる数列群～ 243
数列群α’の各数列の一般項を算出する 244
数列群α’の一般項の係数を解析する 245
～数列別にまとめる～ 245
数列群β’の数列別の番号表記 246
～右上に伸びる数列群～ 246
数列群β’の各数列の一般項を算出する 247
数列群β’の一般項の係数を解析する 248
～数列別にまとめる～ 248
数列群γ’の数列別の番号表記 249
～左上に伸びる数列群～ 249
数列群γ’の各数列の一般項を算出する 250

数列群ɣ'の一般項の係数を解析する 251
～数列別にまとめる～ 251
数列群δ'の数列別の番号表記 252
～下に伸びる数列群～ 252
数列群δ'の各数列の一般項を算出する 253
数列群δ'の一般項の係数を解析する 254
～数列別にまとめる～ 254
ピタゴラス数作成表と数列群δ'の各数列表 255
～両者は同一～ 255
数列群を重ねるα'+β'+ɣ'+δ' 257
～再び幾何模様の出現～ 257

第10章　原始ピタゴラス数の素数と散布図 259

素数（ピタゴラス数）の散布図を作成する 260
～素数の約半数を二次元で可視化～ 260
～散布図の解析結果～ 260
ピタゴラス数（c）素数中の双子素数の片の散布図 269
～２つの集合の架け橋～ 269
～散布図の解析結果～ 269
「ウラムのらせん」とピタゴラス数（c）素数の散布図 274
～「ウラムのらせん」との違い～ 274
～「ウラムのらせん」の作成～ 274

参考文献 276

おわりに 277

第１章

原始ピタゴラス数の算出

ピタゴラスの定理
ピタゴラス数の公式

～すべてのピタゴラス数を生み出す式～

直角三角形において、ピタゴラスの定理 $a^2+b^2=c^2$ を満たす自然数 (a, b, c) をピタゴラス数と呼んでいる。

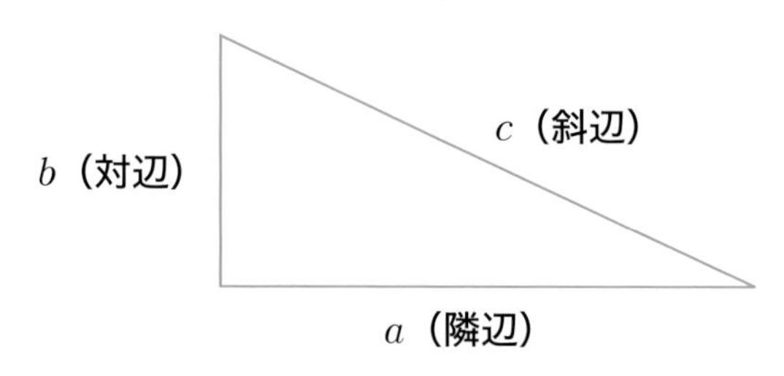

すべてのピタゴラス数 (a, b, c) を算出する公式は下記の等式から導かれる。

$(m^2-n^2)^2+(2mn)^2=(m^2+n^2)^2$　　m, n は自然数で $m>n>0$

$a=m^2-n^2$　　$b=2mn$　　$c=m^2+n^2$　　から　$a^2+b^2=c^2$

（注）

$(m^2-n^2)^2+(2mn)^2=(m^2+n^2)^2$ の括弧を外して計算すると、

$$m^4-2m^2n^2+n^4+4m^2n^2=m^4+2m^2n^2+n^4$$

$$m^4+2m^2n^2+n^4=m^4+2m^2n^2+n^4$$

となり、等式であることが確認される。

上記の公式によりピタゴラス数は無限に算出できる。

次頁の〈表１〉に、m, n を $m=2, n=1$ から $m=11, n=10$ までを場合分けして算出したピタゴラス数 (a, b, c) 55個の結果を示す。

表は $m=2$ から開始し、一定の m に対して n を1, 2, 3……と変化させ $m>n$ の条件下、n の上限で終了し、次の m に移行している。

〈表１〉ピタゴラス数を生み出す公式から算出

m	n	a	b	c
2	1	3	4	5
3	1	8	6	10
3	2	5	12	13
4	1	15	8	17
4	2	12	16	20
4	3	7	24	25
5	1	24	10	26
5	2	21	20	29
5	3	16	30	34
5	4	9	40	41
6	1	35	12	37
6	2	32	24	40
6	3	27	36	45
6	4	20	48	52
6	5	11	60	61
7	1	48	14	50
7	2	45	28	53
7	3	40	42	58
7	4	33	56	65
7	5	24	70	74
7	6	13	84	85
8	1	63	16	65
8	2	60	32	68
8	3	55	48	73
8	4	48	64	80
8	5	39	80	89
8	6	28	96	100
8	7	15	112	113
9	1	80	18	82
9	2	77	36	85
9	3	72	54	90
9	4	65	72	97
9	5	56	90	106
9	6	45	108	117
9	7	32	126	130
9	8	17	144	145
10	1	99	20	101
10	2	96	40	104
10	3	91	60	109
10	4	84	80	116
10	5	75	100	125
10	6	64	120	136
10	7	51	140	149
10	8	36	160	164
10	9	19	180	181
11	1	120	22	122
11	2	117	44	125
11	3	112	66	130
11	4	105	88	137
11	5	96	110	146
11	6	85	132	157
11	7	72	154	170
11	8	57	176	185
11	9	40	198	202
11	10	21	220	221

原始ピタゴラス数の必要条件

～２条件が必要～

ピタゴラス数は整数倍したものでもピタゴラス数と呼ぶが、a, b, c が互いに素の場合は原始ピタゴラス数と呼んでいる。

例えばピタゴラス数（3, 4, 5）は互いに素で原始ピタゴラス数であるが、整数倍した（6, 8, 10）、（9, 12, 15）、（12, 16, 20）は原始ピタゴラス数ではない。

原始ピタゴラス数の算出には下記の条件が必要とされる。

> ① m と n は一方が偶数で他方が奇数（m−n＝奇数）
> ② m と n は互いに素
> [m, n の最大公約数は１：gcd(m, n) = 1]

～原始ピタゴラス数の条件①でのふるい分け～

ピタゴラス数の算出表（15頁〈表１〉）から、原始ピタゴラス数の条件①である「m と n は一方が偶数で他方が奇数」に適合しない m, n の組合せを除外する（17、18頁の〈表２〉、〈表３〉参照）。

ふるい分けの手順として、

①「m ＝偶数」の場合の「n ＝偶数」を除く

②「m ＝奇数」の場合の「n ＝奇数」を除く

表から、ふるい分けで除かれるピタゴラス数（a, b, c）は偶数を共通の約数に持っていることが分かる。

（例１）

$m=4$（偶数), $n=2$（偶数)⇒$(a, b, c)=(12, 16, 20)$ で共通の約数4（偶数）

（例２）

$m=5$（奇数), $n=3$（奇数)⇒$(a, b, c)=(16, 30, 34)$ で共通の約数2（偶数）

〈表２〉条件①のふるい分け前

m	n	a	b	c
2	1	3	4	5
3	1	8	6	10
3	2	5	12	13
4	1	15	8	17
4	2	12	16	20
4	3	7	24	25
5	1	24	10	26
5	2	21	20	29
5	3	16	30	34
5	4	9	40	41
6	1	35	12	37
6	2	32	24	40
6	3	27	36	45
6	4	20	48	52
6	5	11	60	61
7	1	48	14	50
7	2	45	28	53
7	3	40	42	58
7	4	33	56	65
7	5	24	70	74
7	6	13	84	85
8	1	63	16	65
8	2	60	32	68
8	3	55	48	73
8	4	48	64	80
8	5	39	80	89
8	6	28	96	100
8	7	15	112	113

m	n	a	b	c
9	1	80	18	82
9	2	77	36	85
9	3	72	54	90
9	4	65	72	97
9	5	56	90	106
9	6	45	108	117
9	7	32	126	130
9	8	17	144	145
10	1	99	20	101
10	2	96	40	104
10	3	91	60	109
10	4	84	80	116
10	5	75	100	125
10	6	64	120	136
10	7	51	140	149
10	8	36	160	164
10	9	19	180	181
11	1	120	22	122
11	2	117	44	125
11	3	112	66	130
11	4	105	88	137
11	5	96	110	146
11	6	85	132	157
11	7	72	154	170
11	8	57	176	185
11	9	40	198	202
11	10	21	220	221

（網掛け）**はふるい分け対象**

〈表３〉条件①ふるい分け後

m	n	a	b	c	m	n	a	b	c
2	1	3	4	5	9	2	77	36	85
3	2	5	12	13	9	4	65	72	97
4	1	15	8	17	9	6	45	108	117
4	3	7	24	25	9	8	17	144	145
5	2	21	20	29	10	1	99	20	101
5	4	9	40	41	10	3	91	60	109
6	1	35	12	37	10	5	75	100	125
6	3	27	36	45	10	7	51	140	149
6	5	11	60	61	10	9	19	180	181
7	2	45	28	53	11	2	117	44	125
7	4	33	56	65	11	4	105	88	137
7	6	13	84	85	11	6	85	132	157
8	1	63	16	65	11	8	57	176	185
8	3	55	48	73	11	10	21	220	221
8	5	39	80	89					
8	7	15	112	113					

〜原始ピタゴラス数の条件②でのふるい分け〜

原始ピタゴラス数の条件②の「m と n は互いに素」に適合しない m, n の組合せを除外する。

ふるい分けの手順として、

① m を素因数分解する

② m の素因数を持つ n を除く

(例として)

$m=6$（偶数）は 2×3 に素因数分解される。

$m=6$ に対する n の候補は奇数かつ $m>n$ の条件から

1, 3, 5であるが、3は $m=6$ の素因数のため、

ふるい分けされ、$n=1, 5$ が残る。

次頁の〈表４〉、〈表５〉でふるい分けの過程を示す。その結果、〈表１〉のピタゴラス数55個から〈表５〉の原始ピタゴラス数27個が得られた。

〈表４〉条件②のふるい分け前

m		n	a	b	c
素数	2	1	3	4	5
素数	3	2	5	12	13
2^2	4	1	15	8	17
	4	3	7	24	25
素数	5	2	21	20	29
	5	4	9	40	41
2*3	6	1	35	12	37
	6	3	27	36	45
	6	5	11	60	61
素数	7	2	45	28	53
	7	4	33	56	65
	7	6	13	84	85
2^3	8	1	63	16	65
	8	3	55	48	73
	8	5	39	80	89
	8	7	15	112	113

m		n	a	b	c
3^2	9	2	77	36	85
	9	4	65	72	97
	9	6	45	108	117
	9	8	17	144	145
2*5	10	1	99	20	101
	10	3	91	60	109
	10	5	75	100	125
	10	7	51	140	149
	10	9	19	180	181
素数	11	2	117	44	125
	11	4	105	88	137
	11	6	85	132	157
	11	8	57	176	185
	11	10	21	220	221

はふるい分け対象

〈表５〉条件②ふるい分け後（原始ピタゴラス数）

m	n	a	b	c
2	1	3	4	5
3	2	5	12	13
4	1	15	8	17
4	3	7	24	25
5	2	21	20	29
5	4	9	40	41
6	1	35	12	37
6	5	11	60	61
7	2	45	28	53
7	4	33	56	65
7	6	13	84	85
8	1	63	16	65
8	3	55	48	73
8	5	39	80	89
8	7	15	112	113

m	n	a	b	c
9	2	77	36	85
9	4	65	72	97
9	8	17	144	145
10	1	99	20	101
10	3	91	60	109
10	7	51	140	149
10	9	19	180	181
11	2	117	44	125
11	4	105	105	137
11	6	85	132	157
11	8	57	176	185
11	10	21	220	221

原始ピタゴラス数の条件①の数学的考察

～条件①：mとnは一方が偶数で他方が奇数の考察～

条件①「m, n の一方が偶数で他方が奇数」が原始ピタゴラス数の必要条件であることを確認するため、m, n（$m > n$）について、下記の条件で場合分けして考察する。

(i) m, n が共に偶数の場合　(ii) m, n が共に奇数の場合

(iii) m が偶数で n が奇数の場合　(iv) m が奇数で n が偶数の場合

〈m, n (m > n) が共に偶数の場合の a, b, c〉

$m = 2t$（偶数）、$n = 2u$（偶数）、

t, u は自然数、$t > u$ とすると、

$a = m^2 - n^2 = (2t)^2 - (2u)^2 = 4t^2 - 4u^2 = 4(t^2 - u^2)$ ➡**(偶数)**

$b = 2mn = 2 \times 2t \times 2u = 4(2tu)$ ➡**(偶数)**

$c = m^2 + n^2 = (2t)^2 + (2u)^2 = 4(t^2 + u^2)$ ➡**(偶数)**

結果：a, b, c は偶数の 4 を共通の約数に持つ偶数のため原始ピタゴラス数ではない。従って、「m, n が共に偶数」は原始ピタゴラス数の必要条件ではない。

〈m, n (m > n) が共に奇数の場合の a, b, c〉

$m = 2t - 1$（奇数）、$n = 2u - 1$（奇数）、

t, u は自然数、$t > u$ とすると、

$a = m^2 - n^2 = (2t-1)^2 - (2u-1)^2 = (4t^2 - 4t + 1) - (4u^2 - 4u + 1)$

$= 4t^2 - 4t - 4u^2 + 4u = 2(2t^2 - 2u^2 - 2t + 2u)$ ➡**(偶数)**

$b = 2mn = 2(2t-1)(2u-1) = 2(4tu - 2t - 2u + 1)$ ➡**(偶数)**

$c = m^2 + n^2 = (2t-1)^2 + (2u-1)^2 = (4t^2 - 4t + 1) + (4u^2 - 4u + 1)$

$= 4t^2 + 4u^2 - 4t - 4u + 2 = 2(2t^2 + 2u^2 - 2t - 2u + 1)$ ➡**(偶数)**

結果：a, b, c は偶数の２を共通の約数に持つ偶数のため原始ピタゴラス数ではない。従って、「m, n が共に奇数」は原始ピタゴラス数の必要条件ではない。

〈mが偶数でnが奇数の場合（m > n）のa, b, c〉

$m=2t$（偶数）、$n=2t-1$（奇数）、$n=2u-1$（奇数）、
　t, u は自然数、$t>u$ とする、
（注１）$m=2t$（偶数）、$n=2t-1$（奇数）の組合せで
　　$t=1, 2, 3, 4,$……と変化させた場合の m, n の組合せは
　　$(m, n)=(2, 1), (4, 3), (6, 5), (8, 7)$……
（注２）$m=2t$（偶数）、$n=2u-1$（奇数）の組合せで
　　$t=2, 3, 4,$……と変化させた場合の m, n の組合せは
　　$(m, n)=(4, 1), (6, 3), (6, 1), (8, 5), (8, 3), (8, 1)$……

$a=m^2-n^2=(2t)^2-(2t-1)^2$
$=4t^2-(4t^2-4t+1)=4t-1$ ➡**（４で割って３余る奇数）**
$a=(2t)^2-(2u-1)^2=4t^2-(4u^2-4u+1)$
$=4(t^2-u^2+u)-1$ ➡**（４で割って３余る奇数）**
$b=2mn=2\times(2\mathrm{t})\times(2t-1)=4(2t^2-t)$ ➡**（偶数）**
$b=2mn=2\times(2t)\times(2u-1)=4(2tu-t)$ ➡**（偶数）**
$c=m^2+n^2=(2t)^2+(2t-1)^2$
$=4t^2+4t^2-4t+1=4(2t^2-t)+1$ ➡**（４で割って１余る奇数）**
$c=m^2+n^2=(2t)^2+(2u-1)^2$
$=4t^2+4u^2-4u+1=4(t^2+u^2-u)+1$ ➡**（４で割って１余る奇数）**

結果：$a, b,$ c は共通の約数を持たない。従って、「m が偶数で n が奇数」は原始ピタゴラス数の必要条件である。

〈mが奇数でnが偶数の場合（m > n）のa, b, c〉

$m=2t+1$（奇数）、$n=2t$（偶数）、$n=2u$（偶数）、
　t, u は自然数、$t>u$ とする、
（注１）$m=2t+1$（奇数）、$n=2t$（偶数）の組合せで

$t = 1, 2, 3, 4,$……と変化させた場合の m, n の組合せは

$(m, n) = (3, 2), (5, 4), (7, 6), (9, 8)$……

（注２）$m = 2t+1$（奇数）、$n = 2u$（偶数）の組合せで

$t = 2, 3, 4,$……と変化させた場合の m, n の組合せは

$(m, n) = (5, 2), (7, 4), (7, 2), (9, 6), (9, 4), (9, 2)$……

$a = m^2-n^2 = (2t+1)^2-(2t)^2$

$= (4t^2+4t+1)-4t^2 = 4t+1$ ➡**（４で割って１余る奇数）**

$a = m^2-n^2 = (2t+1)^2-(2u)^2$

$= (4t^2+4t+1)-4u^2 = 4(t^2-u^2+t)+1$ ➡**（４で割って１余る奇数）**

$b = 2mn = 2\times(2t+1)\times(2t) = 4(2t^2+t)$ ➡**（偶数）**

$b = 2mn = 2\times(2t+1)\times(2u) = 4(2tu+u)$ ➡**（偶数）**

$c = m^2+n^2 = (2t+1)^2+(2t)^2 = 4t^2+4t+1+4t^2$

$= 4(2t^2+t)+1$ ➡**（４で割って１余る奇数）**

$c = m^2+n^2 = (2t+1)^2+(2u)^2 = 4t^2+4t+1+4u^2$

$= 4(t^2+u^2+t)+1$ ➡**（４で割って１余る奇数）**

結果：a, b, c は共通の約数を持たない。従って、「m が奇数で n が偶数」は原始ピタゴラス数の必要条件である。

m, n の一方が偶数で他方が奇数の場合をまとめると、

〈m, n の一方が偶数で他方が奇数の場合〉

①ピタゴラス数（a, b, c）において、

a は奇数、b は偶数、c は奇数の値をとる。

②式、$a = 4t-1, 4(t^2-u^2+u)-1, 4t+1, 4(t^2-u^2+t)+1$ から

a は全て奇数の値をとる。

③式、$b = 4(2t^2-t), 4(2tu-t), 4(2t^2+t), 4(2tu+u)$ から

b は偶数で４の倍数。

④式、$c = 4(2t^2-t)+1, 4(t^2+u^2-u)+1, 4(2t^2+t)+1, 4(t^2+u^2+t)+1$ から

c は奇数で「４で割って１余る数」。

原始ピタゴラス数の条件②の数学的考察

～条件②：mとnは互いに素の考察～

条件①「m と n は一方が偶数で他方が奇数」では m, n が共に偶数の場合、ピタゴラス数（a, b, c）は共通の約数４（偶数）を、m, n が共に奇数の場合は共通の約数２（偶数）を持つことが分かり、ふるい分けされた。

しかし「m と n は一方が偶数で他方が奇数」の場合でも m と n が共通の約数（奇数）を持つピタゴラス数（a, b, c）については対象外となっていた。そのため条件②の「m と n は互いに素」が必要となる。

〈m偶数、n奇数でmとnが共通の約数（奇数）を持つ場合〉

m が偶数、n が奇数で m と n が互いに素ではなく、共通の約数 r（奇数）を持つ場合のピタゴラス数（a, b, c）を考える。

$m=2t$（偶数）、$n=2u-1$（奇数）、共通の約数 r（奇数）、
　t, u, r は自然数、$t>u$ とする、

（注）隣り合う偶数と奇数は互いに素のため（奇数）$=2t-1$ の条件の検討は必要ない。

$$a=m^2-n^2=(2tr)^2-\{(2u-1)r\}^2=4t^2r^2-(4u^2r^2-4ur^2+r^2)$$
$$=r^2(4t^2-4u^2+4u-1)$$
$$b=2mn=2\times(2tr)\times\{(2u-1)r\}=4r^2(2tu-t)$$
$$c=m^2+n^2=(2tr)^2+\{(2u-1)r\}^2=4t^2r^2+4u^2r^2-4ur^2+r^2$$
$$=r^2(4t^2+4u^2-4u+1)$$

結果：m（偶数）と n（奇数）が互いに素ではなく、共通の約数 r（奇数）を持つ場合、**a, b, c は共通の約数 r^2 を持つ**。従って、m, n は互いに素でなければならない。

（例）$m=6, n=3$ の場合：［m, n の共通の約数は３］

$a = m^2-n^2 = 6^2-3^2 = 27$、$b = 2mn = 2\times6\times3 = 36$、

$c = m^2+n^2 = 6^2+3^2 = 45$ から

$(a, b, c) = (27, 36, 45) = (3\times9, 4\times9, 5\times9)$ で、

a, b, c の共通の約数は $3^2 = 9$ となる。

〈m奇数、n偶数でmとnが共通の約数（奇数）を持つ場合〉

m が奇数、n が偶数で m と n が互いに素ではなく、共通の約数 r（奇数）を持つ場合のピタゴラス数 (a, b, c) を考える。

$m = 2t+1$（奇数）、$n = 2u$（偶数）、共通の約数 r（奇数）、

t, u, r は自然数、$t > u$ とする、

（注）隣り合う奇数と偶数は互いに素のため（偶数）$= 2t$ の条件の検討は必要ない。

$a = m^2-n^2 = \{(2t+1)r\}^2-(2ur)^2 = (4t^2r^2+4tr^2+r^2)-4u^2r^2$

$= r^2(4t^2-4u^2+4t+1)$

$b = 2mn = 2\times\{(2t+1)r\}\times(2ur) = 4r^2(2tu+u)$

$c = m^2+n^2 = \{(2t+1)r\}^2+(2ur)^2 = 4t^2r^2+4tr^2+r^2+4u^2r^2$

$= r^2(4t^2+4u^2+4t+1)$

結果：m（奇数）と n（偶数）が互いに素ではなく、共通の約数 r（奇数）を持つ場合、**a, b, c は共通の約数 r^2 を持つ**。従って、m, n は互いに素でなければならない。

（例）$m = 9, n = 6$ の場合：［m, n の共通の約数は 3］

$a = m^2-n^2 = 9^2-6^2 = 45$、$b = 2mn = 2\times9\times6 = 108$、

$c = m^2+n^2 = 9^2+6^2 = 117$ から

$(a, b, c) = (45, 108, 117) = (5\times9, 12\times9, 13\times9)$ で、

a, b, c の共通の約数は $3^2 = 9$ となる。

上述の結果をまとめると、

m, n の一方が偶数で他方が奇数かつ m, n が共通の約数 r（奇数）を持つ場合、ピタゴラス数（a, b, c）は共通の約数 r^2 を持つ。

第２章

原始ピタゴラス数の組合せ
斜辺cと（a, b）の関係

原始ピタゴラス数 (a, b, c)
斜辺cの基本知識

～4で割って1余る奇数～

第1章では原始ピタゴラス数（a, b, c）の算出について手順を具体的に見た。今日、パソコンと表計算ソフトを用いることにより原始ピタゴラス数（a, b, c）は容易に算出できる。第2章～第4章では算出された原始ピタゴラス数（a, b, c）の各辺に焦点を当て、他の2辺との関係性を明らかにする。

第2章では原始ピタゴラス数（a, b, c）の内、斜辺 c と（a, b）との関係を見ていく。

斜辺 c については下記のことが知られている。

①$c^2 = a^2+b^2$（ピタゴラスの定理）
②$c = m^2+n^2$（ピタゴラス数の公式：$m > n > 0$　m, n は自然数）
③奇数である（22頁参照）
④4で割って1余る数（22頁参照）
（注）奇数は「4で割って1余る数」と「4で割って3余る数」に2分類でき、「4で割って1余る数」は「二つの平方の和」で表せることが知られている（詳細は108～110頁参照）。

2を除く素数は奇数であり、斜辺 c に含まれる「4で割って1余る素数」と「4で割って3余る素数」に2分類される。

斜辺 c については数の基本である素数に注視しつつ、素数以外の奇数の動向にも注意を払って見ていく。

原始ピタゴラス数（a, b, c）の斜辺cに注目

～斜辺cの素数に注視～

下記〈表６〉は原始ピタゴラス数の〈表５〉（19頁）の斜辺 c の素数を薄青色に着色した。

〈表６〉原始ピタゴラス数の斜辺ｃと素数

m	n	a	b	c
2	1	3	4	5
3	2	5	12	13
4	1	15	8	17
4	3	7	24	25
5	2	21	20	29
5	4	9	40	41
6	1	35	12	37
6	5	11	60	61
7	2	45	28	53
7	4	33	56	65
7	6	13	84	85
8	1	63	16	65
8	3	55	48	73
8	5	39	80	89
8	7	15	112	113

m	n	a	b	c
9	2	77	36	85
9	4	65	72	97
9	8	17	144	145
10	1	99	20	101
10	3	91	60	109
10	7	51	140	149
10	9	19	180	181
11	2	117	44	125
11	4	105	105	137
11	6	85	132	157
11	8	57	176	185
11	10	21	220	221

上記〈表６〉斜辺 c の素数の最初の８個を順に並べると、5, 13, 17, 29までは昇順に出現しているが、その後の41, 37, 61, 53については数値が前後して入り乱れている。

斜辺 c を理解する第一歩として、斜辺 c を昇順に並べ直したのが〈表７〉（次頁参照）である。

斜辺cを
昇順に並べ直す

～並び替えて分かること～

〈表７〉前頁〈表６〉の斜辺ｃを昇順に並べ直す

m	n	a	b	c
2	1	3	4	5
3	2	5	12	13
4	1	15	8	17
4	3	7	24	25
5	2	21	20	29
6	1	35	12	37
5	4	9	40	41
7	2	45	28	53
6	5	11	60	61
7	4	33	56	65
8	1	63	16	65
8	3	55	48	73
7	6	13	84	85
9	2	77	36	85
8	5	39	80	89

m	n	a	b	c
9	4	65	72	97
10	1	99	20	101
10	3	91	60	109
8	7	15	112	113
11	2	117	44	125
11	4	105	105	137
9	8	17	144	145
10	7	51	140	149
11	6	85	132	157
10	9	19	180	181
11	8	57	176	185
11	10	21	220	221

並び替えで分かったこと。

〈素数について〉

下記〈表８〉は素数40個を昇順に並べ、「４で割って３余る素数」を薄青色に着色している。

〈表８〉

2	3	5	7	11	13	17	19	23	29
31	37	41	43	47	53	59	61	67	71
73	79	83	89	97	101	103	107	109	113
127	131	137	139	149	151	157	163	167	173
179	181	191	193	197	199	211	223	227	229

〈表７〉の素数を〈表８〉の薄青色の素数と対比すると、素数5, 13, 17, 29……137, 149, 157までは１対１で対応しているが、〈表８〉に見られる157に続く素数173は〈表７〉では欠けている。

昇順に並び替える前の〈表６〉の c を見ると、全体的には昇順の傾向がうかがえるものの、かなりの幅で値が入り乱れている。そのため、正確な順位の確定が必要となる。

～素数以外の数について～

注目すべきは $c=65$, $c=85$ において (a, b) の組が２種類となっていることで、下記〈表９〉はこの部分を抜き出したものである。

〈表９〉

m	n	a	b	c
7	4	33	56	65
8	1	63	16	65
7	6	13	84	85
9	2	77	36	85

$c=65$, $c=85$ において (a, b) の組が２種類となっていることはすでに知られているが、どんな条件で何故 (a, b) の組が２種類となるのだろうか。

c と (a, b) の組の種類の関係について解明するためには斜辺 c を基準とし、昇順位が確定した原始ピタゴラス数の表が必要となる。そのためには正確な順位を確定する方法の探索が課題となった。

ピタゴラス数算出表の斜辺cの変化

～n＝1のcに注視～

次頁〈表10〉はピタゴラス数の算出表である。

表は14頁でも述べたように、$m=2$から開始し、一定のmに対してnを1, 2, 3……と変化させ$m>n$の条件下、nの上限で終了し、次のmに移行している。

m, nの変化と共に斜辺cも変化するが、その変化は下記に示す一定の規則性を持っている。

①mが一定の場合、nの値が大きくなるに従ってcも増加する。
（例）$m=5$の場合、$n=1, 2, 3, 4$に対応し$c=26, 29, 34, 41$となる。

②mが一定の枠を「mブロック」とすると、各「mブロック」の先頭（$n=1$）のc（表では薄青色に着色）は下記のようにmの値が大きくなるに従ってcも増加する。
各mに対し$n=1$のcは$c=5, 10, 17, 26, 37, 50, 65, 82, 101, 122, 145$となる。

③$n=1$のcの変化を詳しく見るとcは階差数列となっていて、その一般項（c_n）は$c_n=n^2+2n+2$となっている。

④上述①～③のcの変化から、**n＝1のcは以降のピタゴラス数算出表には出現しない**ことが分かる。このことは$n=1$のcが正確な順位の確定の基準値となり得ることを示唆しており、ピタゴラス数算出表を昇順に並べ替えた場合、$n=1$のcまでが正確な昇順位として確定される。

次々頁以降でピタゴラス数算出表から原始ピタゴラス数の順位確定までをたどる。

〈表10〉 n＝1のｃの変化

m	n	a	b	c
2	1	3	4	5
3	1	8	6	10
3	2	5	12	13
4	1	15	8	17
4	2	12	16	20
4	3	7	24	25
5	1	24	10	26
5	2	21	20	29
5	3	16	30	34
5	4	9	40	41
6	1	35	12	37
6	2	32	24	40
6	3	27	36	45
6	4	20	48	52
6	5	11	60	61
7	1	48	14	50
7	2	45	28	53
7	3	40	42	58
7	4	33	56	65
7	5	24	70	74
7	6	13	84	85
8	1	63	16	65
8	2	60	32	68
8	3	55	48	73
8	4	48	64	80
8	5	39	80	89
8	6	28	96	100
8	7	15	112	113
9	1	80	18	82
9	2	77	36	85
9	3	72	54	90
9	4	65	72	97
9	5	56	90	106
9	6	45	108	117
9	7	32	126	130
9	8	17	144	145
10	1	99	20	101
10	2	96	40	104
10	3	91	60	109
10	4	84	80	116
10	5	75	100	125
10	6	64	120	136
10	7	51	140	149
10	8	36	160	164
10	9	19	180	181
11	1	120	22	122
11	2	117	44	125
11	3	112	66	130
11	4	105	88	137
11	5	96	110	146
11	6	85	132	157
11	7	72	154	170
11	8	57	176	185
11	9	40	198	202
11	10	21	220	221
12	1	143	24	145

〈表11〉原始ピタゴラス数以外のふるい分け（次頁で解説）

m	n	a	b	c
2	1	3	4	5
3	1	8	6	10
3	2	5	12	13
4	1	15	8	17
4	2	12	16	20
4	3	7	24	25
5	1	24	10	26
5	2	21	20	29
5	3	16	30	34
5	4	9	40	41
6	1	35	12	37
6	2	32	24	40
6	3	27	36	45
6	4	20	48	52
6	5	11	60	61
7	1	48	14	50
7	2	45	28	53
7	3	40	42	58
7	4	33	56	65
7	5	24	70	74
7	6	13	84	85
8	1	63	16	65
8	2	60	32	68
8	3	55	48	73
8	4	48	64	80
8	5	39	80	89
8	6	28	96	100
8	7	15	112	113

m	n	a	b	c
9	1	80	18	82
9	2	77	36	85
9	3	72	54	90
9	4	65	72	97
9	5	56	90	106
9	6	45	108	117
9	7	32	126	130
9	8	17	144	145
10	1	99	20	101
10	2	96	40	104
10	3	91	60	109
10	4	84	80	116
10	5	75	100	125
10	6	64	120	136
10	7	51	140	149
10	8	36	160	164
10	9	19	180	181
11	1	120	22	122
11	2	117	44	125
11	3	112	66	130
11	4	105	88	137
11	5	96	110	146
11	6	85	132	157
11	7	72	154	170
11	8	57	176	185
11	9	40	198	202
11	10	21	220	221
12	1	143	24	145

原始ピタゴラス数cの昇順位確定の基準値

〜n＝1が基準値〜

前頁〈表11〉は〈表10〉から原始ピタゴラス数の２条件である、①mとnは一方が偶数で他方が奇数、②mとnは互いに素の条件に適合しないもの（ふるい分け対象）を灰色で示している。

下記〈表12〉はふるい分け後の表である。

〈表12〉ふるい分け後の原始ピタゴラス数

m	n	a	b	c
2	1	3	4	5
3	2	5	12	13
4	1	15	8	17
4	3	7	24	25
5	2	21	20	29
5	4	9	40	41
6	1	35	12	37
6	5	11	60	61
7	2	45	28	53
7	4	33	56	65
7	6	13	84	85
8	1	63	16	65
8	3	55	48	73
8	5	39	80	89
8	7	15	112	113

m	n	a	b	c
9	2	77	36	85
9	4	65	72	97
9	8	17	144	145
10	1	99	20	101
10	3	91	60	109
10	7	51	140	149
10	9	19	180	181
11	2	117	44	125
11	4	105	88	137
11	6	85	132	157
11	8	57	176	185
11	10	21	220	221
12	1	143	24	145

上記〈表12〉の最後は$m=12, n=1$で$c=145$となっている。ピタゴラス数算出表の斜辺cの変化から、$c=145$は$m=12, n=1$以降の表には出現しないので（30頁参照）、$c=145$は昇順位確定の基準値となる。

原始ピタゴラス数cの昇順位確定へ

～m = 12, n = 1, c = 145が基準値～

下記〈表13〉は〈表12〉について c を基準に昇順に並べ替えた表である。表では $m = 2, n = 1$ から $m = 12, n = 1, c = 145$ までが昇順位が確定している。薄灰色で着色している $m = 10, n = 7, c = 149$ から $m = 11, n = 10, c = 221$ までは昇順位未確定の部分である。

〈表13〉原始ピタゴラス数 c の昇順位確定表

m	n	a	b	c
2	1	3	4	5
3	2	5	12	13
4	1	15	8	17
4	3	7	24	25
5	2	21	20	29
6	1	35	12	37
5	4	9	40	41
7	2	45	28	53
6	5	11	60	61
7	4	33	56	65
8	1	63	16	65
8	3	55	48	73
7	6	13	84	85
9	2	77	36	85
8	5	39	80	89

m	n	a	b	c
9	4	65	72	97
10	1	99	20	101
10	3	91	60	109
8	7	15	112	113
11	2	117	44	125
11	4	105	105	137
9	8	17	144	145
12	1	143	24	145
10	7	51	140	149
11	6	85	132	157
10	9	19	180	181
11	8	57	176	185
11	10	21	220	221

〈表10〉(31頁) で算出したピタゴラス数 (a, b, c)、56個は原始ピタゴラス数の条件①、②のふるい分けで28個 (50%) となり、c を基準にした昇順位確定で23個 (41%) となった。

昇順位が確定したｃを分類する

～(a, b) の組の種類の確定～

前頁〈表13〉で昇順位が確定した。昇順位が確定したことにより、c に対する（a, b）の組も同時に確定したことになる。

c に対する（a, b）の組を確認するため、原始ピタゴラス数23個の c について下記のように分類し着色した。

①素数：薄青色

②素数以外で、c に対する（a, b）の組が１種類：無色

③素数以外で、c に対する（a, b）の組が２種類：灰色

着色結果を下記〈表14〉に示す。

〈表14〉原始ピタゴラス数のｃの分類

m	n	a	b	c
2	1	3	4	5
3	2	5	12	13
4	1	15	8	17
4	3	7	24	25
5	2	21	20	29
6	1	35	12	37
5	4	9	40	41
7	2	45	28	53
6	5	11	60	61
7	4	33	56	65
8	1	63	16	65
8	3	55	48	73

m	n	a	b	c
7	6	13	84	85
9	2	77	36	85
8	5	39	80	89
9	4	65	72	97
10	1	99	20	101
10	3	91	60	109
8	7	15	112	113
11	2	117	44	125
11	4	105	105	137
9	8	17	144	145
12	1	143	24	145

上記〈表14〉から、下記の事が確認される。

①ｃが素数の場合

（a, b）の組は１種類のみ。

②素数以外で、(a, b) の組が１種類の場合

表から $c=25$, $c=125$ が分類される。

c の値を素因数分解すると

$c=25=5^2$、$c=125=5^3$ となり、

素数５の階乗の形となっている。

③素数以外で、(a, b) の組が２種類の場合

表から $c=65$、$c=85$、$c=145$ が分類される。

c の値を素因数分解すると

$c=65=5\times13$、$c=85=5\times17$、$145=5\times29$ となり、

素数５と５以外の素数（13, 17, 29）の２種類の組。

組合せの素数（5, 13, 17, 29）は「４で割って１余る素数」

上述の結果から c 値に対する (a, b) の組は、

①ｃの素数の種類が、(a, b) の組の種類に関係している。
②ピタゴラスの定理を満たすため、ｃは「４で割って１余る素数」で構成される。

c の素数の種類が、(a, b) の組の種類に関係しているとしたら、素数が３種類の下記の c の (a, b) の組は何種類だろうか。

$c=1105=5\times13\times17$ の c の (a, b) の組の種類を確認するためのピタゴラス数算出範囲（上限）は下記の方法で求めた。

ピタゴラス数の公式から、

$c=m^2+n^2$

常に $n=1$ が基準値となるので上記の式に $c=1105$ と $n=1$ を代入しすると、

$1105=m^2+1^2 \quad \Rightarrow m^2=1104 \quad \Rightarrow m^2=\pm\sqrt{1104}$

$m=33.22...$（$m>0$ の条件）

m は自然数のため小数点以下を切り上げ $m=34$ とする。

$m=34, n=1$（$m^2+n^2=1157$）から $c=1105$ は $m=34, n=1$ までピタゴラス数を算出すれば昇順位確定の範囲内となる。

3種類の素数を持つcと (a, b) の組の種類

～cに対する (a, b) の組4種類～

素因数の素数が3種類の $c=1105=5\times13\times17$ のみでなく $c=1885=5\times13\times29$ の (a, b) の組の種類も確認するため、$m=44, n=1$ $(m^2+n^2=1937)$ までピタゴラス数算出表を作成し、309個の原始ピタゴラス数 (a, b, c) の昇順位を手順に従って確定した。

39頁以下の〈表15-1, 15-2, 15-3〉は算出結果である。

今回も原始ピタゴラス数23個の場合（35頁〈表14〉）と同様に309個の c について下記のように分類し着色した。但し、今回は c に対する (a, b) の組4種類が④として加わっている。

①素数：薄青色
②素数以外で、c に対する (a, b) の組が1種類：無色
③素数以外で、c に対する (a, b) の組が2種類：灰色
④素数以外で、c に対する (a, b) の組が4種類：濃青色

c に対する (a, b) の組を確認するため、c のみを抽出して表にしたものが42頁の〈表16〉である。

前述〈表14〉で確認した事項は今回も下記に示すように確認されている。

①cが素数の場合

(a, b) の組は1種類のみ。

②素数以外で、(a, b) の組が1種類の場合

c の値を素因数分解すると

$25=5^2$, $125=5^3$, $169=13^2$, $289=17^2$, $625=5^4$, $841=29^2$, $1369=37^2$, $1681=41^2$ となり、

素数5, 13, 17, 29, 37, 41の階乗の形で、素因数の素数は全て「4で

割って１余る素数」となっている。

③素数以外で、(a, b) の組が２種類の場合

c の値を素因数分解すると下記のように２種類の素数に分解され、これらの素数は全て「４で割って１余る素数」である。

65 = 5×13、85 = 5×17、145 = 5×29、185 = 5×37、205 = 5×41、221 = 13×17、265 = 5×53、305 = 5×61、325 = 5^2×13、365 = 5×73、377 = 13×29、425 = 5^2×17、445 = 5×89、481 = 13×37、485 = 5×97、493 = 17×29、505 = 5×101、533 = 13×41、545 = 5×109、565 = 5×113、629 = 17×37、685 = 5×137、689 = 13×53、697 = 17×41、725 = 5^2×29、745 = 5×149、785 = 5×157、793 = 13×61、845 = 5×13^2、865 = 5×173、901 = 17×53、905 = 5×181、925 = 5^2×37、949 = 13×73、965 = 5×193、985 = 5×197、1025 = 5^2×41、1037 = 17×61、1073 = 29×37、1145 = 5×229、1157 = 13×89、1165 = 5×233、1189 = 29×41、1205 = 5×241、1241 = 17×73、1261 = 13×97、1285 = 5×257、1313 = 13×101、1325 = 5^2×53、1345 = 5×269、1385 = 5×277、1405 = 5×281、1417 = 13×109、1445 = 5×17^2、1465 = 5×293、1469 = 13×113、1513 = 17×89、1517 = 37×41、1525 = 5^2×61、1537 = 29×53、1565 = 5×313、1585 = 5×317、1625 = 5^3×13、1649 = 17×97、1685 = 5×337、1717 = 17×101、1745 = 5×349、1765 = 5×353、1769 = 29×61、1781 = 13×137、1825 = 5^2×73、1853 = 17×109、1865 = 5×373、1921 = 17×113、1937 = 13×149

④素数以外で、(a, b) の組が４種類の場合

表から c = 1105、c = 1885 が分類され、c の値を素因数分解すると下記のように３種類の素数に分解され、素数は全て「４で割って１余る素数」となっている。

1105 = 5×13×17, 1885 = 5×13×29

３種類の素数を持つ c の（a, b）の組が４種類であることは、４種類以上の素数を持つ c についてのヒントとなる。

〈表15-1〉確定昇順（１～102位）のｃ

m	n	a	b	c
2	1	3	4	5
3	2	5	12	13
4	1	15	8	17
4	3	7	24	25
5	2	21	20	29
6	1	35	12	37
5	4	9	40	41
7	2	45	28	53
6	5	11	60	61
7	4	33	56	65
8	1	63	16	65
8	3	55	48	73
7	6	13	84	85
9	2	77	36	85
8	5	39	80	89
9	4	65	72	97
10	1	99	20	101
10	3	91	60	109
8	7	15	112	113
11	2	117	44	125
11	4	105	88	137
9	8	17	144	145
12	1	143	24	145
10	7	51	140	149
11	6	85	132	157
12	5	119	120	169
13	2	165	52	173
10	9	19	180	181
11	8	57	176	185
13	4	153	104	185
12	7	95	168	193
14	1	195	28	197
13	6	133	156	205
14	3	187	84	205

m	n	a	b	c
11	10	21	220	221
14	5	171	140	221
15	2	221	60	229
13	8	105	208	233
15	4	209	120	241
16	1	255	32	257
12	11	23	264	265
16	3	247	96	265
13	10	69	260	269
14	9	115	252	277
16	5	231	160	281
15	8	161	240	289
17	2	285	68	293
16	7	207	224	305
17	4	273	136	305
13	12	25	312	313
14	11	75	308	317
17	6	253	204	325
18	1	323	36	325
16	9	175	288	337
18	5	299	180	349
17	8	225	272	353
14	13	27	364	365
19	2	357	76	365
18	7	275	252	373
16	11	135	352	377
19	4	345	152	377
17	10	189	340	389
19	6	325	228	397
20	1	399	40	401
20	3	391	120	409
15	14	29	420	421
16	13	87	416	425
19	8	297	304	425

m	n	a	b	c
17	12	145	408	433
18	11	203	396	445
21	2	437	84	445
20	7	351	280	449
21	4	425	168	457
19	10	261	380	461
16	15	31	480	481
20	9	319	360	481
17	14	93	476	485
22	1	483	44	485
18	13	155	468	493
22	3	475	132	493
19	12	217	456	505
21	8	377	336	505
22	5	459	220	509
20	11	279	440	521
22	7	435	308	533
23	2	525	92	533
21	10	341	420	541
17	16	33	544	545
23	4	513	184	545
19	14	165	532	557
22	9	403	396	565
23	6	493	276	565
20	13	231	520	569
24	1	575	48	577
23	8	465	368	593
24	5	551	240	601
18	17	35	612	613
19	16	105	608	617
24	7	527	336	625
23	10	429	460	629
25	2	621	100	629
25	4	609	200	641

〈表15-2〉確定昇順（103～206位）のｃ

m	n	a	b	c
22	13	315	572	653
25	6	589	300	661
23	12	385	552	673
26	1	675	52	677
19	18	37	684	685
26	3	667	156	685
20	17	111	680	689
25	8	561	400	689
21	16	185	672	697
24	11	455	528	697
26	5	651	260	701
22	15	259	660	709
23	14	333	644	725
26	7	627	364	725
27	2	725	108	733
24	13	407	624	745
27	4	713	216	745
26	9	595	468	757
20	19	39	760	761
25	12	481	600	769
22	17	195	748	773
23	16	273	736	785
28	1	783	56	785
27	8	665	432	793
28	3	775	168	793
26	11	555	572	797
28	5	759	280	809
25	14	429	700	821
27	10	629	540	829
21	20	41	840	841
22	19	123	836	845
29	2	837	116	845
23	18	205	828	853
29	4	825	232	857

m	n	a	b	c
24	17	287	816	865
28	9	703	504	865
29	6	805	348	877
25	16	369	800	881
26	15	451	780	901
30	1	899	60	901
28	11	663	616	905
29	8	777	464	905
22	21	43	924	925
27	14	533	756	925
23	20	129	920	929
24	19	215	912	937
29	10	741	580	941
25	18	301	900	949
30	7	851	420	949
28	13	615	728	953
26	17	387	884	965
31	2	957	124	965
31	4	945	248	977
27	16	473	864	985
29	12	697	696	985
31	6	925	372	997
28	15	559	840	1009
23	22	45	1012	1013
30	11	779	660	1021
31	8	897	496	1025
32	1	1023	64	1025
32	3	1015	192	1033
26	19	315	988	1037
29	14	645	812	1037
32	5	999	320	1049
31	10	861	620	1061
30	13	731	780	1069
28	17	495	952	1073
32	7	975	448	1073

m	n	a	b	c
33	2	1085	132	1093
29	16	585	928	1097
24	23	47	1104	1105
31	12	817	744	1105
32	9	943	576	1105
33	4	1073	264	1105
25	22	141	1100	1109
26	21	235	1092	1117
27	20	329	1080	1129
28	19	423	1064	1145
32	11	903	704	1145
33	8	1025	528	1153
31	14	765	868	1157
34	1	1155	68	1157
29	18	517	1044	1165
34	3	1147	204	1165
34	5	1131	340	1181
30	17	611	1020	1189
33	10	989	660	1189
32	13	855	832	1193
25	24	49	1200	1201
26	23	147	1196	1205
34	7	1107	476	1205
27	22	245	1188	1213
31	16	705	992	1217
35	2	1221	140	1229
34	9	1075	612	1237
29	20	441	1160	1241
35	4	1209	280	1241
32	15	799	960	1249
30	19	539	1140	1261
35	6	1189	420	1261
34	11	1035	748	1277
31	18	637	1116	1285
33	14	893	924	1285

〈表15-3〉確定昇順（207～309位）の c

m	n	a	b	c
35	8	1161	560	1289
36	1	1295	72	1297
26	25	51	1300	1301
28	23	255	1288	1313
32	17	735	1088	1313
36	5	1271	360	1321
29	22	357	1276	1325
34	13	987	884	1325
33	16	833	1056	1345
36	7	1247	504	1345
31	20	561	1240	1361
35	12	1081	840	1369
37	2	1365	148	1373
34	15	931	1020	1381
32	19	663	1216	1385
37	4	1353	296	1385
27	26	53	1404	1405
37	6	1333	444	1405
28	25	159	1400	1409
29	24	265	1392	1417
36	11	1175	792	1417
30	23	371	1380	1429
37	8	1305	592	1433
31	22	477	1364	1445
38	1	1443	76	1445
38	3	1435	228	1453
32	21	583	1344	1465
36	13	1127	936	1465
37	10	1269	740	1469
38	5	1419	380	1469
35	16	969	1120	1481
33	20	689	1320	1489
38	7	1395	532	1493
28	27	55	1512	1513
37	12	1225	888	1513

m	n	a	b	c
29	26	165	1508	1517
34	19	795	1292	1517
38	9	1363	684	1525
39	2	1517	156	1525
31	24	385	1488	1537
39	4	1505	312	1537
35	18	901	1260	1549
32	23	495	1472	1553
37	14	1173	1036	1565
38	11	1323	836	1565
36	17	1007	1224	1585
39	8	1457	624	1585
34	21	715	1428	1597
40	1	1599	80	1601
40	3	1591	240	1609
38	13	1275	988	1613
39	10	1421	780	1621
29	28	57	1624	1625
37	16	1113	1184	1625
31	26	285	1612	1637
32	25	399	1600	1649
40	7	1551	560	1649
36	19	935	1368	1657
38	15	1219	1140	1669
40	9	1519	720	1681
34	23	627	1564	1685
41	2	1677	164	1685
37	18	1045	1332	1693
41	4	1665	328	1697
35	22	741	1540	1709
39	14	1325	1092	1717
41	6	1645	492	1717
40	11	1479	880	1721
38	17	1155	1292	1733
30	29	59	1740	1741

m	n	a	b	c
31	28	177	1736	1745
41	8	1617	656	1745
32	27	295	1728	1753
33	26	413	1716	1765
42	1	1763	84	1765
37	20	969	1480	1769
40	13	1431	1040	1769
39	16	1265	1248	1777
34	25	531	1700	1781
41	10	1581	820	1781
42	5	1739	420	1789
35	24	649	1680	1801
36	23	767	1656	1825
41	12	1537	984	1825
37	22	885	1628	1853
43	2	1845	172	1853
31	30	61	1860	1861
32	29	183	1856	1865
43	4	1833	344	1865
33	28	305	1848	1873
41	14	1485	1148	1877
34	27	427	1836	1885
38	21	1003	1596	1885
42	11	1643	924	1885
43	6	1813	516	1885
40	17	1311	1360	1889
35	26	549	1820	1901
43	8	1785	688	1913
36	25	671	1800	1921
39	20	1121	1560	1921
42	13	1595	1092	1933
41	16	1425	1312	1937
44	1	1935	88	1937

〈表16〉昇順確定（1～309位）c の一覧表

5	13	17	25	29	37	41	53	61	65
65	73	85	85	89	97	101	109	113	125
137	145	145	149	157	169	173	181	185	185
193	197	205	205	221	221	229	233	241	257
265	265	269	277	281	289	293	305	305	313
317	325	325	337	349	353	365	365	373	377
377	389	397	401	409	421	425	425	433	445
445	449	457	461	481	481	485	485	493	493
505	505	509	521	533	533	541	545	545	557
565	565	569	577	593	601	613	617	625	629
629	641	653	661	673	677	685	685	689	689
697	697	701	709	725	725	733	745	745	757
761	769	773	785	785	793	793	797	809	821
829	841	845	845	853	857	865	865	877	881
901	901	905	905	925	925	929	937	941	949
949	953	965	965	977	985	985	997	1009	1013
1021	1025	1025	1033	1037	1037	1049	1061	1069	1073
1073	1093	1097	1105	1105	1105	1105	1109	1117	1129
1145	1145	1153	1157	1157	1165	1165	1181	1189	1189
1193	1201	1205	1205	1213	1217	1229	1237	1241	1241
1249	1261	1261	1277	1285	1285	1289	1297	1301	1313
1313	1321	1325	1325	1345	1345	1361	1369	1373	1381
1385	1385	1405	1405	1409	1417	1417	1429	1433	1445
1445	1453	1465	1465	1469	1469	1481	1489	1493	1513
1513	1517	1517	1525	1525	1537	1537	1549	1553	1565
1565	1585	1585	1597	1601	1609	1613	1621	1625	1625
1637	1649	1649	1657	1669	1681	1685	1685	1693	1697
1709	1717	1717	1721	1733	1741	1745	1745	1753	1765
1765	1769	1769	1777	1781	1781	1789	1801	1825	1825
1853	1853	1861	1865	1865	1873	1877	1885	1885	1885
1885	1889	1901	1913	1921	1921	1933	1937	1937	–

４種類以上の素数を持つcと(a, b) の組の種類

～cと（a, b）の組の種類についての一般式～

斜辺cの素数の種類と（a, b）の組の種類についてのこれまでの結果をまとめると下記表のようになる。

〈表17〉

cの素数の種類	（a, b）の組の種類
1	1
2	2
3	4

上記表の結果から、斜辺cの素数の種類と（a, b）の組の種類について下記の一般式が類推できる。

[（a, b）の組の種類] = $2^{(n-1)}$　n：斜辺 c の素数の種類

上記の類推した一般式から、斜辺cの素数が4, 5, 6種類の場合、（a, b）の組の種類については下記表の結果が期待される。

〈表18〉

cの素数の種類	（a, b）の組の種類
4	8
5	16
6	32

斜辺cの素数が4, 5, 6種類の具体例を考えると、

$c = 32045 = 5×13×17×29$　　　$c = 1185665 = 5×13×17×29×37$

$c = 48612265 = 5×13×17×29×37×41$　　　となる。

斜辺cの素数の種類が多くなるに従ってcの値も大きくなり、ピタゴラス数の表から昇順位を確定して（a, b）の組の種類を求めるこれまでの方法はパソコンでもかなりの労力が求められる。

原始ピタゴラス数の表を用いない(a, b)の組の種類の求め方

～ピタゴラス数の公式を利用する～

斜辺 c の素数が４種類、５種類、６種類になった場合、(a, b) の組の種類を求めるには原始ピタゴラス数の算出表をどこまで作成すべきか(基準の m, n) を下記表にまとめた。

〈表19〉

種類	c の素因数分解結果	基準の m, n	m^2+n^2
4	$32045=5\times13\times17\times29$	$m=180,\ n=1$	32401
5	$1185665=5\times13\times17\times29\times37$	$m=1089,\ n=1$	1185922
6	$48612265=5\times13\times17\times29\times37\times41$	$m=6973,\ n=1$	48622730

(注) 基準の m, n の算出の仕方は36頁参照。

上記の表から、斜辺 c の素数の種類が増すに従ってパソコンを使用しても膨大な量の表の作成が必要となり、非効率的な作業となることが分かる。

効率良く (a, b) の組の種類のみを求める方法として、ピタゴラス数の公式「$c=m^2+n^2$」を利用した。

〈cの素数が４種類の場合の算出〉

(i) ピタゴラス数の公式「$c=m^2+n^2$」を変形する。

$m^2=c-n^2$

$m=\pm\sqrt{c-n^2}$　$m>0$ の条件から

$m=\sqrt{c-n^2}$ ……………………………………………………(1)

斜辺 c の素数が４種類の下記の c の場合

$c=32045=5\times13\times17\times29$

$c=32045$ を式(1)の $m=\sqrt{c-n^2}$ に代入して

$m=\sqrt{32045-n^2}$ ……………………………………………(2)

(ii) 式(2)の n に自然数1, 2, 3, 4……を代入し、表計算ソフトを使用

して m を求める。原始ピタゴラス数の条件 $m>n$ から、m の値が n より小さくなった時点（$m<n$）で計算を終了する。

(iii) 計算結果から得られる m の値の内、無理数を除く整数のみの m と対の n を計算表から抽出する。

(iv) 抽出した m, n が原始ピタゴラス数の条件である①m と n は一方が偶数で他方が奇数、②m と n は互いに素であることを確認する。

(v) 抽出、確認した m, n を用いて $a=m^2-n^2$、$b=2mn$ から（a, b）を算出する。

次頁〈表20〉に $c=32045=5\times13\times17\times29$ の場合の表計算ソフトを使用した結果を掲載した。計算表では m の整数（薄青色で着色）前後以外は割愛した。また、m の数値が $n>m$ 以降の部分は対象外で灰色に着色した。〈表20〉で得られた整数 m, n を用い（a, b）の組合せの種類の結果を〈表21〉に掲載した。

〈表20〉、〈表21〉から、斜辺 c の素数が４種類の場合、（a, b）の組は８種類であることが確認される。

〈ｃの素数が５種類の場合の算出〉

c の素数が４種類の場合と同様の方法で算出、結果を47頁の〈表22〉、〈表23〉に示す。

算出結果から斜辺 c の素数が５種類の場合、（a, b）の組は16種類であることが確認された。

〈ｃの素数が６種類の場合の算出〉

c の素数が４種類の場合と同様の方法で算出、結果を48頁の〈表24〉、49頁の〈表25〉に示す。

算出結果から斜辺 c の素数が６種類の場合、（a, b）の組は32種類で、これまでの検討結果は類推した下記式に沿っている。

[（a, b）の組の種類] = $2^{(n-1)}$　n：斜辺ｃの素数の種類

〈表20〉計算表

n	$m=\sqrt{32045-n^2}$	判定
1	179.0083797	×
2	179	○
3	178.986033	×
⇓		
18	178.1039023	×
19	178	○
20	177.8904157	×
⇓		
45	173.2628062	×
46	173	○
47	172.7310047	×
⇓		
66	166.4001202	×
67	166	○
68	165.5928742	×
⇓		
73	163.4502983	×
74	163	○
75	162.5423022	×
⇓		
85	157.5436447	×
86	157	○
87	156.4480745	×
⇓		
108	142.7620398	×
109	142	○
110	141.226768	×
⇓		
121	131.9242207	×
122	131	○
123	130.0615239	×
⇓		
127	126.1586303	×
n>mで計算終了		

〈表21〉 $c = 5 \times 13 \times 17 \times 29 = 32045$ の場合、斜辺 c に対する（a, b）の組合せ（８種類）

	m	n	a	b	c
1	179	2	32037	716	32045
2	178	19	31323	6764	
3	173	46	27813	15916	
4	166	67	23067	22244	
5	163	74	21093	24124	
6	157	86	17253	27004	
7	142	109	8283	30956	
8	131	122	2277	31964	

Excel使用の計算ポイントⅠ

①$m = \sqrt{32045-n^2}$の計算式

= (32045−B5^2)^(1/2)

（注）n のセルが「B5」の場合

②mが整数の判定

INT関数を利用する

m が整数の場合⇒「○」

m が小数を含む場合⇒「×」と設定

= IF(INT(B5) = B5," ○ "," × ")

（注）m のセルが「B5」の場合

③m, nが整数の組合せの検索

「ホーム」の「検索と選択」から「検索」を選択し、「検索する文字列(N)」を「○」に設定して検索する。

（68頁）**に続く**

〈表22〉c = 5 × 13 × 17 × 29 × 37 = 1185665の計算表

n	m=$\sqrt{1185665-n^2}$	n	m=$\sqrt{1185665-n^2}$	n	m=$\sqrt{1185665-n^2}$
1	1088.881995	⇓		⇓	
⇓		280	1052.266601	600	908.6611029
63	1087.058416	281	1052	601	908
64	1087	⇓		⇓	
65	1086.940661	291	1049.277847	606	904.6706583
⇓		292	1049	607	904
102	1084.094553	⇓		⇓	
103	1084	358	1028.348676	663	863.7684875
⇓		359	1028	664	863
166	1076.154729	⇓		⇓	
167	1076	448	992.452014	672	856.7852706
⇓		449	992	673	856
190	1072.17769	⇓		⇓	
191	1072	511	961.5321107	742	796.932243
⇓		512	961	743	796
235	1063.22152	⇓		⇓	
236	1063	567	929.6106712	769	770.9111492
237	1062.777493	568	929	770	769.9123327
⇓		⇓		n>mで計算終了	

〈表23〉c = 5 × 13 × 17 × 29 × 37 = 1185665の場合、
斜辺cに対する（a, b）の組合せ（16種類）

	m	n	a	b	c
1	1087	64	1177473	139136	1185665
2	1084	103	1164447	223304	
3	1076	167	1129887	359384	
4	1072	191	1112703	409504	
5	1063	236	1074273	501736	
6	1052	281	1027743	591224	
7	1049	292	1015137	612616	
8	1028	359	927903	738104	
9	992	449	782463	890816	
10	961	512	661377	984064	
11	929	568	540417	1055344	
12	908	601	463263	1091416	
13	904	607	448767	1097456	
14	863	664	303873	1146064	
15	856	673	279807	1152176	
16	796	743	81567	1182856	

〈表24〉 c ＝ 5 × 13 × 17 × 29 × 37 × 41 ＝ 48612265 の計算表

$m=\sqrt{48612265-n^2}$

n	m	判定
1	6972.24957	×
⇓		
58	6972.00839	×
59	6972	○
⇓		
131	6971.01886	×
132	6971	○
⇓		
530	6952.07631	×
531	6952	○
⇓		
580	6948.08355	×
581	6948	○
⇓		
626	6944.09022	×
627	6944	○
⇓		
875	6917.12657	×
876	6917	○
⇓		
1007	6899.14603	×
1008	6899	○
⇓		
1283	6853.18729	×
1284	6853	○
⇓		
1587	6789.23383	×
1588	6789	○
⇓		
1658	6772.2449	×
1659	6772	○
⇓		
1722	6756.25495	×
1723	6756	○
⇓		

n	m	判定
⇓		
2091	6651.31446	×
2092	6651	○
⇓		
2135	6637.32175	×
2136	6637	○
⇓		
2316	6576.35226	×
2317	6576	○
⇓		
2372	6556.36187	×
2373	6556	○
⇓	⇓	
2735	6413.42654	×
2736	6413	○
⇓	⇓	
2756	6404.43042	×
2757	6404	○
⇓		
2802	6384.43897	×
2803	6384	○
⇓		
3071	6259.49071	×
3072	6259	○
⇓		
3163	6213.50915	×
3164	6213	○
⇓		
3332	6124.54415	×
3333	6124	○
⇓		
3468	6048.57347	×
3469	6048	○
3470	6047.42631	×
⇓		

n	m	判定
⇓		
3703	5907.62693	×
3704	5907	○
⇓		
3820	5832.65506	×
3821	5832	○
⇓		
4027	5691.70765	×
4028	5691	○
⇓		
4076	5656.72069	×
4077	5656	○
⇓		
4135	5613.73672	×
4136	5613	○
⇓		
4370	5432.80452	×
4371	5432	×
⇓		
4595	5243.87643	×
4596	5243	○
⇓		
4667	5179.90116	×
4668	5179	○
⇓		
4711	5139.91673	×
4712	5139	○
⇓		
4850	5008.96846	×
4851	5008	○
4852	5007.03116	×
⇓		
4930	4930.24999	×
4931	4929.24984	×

n>mで計算終了

〈表25〉 $c = 5 \times 13 \times 17 \times 29 \times 37 \times 41 = 48612265$ の場合、斜辺 c に対する（a, b）の組合せ（32種類）

	m	n	a	b	c
1	6972	59	48605303	822696	48612265
2	6971	132	48577417	1840344	
3	6952	531	48048343	7383024	
4	6948	581	47937143	8073576	
5	6944	627	47826007	8707776	
6	6917	876	47077513	12118584	
7	6899	1008	46580137	13908384	
8	6853	1284	45314953	17598504	
9	6789	1588	43568777	21561864	
10	6772	1659	43107703	22469496	
11	6756	1723	42674807	23281176	
12	6651	2092	39859337	27827784	
13	6637	2136	39487273	28353264	
14	6576	2317	37875287	30473184	
15	6556	2373	37350007	31114776	
16	6413	2736	33640873	35091936	
17	6404	2757	33410167	35311656	
18	6384	2803	32898647	35788704	
19	6259	3072	29737897	38455296	
20	6213	3164	28590473	39315864	
21	6124	3333	26394487	40822584	
22	6048	3469	24544343	41961024	
23	5907	3704	21173033	43759056	
24	5832	3821	19412183	44568144	
25	5691	4028	16162697	45846696	
26	5656	4077	15368407	46119024	
27	5613	4136	14399273	46430736	
28	5432	4371	10400983	47486544	
29	5243	4596	6365833	48193656	
30	5179	4668	5031817	48351144	
31	5139	4712	4206377	48429936	
32	5008	4851	1547863	48587616	

第３章

原始ピタゴラス数の組合せ
隣辺 a と（b, c）の関係

原始ピタゴラス数 (a, b, c)
隣辺aの基本知識

～制限の無い奇数～

前章では原始ピタゴラス数（a, b, c）の斜辺 c と（a, b）との組の種類を見たが、本章では隣辺 a と（b, c）の組の種類を見る。

隣辺 a については下記のことが知られている。

① $a^2 = c^2 - b^2$（ピタゴラスの定理）

② $a = m^2 - n^2$（ピタゴラス数の公式：$m > n$　m, n は自然数）

③奇数である（22頁参照）

第２章ではピタゴラス数の算出表の規則性から斜辺 c の昇順位を確定し、斜辺 c と（a, b）の組を調べた。

斜辺 c が多くの素数を持ち数値が大きい場合はピタゴラス数の算出表からではなく、ピタゴラス数の公式を利用して（a, b）の組を確認した。その結果、斜辺 c の素数の種類と（a, b）の組の種類は類推した下記の一般式に沿っていることが分かった。

$[(a, b)$ の組の種類$] = 2^{(n-1)}$　n：斜辺 c の素数の種類

本章でも隣辺 a と（b, c）の組を見るため、斜辺 c の場合と同様にピタゴラス数の算出表から規則性を見つけ出して隣辺 a の昇順位を確定し、（b, c）の組を求めた。

次に、隣辺 a が多くの素数を持ち数値が大きい場合は、斜辺 c の場合と同様に、ピタゴラス数の公式を利用し（b, c）の組を求め、最後に隣辺 a と（b, c）の組の種類の間に斜辺 c で見られたような一般式の存在の有無を確認した。

ピタゴラス数算出表の隣辺aの変化

～m−n＝1のaに注視～

次頁〈表26〉はピタゴラス数の算出表である。

$m=2$から開始し、一定値のmに対してnを1, 2, 3……と変化させ$m>n$の条件下、nの上限で終了し、次のmに移行している。

m, nの変化と共に斜辺aも変化するが、その変化は下記に示す一定の規則性を持っている。

①mが一定値の場合
　nの値が大きくなるに従ってaは減少し、斜辺cの場合と真逆となる。
　（例）$m=5$の場合、$n=1, 2, 3, 4$に対応し$a=24, 21, 16, 9$となる。

②mが一定値の枠を「mブロック」とすると、各「mブロック」の最後（$m-n=1$）のa（表では薄青色に着色）は下記のようにmの値が大きくなるに従ってaも増加する。
　$m-n=1$のaは3, 5, 7, 9, 11, 13, 15, 17, 19, 21となる。

③$m-n=1$のaの変化を詳しく見るとaは奇数の等差数列となっていて、その一般項（a_n）は$a_n=2n+1$となっている。

④上述①～③のaの変化から、$m-n=1$のaは以降のピタゴラス数算出表には出現しないことが分かる。このことは$m-n=1$のaが正確な順位の確定の基準値となり得ることを示唆しており、ピタゴラス数算出表を昇順に並べ替えた場合、$m-n=1$のaまでが正確な昇順位として確定される。

次頁以降に〈表26〉のピタゴラス数算出表から原始ピタゴラス数の順位確定までをたどる。

〈表26〉m－n＝1のaの変化

m	n	a	b	c
2	1	3	4	5
3	1	8	6	10
3	2	5	12	13
4	1	15	8	17
4	2	12	16	20
4	3	7	24	25
5	1	24	10	26
5	2	21	20	29
5	3	16	30	34
5	4	9	40	41
6	1	35	12	37
6	2	32	24	40
6	3	27	36	45
6	4	20	48	52
6	5	11	60	61
7	1	48	14	50
7	2	45	28	53
7	3	40	42	58
7	4	33	56	65
7	5	24	70	74
7	6	13	84	85
8	1	63	16	65
8	2	60	32	68
8	3	55	48	73
8	4	48	64	80
8	5	39	80	89
8	6	28	96	100
8	7	15	112	113
9	1	80	18	82
9	2	77	36	85
9	3	72	54	90
9	4	65	72	97
9	5	56	90	106
9	6	45	108	117
9	7	32	126	130
9	8	17	144	145
10	1	99	20	101
10	2	96	40	104
10	3	91	60	109
10	4	84	80	116
10	5	75	100	125
10	6	64	120	136
10	7	51	140	149
10	8	36	160	164
10	9	19	180	181
11	1	120	22	122
11	2	117	44	125
11	3	112	66	130
11	4	105	88	137
11	5	96	110	146
11	6	85	132	157
11	7	72	154	170
11	8	57	176	185
11	9	40	198	202
11	10	21	220	221

〈表27〉原始ピタゴラス数以外のふるい分け（次頁で解説）

m	n	a	b	c
2	1	3	4	5
3	1	8	6	10
3	2	5	12	13
4	1	15	8	17
4	2	12	16	20
4	3	7	24	25
5	1	24	10	26
5	2	21	20	29
5	3	16	30	34
5	4	9	40	41
6	1	35	12	37
6	2	32	24	40
6	3	27	36	45
6	4	20	48	52
6	5	11	60	61
7	1	48	14	50
7	2	45	28	53
7	3	40	42	58
7	4	33	56	65
7	5	24	70	74
7	6	13	84	85
8	1	63	16	65
8	2	60	32	68
8	3	55	48	73
8	4	48	64	80
8	5	39	80	89
8	6	28	96	100
8	7	15	112	113
9	1	80	18	82
9	2	77	36	85
9	3	72	54	90
9	4	65	72	97
9	5	56	90	106
9	6	45	108	117
9	7	32	126	130
9	8	17	144	145
10	1	99	20	101
10	2	96	40	104
10	3	91	60	109
10	4	84	80	116
10	5	75	100	125
10	6	64	120	136
10	7	51	140	149
10	8	36	160	164
10	9	19	180	181
11	1	120	22	122
11	2	117	44	125
11	3	112	66	130
11	4	105	88	137
11	5	96	110	146
11	6	85	132	157
11	7	72	154	170
11	8	57	176	185
11	9	40	198	202
11	10	21	220	221

原始ピタゴラス数aの昇順位確定の基準値

～m−n＝1が基準値～

前頁〈表27〉は〈表26〉から原始ピタゴラス数の２条件である、①mとnは一方が偶数で他方が奇数、②mとnは互いに素の条件に適合しないもの（ふるい分け対象）を灰色で示している。

下記〈表28〉はふるい分け後の表である。

〈表28〉ふるい分け後の原始ピタゴラス数

m	n	a	b	c
2	1	3	4	5
3	2	5	12	13
4	1	15	8	17
4	3	7	24	25
5	2	21	20	29
5	4	9	40	41
6	1	35	12	37
6	5	11	60	61
7	2	45	28	53
7	4	33	56	65
7	6	13	84	85
8	1	63	16	65
8	3	55	48	73
8	5	39	80	89
8	7	15	112	113
9	2	77	36	85
9	4	65	72	97
9	8	17	144	145
10	1	99	20	101
10	3	91	60	109
10	7	51	140	149
10	9	19	180	181
11	2	117	44	125
11	4	105	88	137
11	6	85	132	157
11	8	57	176	185
11	10	21	220	221

上記〈表28〉の最後は$m=11, n=10$で$a=21$となっている。ピタゴラス数算出表の斜辺aの変化から、$a=21$は次の$m=12, n=1$以降の表では出現せず、$a=21$は昇順位確定の基準値となる。

原始ピタゴラス数aの昇順位確定へ

〜m = 11, n = 10, a = 21が基準値〜

下記〈表29〉は〈表28〉について a を基準に昇順に並べ替えた表である。表では $m=2, n=1$ から $m=11, n=10, a=21$ までが昇順位が確定している。薄灰色で着色している $m=7, n=4, a=33$ から $m=11, n=2, a=117$ までは昇順位未確定の部分である。

〈表29〉原始ピタゴラス数 a の昇順位確定表

m	n	a	b	c
2	1	3	4	5
3	2	5	12	13
4	3	7	24	25
5	4	9	40	41
6	5	11	60	61
7	6	13	84	85
4	1	15	8	17
8	7	15	112	113
9	8	17	144	145
10	9	19	180	181
5	2	21	20	29
11	10	21	220	221
7	4	33	56	65
6	1	35	12	37

m	n	a	b	c
8	5	39	80	89
7	2	45	28	53
10	7	51	140	149
8	3	55	48	73
11	8	57	176	185
8	1	63	16	65
9	4	65	72	97
9	2	77	36	85
11	6	85	132	157
10	3	91	60	109
10	1	99	20	101
11	4	105	88	137
11	2	117	44	125

〈表26〉（54頁）で算出したピタゴラス数（a, b, c）、55個は原始ピタゴラス数の条件でのふるい分けで27個（49%）となり、a を基準にした昇順位確定で12個（22%）となった。

昇順位が確定したaを分類する

～(b, c) の組の種類の確定～

前頁〈表29〉で昇順位が確定した。昇順位が確定したことにより、aに対する（b, c）の組合せも同時に確定したことになる。

aに対する（b, c）の組合せを確認するため、原始ピタゴラス数12個のaについて下記のように分類し着色した。

①素数：薄青色

②素数以外で、aに対する（b, c）の組が１種類：無色

③素数以外で、aに対する（b, c）の組が２種類：灰色

着色結果を下記〈表30〉に示す。

〈表30〉原始ピタゴラス数のaの分類

m	n	a	b	c
2	1	3	4	5
3	2	5	12	13
4	3	7	24	25
5	4	9	40	41
6	5	11	60	61
7	6	13	84	85

m	n	a	b	c
4	1	15	8	17
8	7	15	112	113
9	8	17	144	145
10	9	19	180	181
5	2	21	20	29
11	10	21	220	221

上記〈表30〉から、下記の事が確認される。

①aが素数の場合

（b, c）の組は１種類のみ。

表から素数は3, 5, 7, 11, 13, 17, 19となっており

斜辺cのように「４で割って１余る素数」に限定されない。

②素数以外で、(b, c) の組が１種類の場合

表から $a=9$ が分類される。

a の値を素因数分解すると

$a=9=3^2$ となり、素数３の階乗の形となっている。

③素数以外で、(b, c) の組が２種類の場合

表から $a=15$、$a=21$ が分類される。

a の値を素因数分解すると

$a=15=3\times5$、$a=21=3\times7$、となり

素数3, 5, 7からの２種類の組となっている。

上述の結果から a に対する（b, c）の組合せについてまとめると、

> **① a の素数の種類が、（b, c）の組の種類に関係している。**
> **② a は斜辺 c のように「４で割って１余る奇数」に限定されない。**

a の素数の種類が、（b, c）の組の種類に関係しているとしたら、素数が３種類の下記の a について（b, c）の組は何種類だろうか。それを確認するためには昇順位確定が必要となる。

$a=105=3\times5\times7$、$a=165=3\times5\times11$、$a=195=3\times5\times13$、

$a=231=3\times7\times11$、$a=255=3\times5\times17$

上記の $a=255$ の（b, c）の昇順位確定をするために、ピタゴラス数の算出表がどこまで必要かを確認した。

ピタゴラス数の公式により $a=m^2-n^2$ であることから、

$$\begin{cases} m-n=1 \\ m^2-n^2=255 \end{cases}$$ の連立方程式を解く

$m^2-(m-1)^2=255$

$2m-1=255$

$m=128$、$n=127$　までピタゴラス数算出表の作成が必要。

3種類の素数を持つaと(b, c)の組の種類

〜aに対する(b, c)の組4種類〜

素因数の素数が3種類の$a=105=3\times5\times7$、$a=165=3\times5\times11$、$a=195=3\times5\times13$、$a=231=3\times7\times11$、$a=255=3\times5\times17$の（b, c）の組の種類を確認するため、$m=128$、$n=127$までピタゴラス数算出表を作成し、202個の原始ピタゴラス数（a, b, c）の昇順位を手順に従って確定した。

62頁以下の〈表31-1〉、〈表31-2〉は算出結果である。

今回も原始ピタゴラス数12個の場合（58頁〈表30〉）と同様に202個のaについて下記のように分類し着色した。但し、今回はaに対する（b, c）の組4種類が④として加わっている。

①素数：薄青色

②素数以外で、aに対する（b, c）の組が1種類：無色

③素数以外で、aに対する（b, c）の組が2種類：灰色

④素数以外で、aに対する（b, c）の組が4種類：濃青色

aに対する（b, c）の組を確認するためaのみを抽出して表にしたものが〈表32〉（64頁）である。

前述〈表30〉で確認した事項は今回も下記に示すように確認されている。

①aが素数の場合

（b, c）の組は1種類のみ。

表から3以上の素数が欠けることなく昇順に従っている。

②素数以外で、(b, c)の組が1種類の場合

表から$a=9, 25, 27, 49, 81, 121, 125, 169, 243$が分類される。

aの値を素因数分解すると

$9 = 3^2$、$25 = 5^2$、$27 = 3^3$、$49 = 7^2$、$81 = 9^2$、$121 = 11^2$、
$125 = 5^3$、$169 = 13^2$、$243 = 3^5$となり、
素数の階乗の形をとっている。

③素数以外で、(b, c) の組が２種類の場合

aの値を素因数分解すると下記のように２種類の素数に分解される。

$15 = 3 \times 5$、$21 = 3 \times 7$、$33 = 3 \times 11$、$35 = 5 \times 7$、$39 = 3 \times 13$、$45 = 3^2 \times 5$、
$51 = 3 \times 17$、$55 = 5 \times 11$、$57 = 3 \times 19$、$63 = 3^2 \times 7$、$65 = 5 \times 13$、$69 = 3 \times 23$、
$75 = 3 \times 5^2$、$77 = 7 \times 11$、$85 = 5 \times 17$、$87 = 3 \times 29$、$91 = 7 \times 13$、$93 = 3 \times 31$、
$95 = 5 \times 19$、$99 = 3^2 \times 11$、$111 = 3 \times 37$、$115 = 5 \times 23$、$117 = 3^2 \times 13$、
$119 = 7 \times 17$、$123 = 3 \times 41$、$129 = 3 \times 43$、$133 = 7 \times 19$、$135 = 3^3 \times 5$、
$141 = 3 \times 47$、$143 = 11 \times 13$、$145 = 5 \times 29$、$147 = 3 \times 7^2$、$153 = 3^2 \times 17$、
$155 = 5 \times 31$、$159 = 3 \times 53$、$161 = 7 \times 23$、$171 = 3^2 \times 19$、$175 = 5^2 \times 7$、
$177 = 3 \times 59$、$183 = 3 \times 61$、$185 = 5 \times 37$、$187 = 11 \times 17$、$189 = 3^3 \times 7$、
$201 = 3 \times 67$、$203 = 7 \times 29$、$205 = 5 \times 41$、$207 = 3^2 \times 23$、$209 = 11 \times 19$、
$213 = 3 \times 71$、$215 = 5 \times 43$、$217 = 7 \times 31$、$219 = 3 \times 73$、$221 = 13 \times 17$、
$225 = 3^2 \times 5^2$、$235 = 5 \times 47$、$237 = 3 \times 79$、$245 = 5 \times 7^2$、$247 = 13 \times 19$、
$249 = 3 \times 83$、$253 = 11 \times 23$

④素数以外で、(b, c) の組が４種類の場合

aの値を素因数分解すると下記のように３種類の素数に分解される。

$a = 105 = 3 \times 5 \times 7$、$a = 165 = 3 \times 5 \times 11$、$a = 195 = 3 \times 5 \times 13$、
$a = 231 = 3 \times 7 \times 11$、$a = 255 = 3 \times 5 \times 17$

３種類の素数を持つaの（b, c）の組が斜辺cの場合と同様に４種類であることから、４種類以上の素数を持つaの（b, c）の組の種類も斜辺cの場合と同様になることが推測される。

〈表31-1〉確定昇順（1～99位）のa

m	n	a	b	c
2	1	3	4	5
3	2	5	12	13
4	3	7	24	25
5	4	9	40	41
6	5	11	60	61
7	6	13	84	85
4	1	15	8	17
8	7	15	112	113
9	8	17	144	145
10	9	19	180	181
5	2	21	20	29
11	10	21	220	221
12	11	23	264	265
13	12	25	312	313
14	13	27	364	365
15	14	29	420	421
16	15	31	480	481
7	4	33	56	65
17	16	33	544	545
6	1	35	12	37
18	17	35	612	613
19	18	37	684	685
8	5	39	80	89
20	19	39	760	761
21	20	41	840	841
22	21	43	924	925
7	2	45	28	53
23	22	45	1012	1013
24	23	47	1104	1105
25	24	49	1200	1201
10	7	51	140	149
26	25	51	1300	1301
27	26	53	1404	1405

m	n	a	b	c
8	3	55	48	73
28	27	55	1512	1513
11	8	57	176	185
29	28	57	1624	1625
30	29	59	1740	1741
31	30	61	1860	1861
8	1	63	16	65
32	31	63	1984	1985
9	4	65	72	97
33	32	65	2112	2113
34	33	67	2244	2245
13	10	69	260	269
35	34	69	2380	2381
36	35	71	2520	2521
37	36	73	2664	2665
14	11	75	308	317
38	37	75	2812	2813
9	2	77	36	85
39	38	77	2964	2965
40	39	79	3120	3121
41	40	81	3280	3281
42	41	83	3444	3445
11	6	85	132	157
43	42	85	3612	3613
16	13	87	416	425
44	43	87	3784	3785
45	44	89	3960	3961
10	3	91	60	109
46	45	91	4140	4141
17	14	93	476	485
47	46	93	4324	4325
12	7	95	168	193
48	47	95	4512	4513

m	n	a	b	c
49	48	97	4704	4705
10	1	99	20	101
50	49	99	4900	4901
51	50	101	5100	5101
52	51	103	5304	5305
11	4	105	88	137
13	8	105	208	233
19	16	105	608	617
53	52	105	5512	5513
54	53	107	5724	5725
55	54	109	5940	5941
20	17	111	680	689
56	55	111	6160	6161
57	56	113	6384	6385
14	9	115	252	277
58	57	115	6612	6613
11	2	117	44	125
59	58	117	6844	6845
12	5	119	120	169
60	59	119	7080	7081
61	60	121	7320	7321
22	19	123	836	845
62	61	123	7564	7565
63	62	125	7812	7813
64	63	127	8064	8065
23	20	129	920	929
65	64	129	8320	8321
66	65	131	8580	8581
13	6	133	156	205
67	66	133	8844	8845
16	11	135	352	377
68	67	135	9112	9113
69	68	137	9384	9385

〈表31-2〉確定昇順（100～202位）の a

m	n	a	b	c
70	69	139	9660	9661
25	22	141	1100	1109
71	70	141	9940	9941
12	1	143	24	145
72	71	143	10224	10225
17	12	145	408	433
73	72	145	10512	10513
26	23	147	1196	1205
74	73	147	10804	10805
75	74	149	11100	11101
76	75	151	11400	11401
13	4	153	104	185
77	76	153	11704	11705
18	13	155	468	493
78	77	155	12012	12013
79	78	157	12324	12325
28	25	159	1400	1409
80	79	159	12640	12641
15	8	161	240	289
81	80	161	12960	12961
82	81	163	13284	13285
13	2	165	52	173
19	14	165	532	557
29	26	165	1508	1517
83	82	165	13612	13613
84	83	167	13944	13945
85	84	169	14280	14281
14	5	171	140	221
86	85	171	14620	14621
87	86	173	14964	14965
16	9	175	288	337
88	87	175	15312	15313
31	28	177	1736	1745
89	88	177	15664	15665

m	n	a	b	c
90	89	179	16020	16021
91	90	181	16380	16381
32	29	183	1856	1865
92	91	183	16744	16745
21	16	185	672	697
93	92	185	17112	17113
14	3	187	84	205
94	93	187	17484	17485
17	10	189	340	389
95	94	189	17860	17861
96	95	191	18240	18241
97	96	193	18624	18625
14	1	195	28	197
22	17	195	748	773
34	31	195	2108	2117
98	97	195	19012	19013
99	98	197	19404	19405
100	99	199	19800	19801
35	32	201	2240	2249
101	100	201	20200	20201
18	11	203	396	445
102	101	203	20604	20605
23	18	205	828	853
103	102	205	21012	21013
16	7	207	224	305
104	103	207	21424	21425
15	4	209	120	241
105	104	209	21840	21841
106	105	211	22260	22261
37	34	213	2516	2525
107	106	213	22684	22685
24	19	215	912	937
108	107	215	23112	23113
19	12	217	456	505
109	108	217	23544	23545

m	n	a	b	c
38	35	219	2660	2669
110	109	219	23980	23981
15	2	221	60	229
111	110	221	24420	24421
112	111	223	24864	24865
17	8	225	272	353
113	112	225	25312	25313
114	113	227	25764	25765
115	114	229	26220	26221
16	5	231	160	281
20	13	231	520	569
40	37	231	2960	2969
116	115	231	26680	26681
117	116	233	27144	27145
26	21	235	1092	1117
118	117	235	27612	27613
41	38	237	3116	3125
119	118	237	28084	28085
120	119	239	28560	28561
121	120	241	29040	29041
122	121	243	29524	29525
27	22	245	1188	1213
123	122	245	30012	30013
16	3	247	96	265
124	123	247	30504	30505
43	40	249	3440	3449
125	124	249	31000	31001
126	125	251	31500	31501
17	6	253	204	325
127	126	253	32004	32005
16	1	255	32	257
28	23	255	1288	1313
44	41	255	3608	3617
128	127	255	32512	32513

〈表32〉昇順確定（1～202位）a の一覧表

3	5	7	9	11	13	15	15	17	19
21	21	23	25	27	29	31	33	33	35
35	37	39	39	41	43	45	45	47	49
51	51	53	55	55	57	57	59	61	63
63	65	65	67	69	69	71	73	75	75
77	77	79	81	83	85	85	87	87	89
91	91	93	93	95	95	97	99	99	101
103	105	105	105	105	107	109	111	111	113
115	115	117	117	119	119	121	123	123	125
127	129	129	131	133	133	135	135	137	139
141	141	143	143	145	145	147	147	149	151
153	153	155	155	157	159	159	161	161	163
165	165	165	165	167	169	171	171	173	175
175	177	177	179	181	183	183	185	185	187
187	189	189	191	193	195	195	195	195	197
199	201	201	203	203	205	205	207	207	209
209	211	213	213	215	215	217	217	219	219
221	221	223	225	225	227	229	231	231	231
231	233	235	235	237	237	239	241	243	245
245	247	247	249	249	251	253	253	255	255
255	255	—	—	—	—	—	—	—	—

４種類以上の素数を持つａと（b, c）の組の種類

～ａに対する（b, c）の組の種類についての一般式～

隣辺 a の素数の種類と（b, c）の組の種類についてのこれまでの結果をまとめると下記表のようになる。

〈表33〉

a の素数の種類	（b, c）の組の種類
1	1
2	2
3	4

上記表の結果から、隣辺 a の素数の種類と（b, c）の組の種類について下記の一般式が類推できる。

［（b, c）の組の種類］＝ $2^{(n-1)}$　n：隣辺ａの素数の種類

上記の一般式から、隣辺 a の素数が4, 5, 6種類の場合、（b, c）の組の種類については下記表の結果が期待される。

〈表34〉

a の素数の種類	（b, c）の組の種類
4	8
5	16
6	32

隣辺 a の素数が4, 5, 6種類の具体例を考えると、

$a = 1155 = 3\times5\times7\times11$　　$a = 15015 = 3\times5\times7\times11\times13$

$a = 255255 = 3\times5\times7\times11\times13\times17$　　となる。

隣辺 a の素数の種類が多くなるに従って a の値も大きくなり、ピタゴラス数の表から昇順位を確定して（b, c）の組の種類を求める方法ではパソコンでもかなりの労力が求められる。

原始ピタゴラス数の表を用いない(b, c) の組の求め方

～ピタゴラス数の公式を利用する～

隣辺 a の素数が4種類、5種類、6種類になった場合、(b, c) の組の種類を求めるには原始ピタゴラス数の算出表をどこまで作成すべきか(基準の m, n) を下記表にまとめた。

〈表35〉

種類	a の素因数分解結果	基準の m, n	m^2-n^2
4	$1155 = 3\times5\times7\times11$	$m = 578, n = 577$	1155
5	$15015 = 3\times5\times7\times11\times13$	$m = 7508, n = 7507$	11015
6	$255255 = 3\times5\times7\times11\times13\times17$	$m = 127628, n = 127627$	255255

(注) 基準の m, n の算出の仕方は59頁参照。

上記の表から、隣辺 a の素数の種類が増すに従ってパソコンを使用しても膨大な量の表の作成が必要となり、非効率的な作業となることが分かる。

効率良く (b, c) の組の種類のみを求める方法として、ピタゴラス数の公式「$a = m^2-n^2$」を利用した。

〈aの素数が4種類の場合の算出〉

(i) ピタゴラス数の公式「$a = m^2-n^2$」を変形する。

$m^2 = a+n^2$

$m = \pm\sqrt{n^2+a}$　$m > 0$の条件から

$m = \sqrt{n^2+a}$ ……………………………………(1)

隣辺 a の素数が4種類の下記の a の場合

$a = 1155 = 3\times5\times7\times11$

$a = 1155$を式(1)の $m = \sqrt{n^2+a}$ に代入して

$m = \sqrt{n^2+1155}$ ……………………………………(2)

(ii) 式(2)の n に自然数1, 2, 3, 4……を代入し、表計算ソフトを使用

して m を求める。原始ピタゴラス数の条件 $m>n$ から、m の値が n より小さくなった時点（$m<n$）で計算を終了。

(iii) 計算結果から得られる m の値の内、無理数を除く整数のみの m と対の n を計算表から抽出する。

(iv) 抽出した m, n が原始ピタゴラス数の条件である① m と n は一方が偶数で他方が奇数、② m と n は互いに素であることを確認する。

(v) 抽出、確認した m, n を用いて $b=2mn$、$c=m^2+n^2$ から（b, c）を算出する。

次頁〈表36〉に $a=1155=3\times5\times7\times11$ の場合の表計算ソフトを使用した結果を掲載した。計算表では m の整数（薄青色で着色）前後以外は割愛している。また、m の数値が「$m-n=1$」以降の部分は対象外のため記載していない。また〈表37〉では、〈表36〉で得られた整数 m, n を用い（b, c）の組の種類の結果を掲載した。〈表36〉、〈表37〉から、隣辺 a の素数が４種類の場合、（b, c）の組は８種類であることが確認された。

〈aの素数が５種類の場合の算出〉

a の素数が４種類の場合と同様の方法で算出、結果を69頁の〈表38〉、〈表39〉に示す。

算出結果から隣辺 a の素数が５種類の場合、（b, c）の組は16種類であることが確認された。

〈aの素数が６種類の場合の算出〉

a の素数が４種類の場合と同様の方法で算出、結果を70頁の〈表40〉、71頁の〈表41〉に示す。

算出結果から隣辺 a の素数が６種類の場合、（b, c）の組は32種類で、これまでの検討結果は類推した下記式に沿っている。

[（b, c）の組の種類] = $2^{(n-1)}$　n：隣辺 a の素数の種類

〈表36〉計算表

n	$m=\sqrt{n^2+1155}$	判定
1	34	○
2	34.04408906	×
3	34.11744422	×
⇓	⇓	
15	37.14835124	×
16	37.56327994	×
17	38	○
18	38.45776905	×
19	38.93584467	×
⇓	⇓	
29	44.67661581	×
30	45.33210783	×
31	46	○
32	46.67976007	×
33	47.37087713	×
⇓	⇓	
45	56.39148872	×
46	57.19265687	×
47	58	○
48	58.81326381	×
49	59.63220606	×
⇓	⇓	
77	84.16650165	×
78	85.08231309	×
79	86	○
80	86.91950299	×
81	87.84076502	×
⇓	⇓	
111	116.0861749	×
112	117.0427272	×
113	118	○
114	118.9579758	×
115	119.9166377	×
⇓	⇓	
189	192.0312475	×
190	193.0155434	×
191	194	○
192	194.9846148	×
193	195.9693854	×
⇓	⇓	
189	192.0312475	×
190	193.0155434	×
191	194	○
192	194.9846148	×
⇓	⇓	
575	576.0034722	×
576	577.0017331	×
577	578	○

m−n=1で計算終了

〈表37〉a＝3×5×7×11＝1155の場合、隣辺aに対する（b, c）の組合せ（8種類）

	m	n	a	b	c
1	34	1	1155	68	1157
2	38	17		1292	1733
3	46	31		2852	3077
4	58	47		5452	5573
5	86	79		13588	13637
6	118	113		26668	26693
7	194	191		74108	74117
8	578	577		667012	667013

Excel使用の計算ポイントⅠ（続き）

46頁からの続き

④m, nが整数のみの組合せの抽出

並べ替えの対象範囲を設定した後、「ホーム」の「並べ替えとフィルター」から「ユーザー設定の並べ替え（U）」を選択。次に「列」で「最優先されるキー」では「○」「×」表示の列を選択、「並べ替えのキー」では「値」を、「順序」では「ユーザー設定リスト（u）」を選択し、「新しいリスト（L）」で「リストの項目（E）」に「○」を登録して「OK」、更に「OK」すると、整数の組合せの「○」のみが優先的に先頭から配列される。

〈表38〉 a = 3 × 5 × 7 × 11 × 13 = 15015の計算表

n	m=$\sqrt{n^2+15015}$	判定	n	m=$\sqrt{n^2+15015}$	判定	n	m=$\sqrt{n^2+15015}$	判定
1	122.5397895	×	⇓	⇓		⇓	⇓	×
⇓	⇓		172	211.1847532	×	570	583.022298	
18	123.8507166	×	173	212	○	571	584	×
19	124	○	⇓	⇓		⇓	⇓	○
⇓	⇓		196	231.1514655	×	676	687.0160115	
36	127.7145254	×	197	232	○	677	688	×
37	128	○	⇓	⇓		⇓	⇓	○
⇓	⇓		210	243.1357645	×	1068	1075.006512	
58	135.5691705	×	211	244	○	1,069	1076	×
59	136	○	⇓	⇓		⇓	⇓	○
⇓	⇓		346	367.0572162	×	1498	1503.003327	
82	147.4415138	×	347	368	○	1,499	1504	×
83	148	○	⇓	⇓		⇓	⇓	○
⇓	⇓		492	507.0295849	×	2,500	2503.001199	
108	163.3370748	×	493	508	○	2501	2504	×
109	164	○	494	508.9705296	×	⇓	⇓	○
⇓	⇓		⇓	⇓		7507	7508	
						m−n=1で計算終了		

〈表39〉 a = 3 × 5 × 7 × 11 × 13 = 15015の 場 合、 隣辺 a に対する（b, c）の組合せ（16種類）

	m	n	a	b	c
1	124	19	15015	4712	15737
2	128	37		9472	17753
3	136	59		16048	21977
4	148	83		24568	28793
5	164	109		35752	38777
6	212	173		73352	74873
7	232	197		91408	92633
8	244	211		102968	104057
9	368	347		255392	255833
10	508	493		500888	501113
11	584	571		666928	667097
12	688	677		931552	931673
13	1076	1069		2300488	2300537
14	1504	1499		4508992	4509017
15	2504	2501		12525008	12525017
16	7508	7507		112725112	112725113

〈表40〉 a = 3 × 5 × 7 × 11 × 13 × 17 = 255255の計算表

n	m=$\sqrt{n^2+255255}$	判定
1	505.2286611	×
⇓		
52	507.896643	×
53	508	○
⇓		
82	511.8388418	×
83	512	○
⇓		
138	523.7356203	×
139	524	○
⇓		
178	535.6668741	×
179	536	○
⇓		
330	603.4525665	×
331	604	○
⇓		
372	627.4065667	×
373	628	○
⇓		
436	667.346237	×
437	668	○
⇓		
466	687.3216132	×
467	688	○
⇓		
556	751.2596089	×
557	752	○
⇓		
588	775.2412528	×
589	776	○
⇓		
690	855.1929607	×
691	856	○
⇓		

n	m=$\sqrt{n^2+255255}$	判定
⇓		
820	963.1484828	×
821	964	○
⇓		
1012	1131.105212	×
1013	1132	○
⇓		
1162	1267.08287	×
1163	1268	○
⇓		
1356	1447.062887	×
1357	1448	
⇓	⇓	
1458	1543.055087	×
1459	1544	○
⇓	⇓	
1618	1695.045427	×
1619	1696	○
⇓		
1930	1995.032581	×
1931	1996	○
⇓		
2292	2347.023434	×
2293	2348	○
⇓		
2476	2527.020182	×
2477	2528	○
⇓		
3252	3291.01185	×
3253	3292	○
⇓		
3628	3663.009555	×
3629	3664	○
3630	3664.99045	×
⇓		

n	m=$\sqrt{n^2+255255}$	判定
⇓		
3850	3883.008499	×
3851	3884	○
3852	3884.991506	×
⇓		
6066	6087.00345	×
6067	6088	○
⇓		
7498	7515.002262	×
7499	7516	○
7500	7516.997738	×
⇓		
8500	8515.001762	×
8501	8516	○
⇓		
9810	9823.001323	×
9811	9824	○
9812	9824.998677	×
⇓		
11596	11607.00095	×
11597	11608	○
⇓		
18228	18235.00038	×
18229	18236	○
18230	18236.99962	×
⇓		
25522	25527.0002	×
25523	25528	○
⇓		
42540	42543.00007	×
42541	42544	○
⇓		
127626	127627.00001	×
127627	127628	○

m−n=1で検索は終了

〈表41〉 $a = 3 \times 5 \times 7 \times 11 \times 13 \times 17 = 255255$ の場合、隣辺 a に対する（b, c）の組合せ（32種類）

	m	n	a	b	c
1	508	53	255255	53848	260873
2	512	83		84992	269033
3	524	139		145672	293897
4	536	179		191888	319337
5	604	331		399848	474377
6	628	373		468488	533513
7	668	437		583832	637193
8	688	467		642592	691433
9	752	557		837728	875753
10	776	589		914128	949097
11	856	691		1182992	1210217
12	964	821		1582888	1603337
13	1132	1013		2293432	2307593
14	1268	1163		2949368	2960393
15	1448	1357		3929872	3938153
16	1544	1459		4505392	4512617
17	1696	1619		5491648	5497577
18	1996	1931		7708552	7712777
19	2348	2293		10767928	10770953
20	2528	2477		12523712	12526313
21	3292	3253		21417752	21419273
22	3664	3629		26593312	26594537
23	3884	3851		29914568	29915657
24	6088	6067		73871792	73872233
25	7516	7499		112724968	112725257
26	8516	8501		144789032	144789257
27	9824	9811		192766528	192766697
28	11608	11597		269235952	269236073
29	18236	18229		664848088	664848137
30	25528	25523		1303102288	1303102313
31	42544	42541		3619728608	3619728617
32	127628	127627		32577557512	32577557513

第４章

原始ピタゴラス数の組合せ
対辺ｂと（a, c）の関係

原始ピタゴラス数 (a, b, c) 対辺bの基本知識

〜偶数で４の倍数〜

これまで原始ピタゴラス数（a, b, c）において、斜辺 c と（a, b)、隣辺 a と（b, c）との組の種類を見てきたが、本章では対辺 b と（a, c）との組の種類を見ていく。

対辺 b については下記のことが知られている。

① $b^2 = c^2 - a^2$（ピタゴラスの定理）

② $b = 2mn$（ピタゴラス数の公式：$m > n > 0$　m, n は自然数）

③偶数で４の倍数をとる（22頁参照）

第２章、第３章ではピタゴラス数の算出表の規則性から斜辺 c、隣辺 a の昇順位を確定し、斜辺 c と（a, b）の組、隣辺 a と（b, c）の組を調べたが、本章でもピタゴラス数の算出表の規則性から対辺 b の昇順位の確定を試み、（a, c）の組を調べる。

対辺 b が多くの素数を持ち数値が大きい場合については、斜辺 c、隣辺 a と同様にピタゴラス数の公式を利用して（a, c）の組を確認する。

対辺 b の素数の種類と（a, c）の組合せの種類の間にも下記に示すように、斜辺 c や隣辺 a で見られた一般式が存在するか否かも確認する。

[（a, b）の組の種類] = $2^{(n-1)}$　n：斜辺 c の素数の種類

[（b, c）の組の種類] = $2^{(n-1)}$　n：隣辺 a の素数の種類

ピタゴラス数算出表の対辺bの変化

〜n＝1のbに注視〜

次頁〈表42〉はピタゴラス数の算出表である。

$m=2$から開始し、一定値のmに対してnを1, 2, 3……と変化させ$m>n$の条件下、nの上限で終了し、次のmに移行している。

m, nの変化と共に対辺bも変化するが、その変化は下記に示す一定の規則性を持っている。

①mが一定値の場合
　nの値が大きくなるに従ってbも増加する。
　（例）$m=5$の場合、$n=1, 2, 3, 4$に対応し$b=10, 20, 30, 40$となる。
②mが一定値の枠を「mブロック」とすると、各「mブロック」の先頭（$n=1$）のb（表では薄青色に着色）は下記のようにmの値が大きくなるに従ってbも増加する。
　$n=1$のbは4, 6, 8, 10, 12, 14, 16, 18, 20, 22, 24。
③$n=1$のbの変化を詳しく見るとbは偶数の等差数列となっていて、その一般項（b_n）は$b_n=2n+2$となっている。
④上述①〜③のbの変化から、$n=1$のbは以降のピタゴラス数算出表には出現しないことが分かる。このことは$n=1$のbが正確な順位の確定の基準値となり得ることを示唆しており、ピタゴラス数算出表を昇順に並べ替えた場合、$n=1$のbまでが正確な昇順位と確定されることを意味する。

次頁以降に〈表42〉のピタゴラス数算出表から原始ピタゴラス数の順位確定までをたどる。

〈表42〉n＝1のｂの変化

m	n	a	b	c
2	1	3	4	5
3	1	8	6	10
3	2	5	12	13
4	1	15	8	17
4	2	12	16	20
4	3	7	24	25
5	1	24	10	26
5	2	21	20	29
5	3	16	30	34
5	4	9	40	41
6	1	35	12	37
6	2	32	24	40
6	3	27	36	45
6	4	20	48	52
6	5	11	60	61
7	1	48	14	50
7	2	45	28	53
7	3	40	42	58
7	4	33	56	65
7	5	24	70	74
7	6	13	84	85
8	1	63	16	65
8	2	60	32	68
8	3	55	48	73
8	4	48	64	80
8	5	39	80	89
8	6	28	96	100
8	7	15	112	113
9	1	80	18	82
9	2	77	36	85
9	3	72	54	90
9	4	65	72	97
9	5	56	90	106
9	6	45	108	117
9	7	32	126	130
9	8	17	144	145
10	1	99	20	101
10	2	96	40	104
10	3	91	60	109
10	4	84	80	116
10	5	75	100	125
10	6	64	120	136
10	7	51	140	149
10	8	36	160	164
10	9	19	180	181
11	1	120	22	122
11	2	117	44	125
11	3	112	66	130
11	4	105	88	137
11	5	96	110	146
11	6	85	132	157
11	7	72	154	170
11	8	57	176	185
11	9	40	198	202
11	10	21	220	221
12	1	143	24	145

〈表43〉原始ピタゴラス数以外のふるい分け（次頁で解説）

m	n	a	b	c	m	n	a	b	c
2	1	3	4	5	9	1	80	18	82
3	1	8	6	10	9	2	77	36	85
3	2	5	12	13	9	3	72	54	90
4	1	15	8	17	9	4	65	72	97
4	2	12	16	20	9	5	56	90	106
4	3	7	24	25	9	6	45	108	117
5	1	24	10	26	9	7	32	126	130
5	2	21	20	29	9	8	17	144	145
5	3	16	30	34	10	1	99	20	101
5	4	9	40	41	10	2	96	40	104
6	1	35	12	37	10	3	91	60	109
6	2	32	24	40	10	4	84	80	116
6	3	27	36	45	10	5	75	100	125
6	4	20	48	52	10	6	64	120	136
6	5	11	60	61	10	7	51	140	149
7	1	48	14	50	10	8	36	160	164
7	2	45	28	53	10	9	19	180	181
7	3	40	42	58	11	1	120	22	122
7	4	33	56	65	11	2	117	44	125
7	5	24	70	74	11	3	112	66	130
7	6	13	84	85	11	4	105	88	137
8	1	63	16	65	11	5	96	110	146
8	2	60	32	68	11	6	85	132	157
8	3	55	48	73	11	7	72	154	170
8	4	48	64	80	11	8	57	176	185
8	5	39	80	89	11	9	40	198	202
8	6	28	96	100	11	10	21	220	221
8	7	15	112	113	12	1	143	24	145

原始ピタゴラス数bの昇順位確定の基準値

～n＝1が基準値～

前頁〈表43〉は〈表42〉から原始ピタゴラス数の２条件である、①mとnは一方が偶数で他方が奇数、②mとnは互いに素の条件に適合しないもの（ふるい分け対象）を灰色で示している。

下記〈表44〉はふるい分け後の表である。

〈表44〉ふるい分け後の原始ピタゴラス数

m	n	a	b	c	m	n	a	b	c
2	1	3	4	5	9	2	77	36	85
3	2	5	12	13	9	4	65	72	97
4	1	15	8	17	9	8	17	144	145
4	3	7	24	25	10	1	99	20	101
5	2	21	20	29	10	3	91	60	109
5	4	9	40	41	10	7	51	140	149
6	1	35	12	37	10	9	19	180	181
6	5	11	60	61	11	2	117	44	125
7	2	45	28	53	11	4	105	88	137
7	4	33	56	65	11	6	85	132	157
7	6	13	84	85	11	8	57	176	185
8	1	63	16	65	11	10	21	220	221
8	3	55	48	73	12	1	143	24	145
8	5	39	80	89					
8	7	15	112	113					

上記〈表44〉の最後は$m=12, n=1$で$b=24$となっている。ピタゴラス数算出表の対辺bの変化から、$b=24$は$m=12, n=1$以降の表に出現せず、$b=24$は昇順位確定の基準値となる。

原始ピタゴラス数bの昇順位確定へ

～m = 12, n = 1, b = 24が基準値～

下記〈表45〉は〈表44〉についてbを基準に昇順に並べ替えた表である。表では$m=2$, $n=1$から$m=12$, $n=1$, $b=24$までが昇順位が確定している。薄灰色で着色している$m=7$, $n=2$, $b=28$から$m=11$, $n=10$, $b=220$までは昇順位未確定の部分である。

〈表45〉原始ピタゴラス数 b の昇順位確定表

m	n	a	b	c
2	1	3	4	5
4	1	15	8	17
3	2	5	12	13
6	1	35	12	37
8	1	63	16	65
5	2	21	20	29
10	1	99	20	101
4	3	7	24	25
12	1	143	24	145
7	2	45	28	53
9	2	77	36	85
5	4	9	40	41
11	2	117	44	125
8	3	55	48	73
7	4	33	56	65

m	n	a	b	c
6	5	11	60	61
10	3	91	60	109
9	4	65	72	97
8	5	39	80	89
7	6	13	84	85
11	4	105	88	137
8	7	15	112	113
11	6	85	132	157
10	7	51	140	149
9	8	17	144	145
11	8	57	176	185
10	9	19	180	181
11	10	21	220	221

〈表42〉（76頁）で算出したピタゴラス数（a, b, c）、56個は原始ピタゴラス数の条件でのふるい分けで28個（50%）となり、bを基準にした昇順位確定で９個（16%）となった。

昇順位が確定したbを分類する

～(a, c) の組の種類の確定～

前頁〈表45〉で昇順位が確定した。昇順位が確定したことにより、b に対する（a, c）の組の種類も同時に確定した。

b に対する（a, c）の組の種類を確認するため、原始ピタゴラス数９個の b について下記のように分類し着色した。尚、対辺 b は４の倍数の偶数をとるため、素数としての分類は無い。

①b に対する（a, c）の組が１種類：無色

②b に対する（a, c）の組が２種類：灰色

着色結果を下記〈表46〉に示す。

〈表46〉原始ピタゴラス数の b の分類

m	n	a	b	c
2	1	3	4	5
4	1	15	8	17
3	2	5	12	13
6	1	35	12	37
8	1	63	16	65

m	n	a	b	c
5	2	21	20	29
10	1	99	20	101
4	3	7	24	25
12	1	143	24	145

上記〈表46〉から、下記の事が確認される。

① (a, c) の組が１種類の場合

表から $b=4$、$b=8$、$b=16$ が分類される。

b の値を素因数分解すると

$b=4=2^2$、$b=8=2^3$、$b=16=2^4$ となり、

素数２の階乗の形となっている。

② (a, c) の組が２種類の場合

表から $b=12$、$b=20$、$b=24$ が分類される。

b の値を素因数分解すると

$b=12=2^2\times3$、$b=20=2^2\times5$、$b=24=2^3\times3$ となり

素数 $2, 3, 5$ からの２種類の組となっている。

上述の結果から b に対する（a, c）の組の種類についてまとめると、

bの素数の種類が、（a, c）の組の種類に関係している。

b の素数の種類が、（a, c）の組の種類に関係しているとしたら、素数が３種類の下記の b について（a, c）の組は何種類だろうか。それを確認するためには昇順位確定が必要となる。

$b=60=2^2\times3\times5$、$b=84=2^2\times3\times7$、$b=132=2^2\times3\times11$

上記の $b=132$ の（a, c）の昇順位確定をするために、ピタゴラス数の算出表がどこまで必要かを確認した。

ピタゴラス数の公式から、

$b=2mn$

常に $n=1$ が基準値となるので上記の式に $n=1$ と $b=132$ を代入して m を求めると $m=66$ となり、ピタゴラス数の算出表は $m=66$、$n=1$ まで作成が必要となる。

3種類の素数を持つbと(a, c)の組の種類

～bに対する(a, c)の組4種類～

素因数の素数が3種類の$b=60=2^2\times3\times5$、$b=84=2^2\times3\times7$、$b=132=2^3\times3\times11$の（a, c）の組合せの種類を確認するため、$m=66$、$n=1$までピタゴラス数算出表を作成し、68個の原始ピタゴラス数（a, b, c）の昇順位を手順に従って確定した。

次々頁以下の〈表47〉は算出結果である。

今回も原始ピタゴラス数9個の場合（80頁〈表46〉）と同様に68個のbについて下記のように分類し着色した。但し、今回はbに対する（a, c）の組合せ4種類が③として加わっている。

①bに対する（a, c）の組が1種類：無色

②bに対する（a, c）の組が2種類：灰色

③bに対する（a, c）の組が4種類：濃青色

bに対する（a, c）の組を確認するためbのみを抽出して表にしたものが84頁下段の〈表48〉である。

前述〈表46〉で確認した事項は今回も下記に示すように確認されている。

①(a, c)の組が1種類の場合

表から4, 8, 16, 32, 64, 128が分類される。

bの値を素因数分解すると

$4=2^2$、$8=2^3$、$16=2^4$、$32=2^5$、$64=2^6$、$128=2^7$となり、

素数2の階乗の形となっている。

②(a, c) の組が２種類の場合

表から12, 20, 24, 28, 36, 40, 44, 48, 52, 56, 68, 72, 76, 80, 88, 92, 96, 100, 104, 108, 112, 116, 124が分類される。

bの値を素因数分解すると、

$12=2^2\times3$、$20=2^2\times5$、$24=2^3\times3$、$28=2^2\times7$、$36=2^2\times3^2$、$40=2^3\times5$、$44=2^2\times11$、$48=2^4\times3$、$52=2^2\times13$、$56=2^3\times7$、$68=2^2\times17$、$72=2^3\times3^2$、$76=2^2\times19$、$80=2^4\times5$、$88=2^3\times11$、$92=2^2\times23$、$96=2^5\times3$、$100=2^2\times5^2$、$104=2^3\times13$、$108=2^2\times3^3$、$112=2^4\times7$、$116=2^2\times29$、$124=2^2\times31$

となり素数2, 3, 5, 7, 11, 13, 17, 19, 23, 29, 31から階乗を含む２種類の組合せとなっている。

③(a, c) の組が４種類の場合

表から、$b=60$、$b=84$、$b=120$、$b=132$が分類され、bの値を素因数分解すると下記のように３種類の素数に分解される。

$60=2^2\times3\times5$、$84=2^2\times3\times7$、$120=2^3\times3\times5$、$132=2^2\times3\times11$

３種類の素数を持つbの（a, c）の組が斜辺c、隣辺aの場合と同様に４種類であることから、４種類以上の素数を持つbの（a, c）の組の種類も斜辺c、隣辺aの場合と同様になることが類推される。

〈表47〉確定昇順（1～68位）のｂ

m	n	a	b	c
2	1	3	4	5
4	1	15	8	17
3	2	5	12	13
6	1	35	12	37
8	1	63	16	65
5	2	21	20	29
10	1	99	20	101
4	3	7	24	25
12	1	143	24	145
7	2	45	28	53
14	1	195	28	197
16	1	255	32	257
9	2	77	36	85
18	1	323	36	325
5	4	9	40	41
20	1	399	40	401
11	2	117	44	125
22	1	483	44	485
8	3	55	48	73
24	1	575	48	577
13	2	165	52	173
26	1	675	52	677
7	4	33	56	65
28	1	783	56	785

m	n	a	b	c
6	5	11	60	61
10	3	91	60	109
15	2	221	60	229
30	1	899	60	901
32	1	1023	64	1025
17	2	285	68	293
34	1	1155	68	1157
9	4	65	72	97
36	1	1295	72	1297
19	2	357	76	365
38	1	1443	76	1445
8	5	39	80	89
40	1	1599	80	1601
7	6	13	84	85
14	3	187	84	205
21	2	437	84	445
42	1	1763	84	1765
11	4	105	88	137
44	1	1935	88	1937
23	2	525	92	533
46	1	2115	92	2117
16	3	247	96	265
48	1	2303	96	2305

m	n	a	b	c
25	2	621	100	629
50	1	2499	100	2501
13	4	153	104	185
52	1	2703	104	2705
27	2	725	108	733
54	1	2915	108	2917
8	7	15	112	113
56	1	3135	112	3137
29	2	837	116	845
58	1	3363	116	3365
12	5	119	120	169
15	4	209	120	241
20	3	391	120	409
60	1	3599	120	3601
31	2	957	124	965
62	1	3843	124	3845
64	1	4095	128	4097
11	6	85	132	157
22	3	475	132	493
33	2	1085	132	1093
66	1	4355	132	4357

〈表48〉昇順確定（1～68位）ｂの一覧表

4	8	12	12	16	20	20	24	24	28
28	32	36	36	40	40	44	44	48	48
52	52	56	56	60	60	60	60	64	68
68	72	72	76	76	80	80	84	84	84
84	88	88	92	92	96	96	100	100	104
104	108	108	112	112	116	116	120	120	120
120	124	124	128	132	132	132	132	―	－

４種類以上の素数を持つbと（a, c）の組の種類

〜bに対する（a, c）の組の種類の一般式〜

対辺bの素数の種類と（b, c）の組の種類についてのこれまでの結果をまとめると下記〈表49〉のようになる。

〈表49〉

bの素数の種類	（a, c）の組の種類
1	1
2	2
3	4

上記表の結果から、対辺bの素数の種類と（a, c）の組の種類について下記の一般式が類推できる。

[（a, c）の組の種類] = $2^{(n-1)}$　n：対辺 b の素数の種類

上記の一般式から、対辺bの素数が4, 5, 6種類の場合、（a, c）の組の種類については下記表の結果が期待される。

〈表50〉

bの素数の種類	（a, c）の組の種類
4	8
5	16
6	32

対辺bの素数が4, 5, 6種類の具体例を考えると、

$b=420=2^2\times3\times5\times7$　　$b=4620=2^2\times3\times5\times7\times11$

$b=60060=2^2\times3\times5\times7\times11\times13$　　となる。

対辺bの素数の種類が多くなるに従ってbの値も大きくなり、ピタゴラス数の表から昇順位を確定して（a, c）の組の種類を求める方法はパソコンでもかなりの労力が求められる。

原始ピタゴラス数の表を用いない(a, c) の組の種類の求め方

～ピタゴラス数の公式を利用する～

対辺 b の素数が4種類、5種類、6種類になった場合、(a, c) の組の種類を求めるには原始ピタゴラス数の算出表をどこまで作成すべきか(基準の m, n) を下記表にまとめた。

〈表51〉

種類	b の素因数分解結果	基準の m, n	$2mn$
4	$420 = 2(2\times3\times5\times7)$	$m = 210,\ n = 1$	420
5	$4620 = 2(2\times3\times5\times7\times11)$	$m = 2310,\ n = 1$	4620
6	$60060 = 2(2\times3\times5\times7\times11\times13)$	$m = 30030,\ n = 1$	60060

（注）基準の m, n の算出の仕方は81頁参照

上記の表から、対辺 b の素数の種類が増すに従ってパソコンを使用しても膨大な量の表の作成が必要となり、非効率的な作業となることが分かる。

効率良く (a, c) の組合せの種類のみを求める方法として、ピタゴラス数の公式「$b = 2mn$」を利用した。

〈bの素数が4種類の場合の算出〉

(i) ピタゴラス数の公式「$b = 2mn$」を変形する

$m = b/2n$ ……………………………………………………(1)

対辺 b の素数が4種類の下記の b の場合

$b = 420 = 2(2\times3\times5\times7)$

$b = 420$ を式(1)の $m = b/2n$ に代入して

$m = 420/2n$ ……………………………………………………(2)

(ii) 式(2)の n に自然数1, 2, 3, 4……を代入し、表計算ソフトを使用して m を求める。原始ピタゴラス数の条件 $m > n$ から、m の値が n より小さくなった時点（$m < n$）で計算を終了。

(iii) 計算結果から得られる m の値の内、小数を除く整数のみの m と対の n を計算表から抽出する。
(iv) 抽出した m, n が原始ピタゴラス数の条件である①m と n は一方が偶数で他方が奇数である、②m と n は互いに素であることを確認する。
(v) 抽出、確認した m, n を用いて $a = m^2 - n^2$、$c = m^2 + n^2$ から（a, c）を算出する。

次頁〈表52〉に $b = 420 = 2(2 \times 3 \times 5 \times 7)$ の場合の表計算ソフトを使用した結果を掲載した。計算表では m が整数の場合の組合せを薄青色で着色した。m の数値は「$m > n$」まで有効である。

$m < n$ 以降の部分は灰色で表示している。また〈表53〉では、〈表52〉で得られた整数 m, n を用い（a, c）の組の種類の結果を掲載している。

〈表52〉、〈表53〉から、対辺 b の素数が４種類の場合、（a, c）の組合せは８種類であることが確認された。

〈bの素数が５種類の場合の算出〉

b の素数が４種類の場合と同様の方法で算出、結果を89頁の〈表54〉、〈表55〉に示す。

算出結果から対辺 b の素数が５種類の場合、（a, c）の組は16種類であることが確認された。

〈bの素数が６種類の場合の算出〉

b の素数が４種類の場合と同様の方法で算出、結果を90頁の〈表56〉、91頁の〈表57〉に示す。（注）計算表は一部割愛。

算出結果から対辺 b の素数が６種類の場合、（a, c）の組は32種類で、これまでの検討結果は類推した下記式に沿っている。

[（a, c）の組の種類] = $2^{(n-1)}$　n：対辺 b の素数の種類

〈表52〉計算表

n	m=420/2n	判定
1	210	○
2	105	○
3	70	○
4	52.5	×
5	42	○
6	35	○
7	30	○
8	26.25	×
9	23.333333	×
10	21	○
11	19.090909	×
12	17.5	×
13	16.153846	×
14	15	○
15	14	×
n>mで計算終了		

〈表53〉b = 2(2 × 3 × 5 × 7) = 420の場合、対辺bに対する（a, c）の組合せ（8種類）

	m	n	a	b	c
1	210	1	44099	420	44101
2	105	2	11021		11029
3	70	3	4891		4909
4	42	5	1739		1789
5	35	6	1189		1261
6	30	7	851		949
7	21	10	341		541
8	15	14	29		421

Excel使用の計算ポイントⅡ

ピタゴラス数の算出表を原始ピタゴラス数のみに分別する方法

①mとnは一方が偶数で他方が奇数
ISODD関数を利用する

「=ISODD（B5）」

（注）判定対象のセルが「B5」の場合、別に「m − n」の解の表を作成。

原始ピタゴラス数の場合「m − n」は必ず奇数となる。

解が奇数の場合⇒「TRUE」の判定

解が偶数の場合⇒「FALSE」の判定

②mとnは互いに素　GCD関数を利用する

「=GCD（B5, C5）」

（注）m, nのセルが「B5」「C5」の場合、mとnの最大公約数を求める。

mとnは互いに素⇒最大公約数「1」

mとnは互いに素でない⇒最大公約数「1」以外の整数

〈表54〉 b = 2(2 × 3 × 5 × 7 × 11) = 4620の計算表

n	m=4620/2n	判定	n	m=4620/2n	判定	n	m=4620/2n	判定
1	2310	○	18	128.3333333	×	35	66	○
2	1155	○	19	121.5789474	×	36	64.16666667	×
3	770	○	20	115.5	×	37	62.43243243	×
4	577.5	×	21	110	○	38	60.78947368	×
5	462	○	22	105	○	39	59.23076923	×
6	385	○	23	100.4347826	×	40	57.75	×
7	330	○	24	96.25	×	41	56.34146341	×
8	288.75	×	25	92.4	×	42	55	○
9	256.6666667	×	26	88.84615385	×	43	53.72093023	×
10	231	○	27	85.55555556	×	44	52.5	×
11	210	○	28	82.5	×	45	51.33333333	×
12	192.5	×	29	79.65517241	×	46	50.2173913	×
13	177.6923077	×	30	77	○	47	49.14893617	×
14	165	○	31	74.51612903	×	48	48.125	×
15	154	○	32	72.1875	×	49	47.14285714	×
16	144.375	×	33	70	○	n>mで計算終了		
17	135.8823529	×	34	67.94117647	×			

〈表55〉 b = 2(2 × 3 × 5 × 7 × 11) = 4620の場合、対辺bに対する（a, c）の組合せ（16種類）

	m	n	a	b	c
1	2310	1	5336099		5336101
2	1155	2	1334021		1334029
3	770	3	592891		592909
4	462	5	213419		213469
5	385	6	148189		148261
6	330	7	108851		108949
7	231	10	53261		53461
8	210	11	43979	4620	44221
9	165	14	27029		27421
10	154	15	23491		23941
11	110	21	11659		12541
12	105	22	10541		11509
13	77	30	5029		6829
14	70	33	3811		5989
15	66	35	3131		5581
16	55	42	1261		4789

〈表56〉 b = 2(2 × 3 × 5 × 7 × 11 × 13) = 60060の計算表

n	m=60060/2n	判定
1	30030	○
2	15015	○
3	10010	○
4	7507.5	×
5	6006	○
6	5005	○
7	4290	○
8	3753.75	×
9	3336.66667	×
10	3003	○
11	2730	○
12	2502.5	×
13	2310	○
14	2145	○
15	2002	○
16	1876.875	×
17	1766.47059	×
18	1668.33333	×
19	1580.52632	×
20	1501.5	×
21	1430	○
22	1365	○
23	1305.65217	×
24	1251.25	×
25	1201.2	×
26	1155	○
27	1112.22222	×
28	1072.5	×
29	1035.51724	×
30	1001	○
31	968.709677	×
32	938.4375	×
33	910	○
34	883.235294	×
35	858	○
36	834.166667	×
37	811.621622	×
38	790.263158	×
39	770	○
40	750.75	×
41	732.439024	×
42	715	○
43	698.372093	×
⇓		
54	556.111111	×
55	546	○
56	536.25	×
⇓		
64	469.21875	×
65	462	○
66	455	○
67	448.208955	×
68	441.617647	×
69	435.217391	×
70	429	○
71	422.957746	×
⇓		
76	395.131579	×
77	390	○
78	385	○
79	380.126582	×
⇓		
90	333.666667	×
91	330	○
92	326.413043	×
⇓		
104	288.75	×
105	286	○
106	283.301887	×
107	280.654206	×
108	278.055556	×
109	275.504587	×
110	273	○
111	270.540541	×
⇓		
129	232.790698	×
130	231	○
131	229.236641	×
⇓		
142	211.478873	×
143	210	○
144	208.541667	×
⇓		
153	196.27451	×
154	195	○
155	193.741935	×
⇓		
164	183.109756	×
165	182	○
166	180.903614	×
⇓		
173	173.583815	×
174	172.586207	×

n>mで計算終了

〈表57〉 $b=2(2\times3\times5\times7\times11\times13)=60060$ の場合、対辺 b に対する（a, c）の組合せ（32種類）

	m	n	a	b	c
1	30030	1	901800899	60060	901800901
2	15015	2	225450221		225450229
3	10010	3	100200091		100200109
4	6006	5	36072011		36072061
5	5005	6	25049989		25050061
6	4290	7	18404051		18404149
7	3003	10	9017909		9018109
8	2730	11	7452779		7453021
9	2310	13	5335931		5336269
10	2145	14	4600829		4601221
11	2002	15	4007779		4008229
12	1430	21	2044459		2045341
13	1365	22	1862741		1863709
14	1155	26	1333349		1334701
15	1001	30	1001101		1002901
16	910	33	827011		829189
17	858	35	734939		737389
18	770	39	591379		594421
19	715	42	509461		512989
20	546	55	295091		301141
21	462	65	209219		217669
22	455	66	202669		211381
23	429	70	179141		188941
24	390	77	146171		158029
25	385	78	142141		154309
26	330	91	100619		117181
27	286	105	70771		92821
28	273	110	62429		86629
29	231	130	36461		70261
30	210	143	23651		64549
31	195	154	14309		61741
32	182	165	5899		60349

第5章

原始ピタゴラス数の組の種類の数学的考察（証明）

(a, b), (b, c), (a, c) の組の種類 $= 2^{(n-1)}$ の考察

〜(m, n) の取り得る値の種類〜

原始ピタゴラス数（a, b, c）において、$(a, b), (b, c), (a, c)$ の組の種類は、対応する斜辺 c、隣辺 a、対辺 b の素数の種類が関係していて、素数の種類が１〜６種類の場合の各々についてこれまで具体的に見た。その結果、下記に示す式を類推した。

[(a, b) の組の種類] $= 2^{(n-1)}$　n：斜辺 c の素数の種類
[(b, c) の組の種類] $= 2^{(n-1)}$　n：隣辺 a の素数の種類
[(a, c) の組の種類] $= 2^{(n-1)}$　n：対辺 b の素数の種類

本章では上記に示した式について数学的考察（証明）を試みる。
「$(a, b), (b, c), (a, c)$ の組の種類」はピタゴラス数の公式における「(m, n) の取り得る値の種類」と言い換えることができる。
「$a = m^2-n^2$、$b = 2mn$、$c = m^2+n^2$」の（m, n）について順次考察する。

考察の順序としては比較的簡単な「$b = 2mn$」から「$a = m^2-n^2$」へ、最後に「$c = m^2+n^2$」を考察する。

(a, b), (b, c), (a, c) の組の種類
⇩
(m, n) の取り得る値の種類
⇩
$a = m^2-n^2$、$b = 2mn$、$c = m^2+n^2$ の各式で確認する

対辺bの素数が1種類の場合の b＝2mnの（m, n）の種類

～b＝4＝2×2の場合の（m, n）～

$b=2mn$ から $b/2=mn$

$b=4=2\times2$ の場合は $4/2=mn$ で $mn=2$（素因数は2）

1種類の素数2の m, n への入り方を考えると、m か n に入る2通りであり、式で示すと $2^1=2$ となる。

入り方の結果を〈表58〉に示す。

〈表59〉では素因数の無い m, n は1とした。またピタゴラス数の公式 $m>n$ から下半分の $m=1, n=2$ は除かれる（灰色で着色）。

その結果、組は1種類となる。

〈表58〉

m	n
2	―
―	2

⇒

〈表59〉

m	n
2	1
1	2

隣辺 a（$=m^2-n^2$）、斜辺 c（$=m^2+n^2$）を求めると〈表59〉の結果から $m=2$、$n=1$

$$a=m^2-n^2=2^2-1^2=3$$

$$c=m^2+n^2=2^2+1^2=5$$

上記の結果から、

対辺bの素数の種類が1種類の場合、
[(m, n) の組の種類] ＝ $2^1=2$ の2種類（m＞nで1種類へ）
[(a, c) の組の種類] ＝ $2^1/2=2^{1-1}=2^0=1$ の1種類となる。

対辺bの素数が2種類の場合のb＝2mnの（m, n）の種類

～b＝12＝2×2×3の場合の（m, n）～

$b=2mn$ から $b/2=mn$

$b=12=2\times2\times3$ の場合は $12/2=mn$ で $mn=6$（素因数は2, 3）

２種類の素数2, 3の m, n への入り方を考えると、m か n に入る２通りで、全部で $2^2=4$ 通り※(下記〈表60〉参照)。

※重複順列で素因数の全てが m 又は n に入る場合もあり。

〈表61〉では素数が複数の場合は掛け合わせて積を求め、素因数の無い m, n は1とした。またピタゴラス数の公式 $m>n$ から下半分の $m=2, n=3$ と $m=1, n=6$ は除かれる（灰色で着色）。

〈表60〉

m	n
2, 3	－
3	2
2	3
－	2, 3

⇒

〈表61〉

m	n
$2\times3=6$	1
3	2
2	3
1	$2\times3=6$

隣辺 a（$=m^2-n^2$）、斜辺 c（$=m^2+n^2$）を求めると〈表61〉の結果から、

$m=6, n=1 \Rightarrow a=6^2-1^2=35$、$c=6^2+1^2=37$

$m=3, n=2 \Rightarrow a=3^2-2^2=5$、$c=3^2+2^2=13$

上記の結果から、

対辺bの素数の種類が２種類の場合、
[(m, n) の組の種類] = 2² = 4の４種類（m＞nで２種類へ）
[(a, c) の組の種類] = 2²/2 = 2²⁻¹ = 2¹ = 2の２種類となる。

対辺bの素数が３種類の場合の b＝2mnの（m, n）の種類

～b＝60＝2×2×3×5の場合の（m, n）～

$b=2mn$ から $b/2=mn$

$b=60=2\times2\times3\times5$ は $60/2=mn$ で $mn=30$（素因数は2, 3, 5）

３種類の素数2, 3, 5の m, n への入り方を考えると、m か n に入る２通りで、全部で$2^3=8$通り（下記〈表62〉参照）。

前頁で b の素数が２種類の場合で見た通り、ピタゴラス数の公式 $m>n$ から組の半分は除かれるので、有効な部分のみを〈表62〉、〈表63〉に示した。

〈表62〉

m	n
2, 3, 5	―
3, 5	2
2, 5	3
2, 3	5

⇒

〈表63〉

m	n
$2\times3\times5=30$	1
$3\times5=15$	2
$2\times5=10$	3
$2\times3=6$	5

隣辺 a（$=m^2-n^2$）、斜辺 c（$=m^2+n^2$）を求めると〈表63〉の結果から、

$m=30, n=1$　⇒　$a=30^2-1^2=899$、$c=30^2+1^2=901$

$m=15, n=2$　⇒　$a=15^2-2^2=221$、$c=15^2+2^2=229$

$m=10, n=3$　⇒　$a=10^2-3^2=91$、$c=10^2+3^2=109$

$m=6, n=5$　⇒　$a=6^2-5^2=11$、$c=6^2+5^2=61$

上記の結果から、

対辺ｂの素数の種類が３種類の場合、
[（m, n）の組の種類]＝2^3＝8の８種類（m＞n で４種類へ）
[（a, c）の組の種類]＝$2^3/2=2^{3-1}=2^2$＝4の４種類となる。

対辺bの素数が４種類の場合の b＝2mnの（m, n）の種類

～b＝420＝2×2×3×5×7の場合の（m, n）～

$b=2mn$ から $b/2=mn$

$b=420=2\times2\times3\times5\times7$ は $420/2=mn$ で $mn=210$（素因数は2, 3, 5, 7）

４種類の素数2, 3, 5, 7の m, n への入り方を考えると、m か n に入る２通りで、全部で $2^4=16$ 通りであるが、ピタゴラス数の公式 $m>n$ から組の半分は除かれるので、有効な部分のみを〈表64〉、〈表65〉に示した。

〈表64〉

m	n
2, 3, 5, 7	−
3, 5, 7	2
2, 5, 7	3
2, 3, 7	5
2, 3, 5	7
5, 7	2, 3
3, 7	2, 5
3, 5	2, 7

⇒

〈表65〉

m	n
2×3×5×7＝210	1
3×5×7＝105	2
2×5×7＝70	3
2×3×7＝42	5
2×3×5＝30	7
5×7＝35	2×3＝6
3×7＝21	2×5＝10
3×5＝15	2×7＝14

隣辺 a（$=m^2-n^2$）、斜辺 c（$=m^2+n^2$）を求めると〈表65〉の結果から、

$m=210, n=1$ ⇒ $a=210^2-1^2=44099$、$c=210^2+1^2=44101$

$m=105, n=2$ ⇒ $a=105^2-2^2=11021$、$c=105^2+2^2=11029$

$m=70, n=3$ ⇒ $a=70^2-3^2=4891$、$c=70^2+3^2=4909$

$m=42, n=5$ ⇒ $a=42^2-5^2=1739$、$c=42^2+5^2=1789$

$m=30, n=7$ ⇒ $a=30^2-7^2=851$、$c=30^2+7^2=949$

$m=35, n=6$ ⇒ $a=35^2-6^2=1189$、$c=35^2+6^2=1261$

$m=21, n=10 \quad \Rightarrow \quad a=21^2-10^2=341$、　$c=21^2+10^2=541$

$m=15, n=14 \quad \Rightarrow \quad a=15^2-14^2=29$、　$c=15^2+14^2=421$

上記の結果から、

対辺ｂの素数の種類が４種類の場合、
[(m, n) の組の種類] = 2^4 = 16の16種類（m > n で８種類へ）
[(a, c) の組の種類] = $2^4/2 = 2^{4-1} = 2^3$ = 8の８種類となる。

b の素数の種類が5, 6……の場合も同様の考えで（m, n）の組の種類が確定されれば、（a, c）の組の種類も確定され、下記の式が成り立つ。

[(a, c) の組の種類] = $2^{(n-1)}$　n：対辺ｂの素数の種類

隣辺aの素因数と
$a = m^2 - n^2$の素因数分解

〜$a = (m+n)(m-n)$に変形する〜

対辺bの場合は$b = 2mn$を$b/2 = mn$とし、m, nは積の形になっているので、m, nへbの素因数の各々を直接入れてm, nの組の種類を確認することができた（どの組でもbの値が得られる）。

隣辺aの場合は$a = m^2 - n^2$の形のためm, nにaの素因数を入れてもaの値を得ることはできない。しかし$a = m^2 - n^2$は下記のように素因数分解すれば積の形に変形できるのでこれを利用する。

$$a = m^2 - n^2 = (m+n)(m-n)$$

（$m+n$）と（$m-n$）は積の形をとるのでaの素因数の各々を（$m+n$）と（$m-n$）のブロックへ割り振れば種類を確定することができる（どの組でもaの値が得られる）。

種類が確定後、m, nの値は連立方程式で解くことができ、m, nの値が決まればb, cの値も計算によって得られる。

> 隣辺aの場合は、
> $a = m^2 - n^2$を$a = (m+n)(m-n)$に変形して積の形にする

隣辺ａの素数が１種類の場合、a＝(m+n)(m−n) の種類

～a＝3の場合の (m, n)～

$a = m^2 - n^2 = (m+n)(m-n)$ から

$a=3$ の場合は $(m+n)(m-n)=3$（素因数は３）

１種類の素数３の $(m+n)$ と $(m-n)$ への入り方を考えると、$(m+n)$ か $(m-n)$ に入る２通りで、式で示すと $2^1=2$ となる。

入り方の結果を〈表66〉に示す。

〈表67〉では素因数の無い $(m+n)$ と $(m-n)$ は１とした。またピタゴラス数の公式 $m>n$ から $(m+n)>(m-n)$ で、〈表67〉の下半分の $(m+n)=1$、$(m-n)=3$ は除かれる（灰色で着色）。

〈表66〉

$(m+n)$	$(m-n)$
3	−
−	3

⇒

〈表67〉

$(m+n)$	$(m-n)$
3	1
1	3

〈表67〉の結果から、$(m+n)=3$ と $(m-n)=1$ の連立方程式を解き、m, n の値を求める。

$$\begin{cases}(m+n)=3 \text{ ....(1)} \\ (m-n)=1 \text{ ....(2)}\end{cases} \qquad m=2、n=1$$

m, n の結果から、対辺 b（$=2mn$）、斜辺 c（$=m^2+n^2$）を求めると

$b=2mn=2\times2\times1=4$　　$b=4$　　　$c=m^2+n^2=2^2+1^2=5$　　$c=5$

上記の結果から、

> **隣辺ａの素数の種類が１種類の場合、**
> **[(m+n) と (m−n) の組の種類] ＝ 2^1 ＝ 2で２種類**
> **(m, n) の組の種類は１種類：m > n から (m+n) > (m−n)**
> **[(b, c) の組の種類] ＝ $2^1/2$ ＝ 2^{1-1} ＝ 2^0 ＝ 1の１種類となる。**

隣辺aの素数が２種類の場合、$a=(m+n)(m-n)$の種類

〜a＝15＝3×5の場合の(m, n)〜

$a=m^2-n^2=(m+n)(m-n)$ から

$a=15=3\times5$ の場合は $(m+n)(m-n)=15$（素因数は3, 5）

２種類の素数3, 5の $(m+n)$ と $(m-n)$ への入り方を考えると、$(m+n)$ か $(m-n)$ に入る２通りで、全部で $2^2=4$ 通り※(〈表68〉参照)。

※重複順列で素因数の全てが $(m+n)$ 又は $(m-n)$ に入る場合もあり。

〈表69〉では素因数の無い $(m+n)$ と $(m-n)$ は１とした。またピタゴラス数の公式 $m>n$ から $(m+n)>(m-n)$ で、〈表69〉下半分の $(m+n)=3$、$(m-n)=5$ と $(m+n)=1$、$(m-n)=15$ は除かれる（灰色で着色)。

〈表68〉

$(m+n)$	$(m-n)$
3, 5	−
5	3
3	5
−	3, 5

⇒

〈表69〉

$(m+n)$	$(m-n)$
3×5＝15	1
5	3
3	5
1	3×5＝15

〈表69〉の $(m+n)$ と $(m-n)$ の値から連立方程式を解くと m, n の値が求まり、更にピタゴラス数 (b, c) の値が得られる。結果を下記に示す。

〈計算結果①〉

$$\begin{cases} (m+n)=15 \quad \cdots\cdots(1) \\ (m-n)=1 \quad \cdots\cdots(2) \end{cases}$$

$m=8$、$n=7$

m, n の結果から、対辺 b、斜辺 c を求めると

$b = 2mn = 2\times8\times7 = 112$　　　$b = 112$

$c = m^2+n^2 = 8^2+7^2 = 113$　　　$c = 113$

〈計算結果②〉

$$\begin{cases} (m+n) = 5 \cdots\cdots\cdots (1) \\ (m-n) = 3 \cdots\cdots\cdots (2) \end{cases}$$

$m = 4$、$n = 1$

m, n の結果から、対辺 b、斜辺 c を求めると

$b = 2mn = 2\times4\times1 = 8$　　　$b = 8$

$c = m^2+n^2 = 4^2+1^2 = 17$　　　$c = 17$

上記の結果から、

> **隣辺 a の素数の種類が２種類の場合、**
> **[(m+n) と (m−n) の組の種類] = $2^2 = 4$ で４種類**
> **(m, n) の組の種類は２種類：m > n から (m+n) > (m−n)**
> **[(b, c) の組の種類] = $2^2/2 = 2^{2-1} = 2^1 = 2$ の２種類となる。**

隣辺aの素数が３種類の場合、a＝(m+n)(m−n) の種類

〜a＝105＝3×5×7の場合の（m, n)〜

$a=m^2-n^2=(m+n)(m-n)$ から

$a=105=3\times5\times7$ の場合は $(m+n)(m-n)=105$（素因数は3, 5, 7）

３種類の素数3, 5, 7の $(m+n)$ と $(m-n)$ への入り方は $2^3=8$ 通りであるが（重複順列）、$(m+n)>(m-n)$ の条件から有効な部分は４通りで、〈表70〉と〈表71〉で示す。

〈表70〉

$(m+n)$	$(m-n)$
3, 5, 7	−
5, 7	3
3, 7	5
3, 5	7

⇒

〈表71〉

$(m+n)$	$(m-n)$
3×5×7＝105	1
5×7＝35	3
3×7＝21	5
3×5＝ 15	7

$(m+n)$ と $(m-n)$ の値から連立方程式を解き m, n を求めるとピタゴラス数 (b, c) の値が得られる。結果を下記表に示す。

〈表72〉

$(m+n)$	$(m-n)$	m	n	b	c
105	1	53	52	5512	5513
35	3	19	16	608	617
21	5	13	8	208	233
15	7	11	4	88	137

上記の結果から、

隣辺aの素数の種類が３種類の場合、
[(m+n) と (m−n) の組の種類]＝2^3＝8で８種類
(m, n) の組の種類は４種類：m＞n から (m+n)＞(m−n)
[(b, c) の組の種類]＝$2^3/2=2^{3-1}=2^2$＝4の４種類となる。

隣辺aの素数が４種類の場合、a＝(m+n)(m−n) の種類

～a＝1155＝3×5×7×11の場合の (m, n)～

$a = m^2 - n^2 = (m+n)(m-n)$ から

$a = 1155 = 3\times5\times7\times11$ の場合は

$(m+n)(m-n) = 1155$（素因数は3, 5, 7, 11）

４種類の素数3, 5, 7, 11の $(m+n)$ と $(m-n)$ への入り方は $2^4 = 16$ 通りであるが（重複順列）、$(m+n) > (m-n)$ の条件から有効な部分は８通りで、〈表73〉と〈表74〉で示す。

〈表73〉

$(m+n)$	$(m-n)$
3, 5, 7, 11	−
5, 7, 11	3
3, 7, 11	5
3, 5, 11	7
3, 5, 7	11
7, 11	3, 5
5, 11	3, 7
5, 7	3, 11

⇒

〈表74〉

$(m+n)$	$(m-n)$
$3\times5\times7\times11 = 1155$	1
$5\times7\times11 = 385$	3
$3\times7\times11 = 231$	5
$3\times5\times11 = 165$	7
$3\times5\times7 = 105$	11
$7\times11 = 77$	$3\times5 = 15$
$5\times11 = 55$	$3\times7 = 21$
$5\times7 = 35$	$3\times11 = 33$

$(m+n)$ と $(m-n)$ の値から連立方程式を解き m, n を求めるとピタゴラス数 (b, c) の値が得られる。結果を次頁〈表75〉に示す。

〈表75〉

$(m+n)$	$(m-n)$	m	n	b	c
1155	1	578	577	667012	667013
385	3	194	191	74108	74117
231	5	118	113	26668	26693
165	7	86	79	13588	13637
105	11	58	47	5452	5573
77	15	46	31	2852	3077
55	21	38	17	1292	1733
35	33	34	1	68	1157

上記の結果から、

隣辺ａの素数の種類が４種類の場合、
[(m+n) と (m−n) の組の種類] = 2^4 = 16で16種類
(m, n) の組の種類は８種類：m > n から (m+n) > (m−n)
[(b, c) の組の種類] = $2^4/2 = 2^{4-1} = 2^3$ = 8の８種類となる。

aの素数の種類が5, 6……の場合も同様の考えで$(m+n)$と$(m-n)$の組合せの種類が確定されると(m, n)の組の種類と(b, c)の組の種類も確定され、下記の式が成り立つ。

[(b, c) の組の種類] = $2^{(n-1)}$　n：隣辺ａの素数の種類

斜辺 $c=m^2+n^2$ も因数分解して積の形にできるのだが

～複素数を用いて因数分解～

対辺 b の場合は $b=2mn$ を $b/2=mn$ とし、m, n は積の形になっているので、m, n へ b の素因数の各々を振り分け、m, n の組の種類を確認し、(a, c) の組の種類も確定できた。

隣辺 a の場合は $a=m^2-n^2$ を因数分解して $a=(m+n)(m-n)$ の積の形にし、$(m+n)$ と $(m-n)$ の各ブロックへ素数を振り分けて (m, n) の取り得る値を決め、(b, c) の組の種類も確定できた。

斜辺 c の場合は隣辺 a のように $c=m^2+n^2$ を因数分解することはできない。しかし、複素数を用いることで下記式のように因数分解して積の形にすることができる。

$$c=m^2+n^2=(m+ni)(m-ni)$$
$$=m^2-mni+mni-(ni)^2=m^2+n^2$$

斜辺 c は複素数を使って積の形にできるが下記に示すように、隣辺 a と同様の操作をしても m, n の値は得られない。

～ $c=5$（素数）の場合の m, n を考える～

$c=5$（素数）の場合は $c=(m+ni)(m-ni)$ から $(m+ni)$ と $(m-ni)$ のブロックへ素数５を振り分けると、下記の連立方程式が考えられる。

$$\begin{cases} m+ni=5 & \cdots\cdots(1) \\ m-ni=1 & \cdots\cdots(2) \end{cases}$$

解は $m=3$、$ni=2$ で、連立方程式では実数解は得られない。

$c=5$ の場合、$5=2^2+1^2=m^2+n^2$ であることが知られていて、$5=(m+ni)(m-ni)=(2+i)(2-i)$ として表記できる（$m=2, n=1$）。

次頁以降、斜辺 c の素因数から m, n を得る方法を考える。

「二つの平方の和」の表から斜辺cのm, nを求める

〜cが素数の場合は表から〜

斜辺cのm, nの値は下記に示す「二つの平方の和」の表から得ることができる。この表は$c=m^2+n^2$の式を表にしたものである。

斜辺cの値が素数の場合は表によりn, mの値を得ることができる。一方斜辺cの素数が2種類以上の場合、素因数がm, n既知の素数であれば計算によってm, nの値を得ることができる（112頁以降参照）。

〈表76〉「二つの平方の和」

n^2	12^2	145	148	153	160	169	180	193	208	225	244	265	288
	11^2	122	125	130	137	146	157	170	185	202	221	242	265
	10^2	101	104	109	116	125	136	149	164	181	200	221	244
	9^2	82	85	90	97	106	117	130	145	162	181	202	225
	8^2	65	68	73	80	89	100	113	128	145	164	185	208
	7^2	50	53	58	65	74	85	98	113	130	149	170	193
	6^2	37	40	45	52	61	72	85	100	117	136	157	180
	5^2	26	29	34	41	50	61	74	89	106	125	146	169
	4^2	17	20	25	32	41	52	65	80	97	116	137	160
	3^2	10	13	18	25	34	45	58	73	90	109	130	153
	2^2	5	8	13	20	29	40	53	68	85	104	125	148
	1^2	2	5	10	17	26	37	50	65	82	101	122	145
		1^2	2^2	3^2	4^2	5^2	6^2	7^2	8^2	9^2	10^2	11^2	12^2
		m^2											

上記の表中の数字は「二つの平方の和」であるが、下記に示す条件で整理して新たに〈表77〉を作成した（次頁参照）。

①斜辺cは奇数なので偶数の値は除く。

②原始ピタゴラス数の条件$m>n$より、対角線の左上の数字は除く。

③不必要な表中の数字を除去した後、原始ピタゴラス数を下記のように着色した（原始ピタゴラス数以外は無色）。

素数：薄青色

素数の階乗：濃青色

素数、素数の階乗以外の原始ピタゴラス数：薄灰色

〈表77〉

n^2													
	12^2												
	11^2												265
	10^2											221	
	9^2										181		225
	8^2									145		185	
	7^2								113		149		193
	6^2							85		117		157	
	5^2						61		89		125		169
	4^2					41		65		97		137	
	3^2				25		45		73		109		153
	2^2			13		29		53		85		125	
	1^2		5		17		37		65		101		145
		1^2	2^2	3^2	4^2	5^2	6^2	7^2	8^2	9^2	10^2	11^2	12^2
		m^2											

上記の表により、下記の式に従って斜辺cに対する「二つの平方の和」と複素数を用いた積の形の表示が可能となった。

$$c = m^2+n^2 = (m+ni)(m-ni)$$

素数について、「二つの平方の和」と複素数を用いた積の形の一覧表を次頁に掲載する。

斜辺cが素数の場合の「二つの平方の和」と積の形

下記表で素数の「二つの平方の和」と積の一覧表を示す。

〈表78〉

素数	二つの平方の和	積
5	2^2+1^2	$(2+i)(2-i)$
13	3^2+2^2	$(3+2i)(3-2i)$
17	4^2+1^2	$(4+i)(4-i)$
29	5^2+2^2	$(5+2i)(5-2i)$
37	6^2+1^2	$(6+i)(6-i)$
41	5^2+4^2	$(5+4i)(5-4i)$
53	7^2+2^2	$(7+2i)(7-2i)$
61	6^2+5^2	$(6+5i)(6-5i)$
73	8^2+3^2	$(8+3i)(8-3i)$
89	8^2+5^2	$(8+5i)(8-5i)$
97	9^2+4^2	$(9+4i)(9-4i)$
101	10^2+1^2	$(10+i)(10-i)$
109	10^2+3^2	$(10+3i)(10-3i)$
113	8^2+7^2	$(8+7i)(8-7i)$
137	11^2+4^2	$(11+4i)(11-4i)$
149	10^2+7^2	$(10+7i)(10-7i)$
157	11^2+6^2	$(11+6i)(11-6i)$
181	10^2+9^2	$(10+9i)(10-9i)$
193	12^2+7^2	$(12+7i)(12-7i)$

（注）素数157と181の間に素数$173=13^2+2^2$が存在するが、〈表77〉では欄外となっている。

斜辺cが素数の累乗の場合「二つの平方の和」と積の形

～c＝5^2＝25の場合の（m, n）～

$c=5^2$ の素因数５は前頁〈表78〉から

$5=(2+i)(2-i)$ ……………………………………………………………①

式①の両辺を二乗する

$5^2=\{(2+i)(2-i)\}^2=(2+i)^2(2-i)^2$

$=(4+4i+i^2)(4-4i+i^2)=(4+4i-1)(4-4i-1)=(3+4i)(3-4i)$

$m>n$ の条件から、$m=4$、$n=3$

m, n の結果から、隣辺 a、対辺 b を求めると

$a=m^2-n^2=4^2-3^2=7$　　　$a=7$

$b=2mn=2\times4\times3=24$　　　$b=24$

～c＝5^3＝125, c＝13^2＝169の場合～

$c=5^3=125$, $c=13^2=169$ の場合も、５の二乗の場合と同様の方法で m, n を確定できる。結果を下記〈表79〉に示す。

〈表79〉

素数の累乗	二つの平方の和	積	a	b
$5^3=125$	11^2+2^2	$(11+2i)(11-2i)$	117	44
$13^2=169$	12^2+5^2	$(12+5i)(12-5i)$	119	120

（注）$a=m^2-n^2$、$b=2mn$

前掲〈表77〉（109頁）では表中に $125=11^2+2^2$ と $125=10^2+5^2$ の２組が存在するが、$125=11^2+2^2$ は原始ピタゴラス数に属する。しかし、$125=10^2+5^2$ は、$m=10$, $n=5$ で、両者は共通の約数５を持つため、原始ピタゴラス数の条件②の「m と n は互いに素」を満たさない。従って、原始ピタゴラス数では無い。

斜辺cの素数が２種類の場合の m, nを求める

〜m, nの求め方の手順〜

素数が２種類の斜辺cの場合、素因数各々について「二つの平方の和」の表（110頁の〈表78〉参照）から複素数の積の形である$(m+ni)(m-ni)$を求める。次に２種類の複素数の積の形を組替えて掛け合わせることで$c=(m+ni)(m-ni)$の複素数の積の形に導く。結果、m, nが求まり、隣辺a、対辺bも算出できる。

〜c＝65＝5×13の場合の（m, n）の求め方〜

(i) $c=65=5\times13$の場合、素数5, 13について「二つの平方の和」の表から下記の積の形を求める。

$5=2^2+1^2=(2+i)(2-i)$、$13=3^2+2^2=(3+2i)(3-2i)$

(ii) 素数５と13の積の形を下記のように置き換える

$5=(2+i)(2-i)=A\times A'$、$13=(3+2i)(3-2i)=B\times B'$

(iii) $A\times A'$と$B\times B'$の組合せを組替える

組替えの結果は下記に示す①, ②, ①′, ②′の$2^2=4$通り。

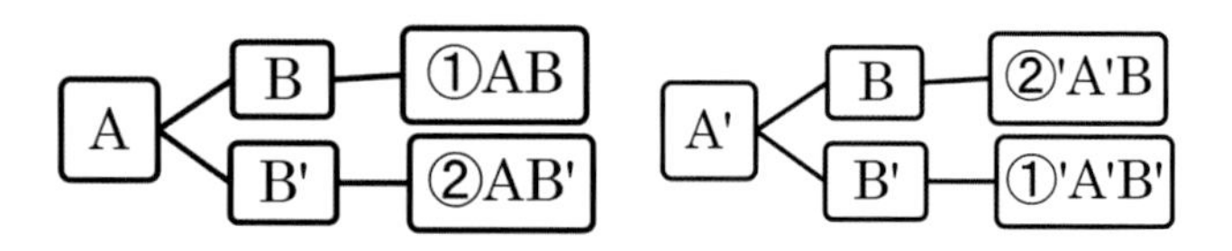

(iv) 組替えの結果を基に組合せを考える

$c=65=5\times13=(A\times A')(B\times B')$は下記に示す４種類に組替えられる。

$c=65=(A\times B)(A'\times B')$［①×①′］、$c=65=(A\times B')(A'\times B)$［②×②′］

$c=65=(A'\times B')(A\times B)$［①′×①］、$c=65=(A'\times B)(A\times B')$［②′×②］

上記結果を次頁〈表80〉にまとめる。

〈表80〉

$(m+ni)(m-ni)$	
①AB	①′A′B′
②AB′	②′A′B
①′A′B′	①AB
②′A′B	②AB′

$(m+ni)(m-ni)$ は積の形のため表の下半分は重複（灰色で着色）。結果、組合せは２種類となる。

上記の表の結果を基に $(m+ni)(m-ni)$ を算出する。

$$\begin{aligned}65 &= (A\times B)(A'\times B')\\ &= \{(2+i)(3+2i)\}\{(2-i)(3-2i)\}\\ &= (6+4i+3i+2i^2)(6-4i-3i+2i^2)\\ &= (4+7i)(4-7i) = 4^2+7^2\end{aligned}$$

$m>n$ から、$m=7$、$n=4$ となる。

m, n の結果から、隣辺 a、対辺 b を求めると

$a=m^2-n^2=7^2-4^2=33$　　$a=33$

$b=2mn=2\times7\times4=56$　　$b=56$

$$\begin{aligned}65 &= (A\times B')(A'\times B)\\ &= \{(2+i)(3-2i)\}\{(2-i)(3+2i)\}\\ &= (6-4i+3i-2i^2)(6+4i-3i-2i^2)\\ &= (8-i)(8+i) = 8^2+1^2\end{aligned}$$

$m>n$ から、$m=8$、$n=1$ となる。

m, n の結果から、隣辺 a、対辺 b を求めると

$a=m^2-n^2=8^2-1^2=63$　　$a=63$

$b=2mn=2\times8\times1=16$　　$b=16$

前述の結果から、

> **斜辺ｃの素数の種類が２種類の場合、**
> **[(m+ni)（m−ni）の組の種類] = 2^2 = 4で４種類**
> **(m, n）の組の種類２種類：積の形の重複により**
> **[(a, b）の組の種類] = $2^2/2 = 2^{2-1} = 2^1$ = 2の２種類となる。**

斜辺cの素数が３種類の場合のm, nを求める

～c＝1105＝5×13×17の場合の（m, n）の求め方～

(i)　$c=1105=5\times13\times17$の場合、素数5, 13, 17について「二つの平方の和」の表から下記の積の形を求める。

$$5=2^2+1^2=(2+i)(2-i)$$
$$13=3^2+2^2=(3+2i)(3-2i)$$
$$17=4^2+1^2=(4+i)(4-i)$$

(ii)　素数5, 13, 17の積の形を下記のように置き換える

$$5=(2+i)(2-i)=A\times A'$$
$$13=(3+2i)(3-2i)=B\times B'$$
$$17=(4+i)(4-i)=C\times C'$$

(iii)　$A\times A'$と$B\times B'$, $C\times C'$の組合せを組替える

組替えの結果は下記に示す①, ②, ③, ④, ①′, ②′, ③′, ④′の$2^3=8$通り。

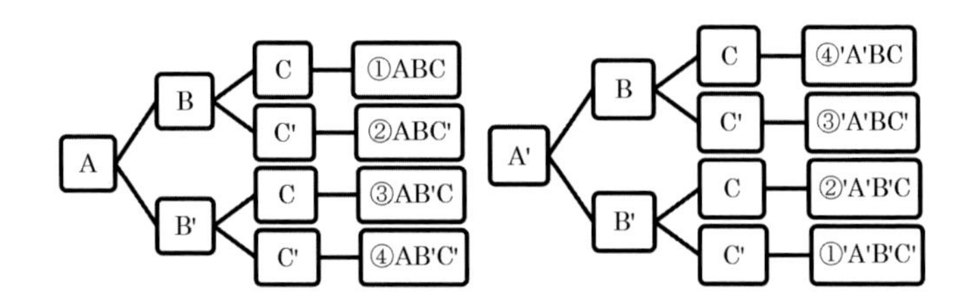

(iv)　組替えの結果を基に組合せを考える

$c=1105=5\times13\times17=(A\times A')(B\times B')(C\times C')$　は下記に示す８種類に組替えられる。

$c=1105=(A\times B\times C)(A'\times B'\times C')$［①×①′］

$c=1105=(A\times B\times C')(A'\times B'\times C)$［②×②′］

$c=1105=(A\times B'\times C)(A'\times B\times C')$［③×③′］

$c=1105=(\mathrm{A}\times\mathrm{B}'\times\mathrm{C}')(\mathrm{A}'\times\mathrm{B}\times\mathrm{C})$［④×④′］

上式で入れ替えた４種類は省略したが以下〈表81〉では記載。

〈表81〉

$(m+ni)(m-ni)$	
①ABC	①′A′B′C′
②ABC′	②′A′B′C
③AB′C	③′A′BC′
④AB′C′	④′A′BC
①′A′B′C′	①ABC
②′A′B′C	②ABC′
③′A′BC′	③AB′C
④′A′BC	④AB′C′

$(m+ni)(m-ni)$ は積の形のため表の下半分は重複（灰色で着色）。その結果、組合せは４種類となる。

上記の表の結果を基に $(m+ni)(m-ni)$ を算出する。

〈①×①’＝(A×B×C)（A’×B’×C’）について〉

$$\begin{aligned}1105&=(\mathrm{A}\times\mathrm{B}\times\mathrm{C})(\mathrm{A}'\times\mathrm{B}'\times\mathrm{C}')\\&=\{(2+i)(3+2i)(4+i)\}\{(2-i)(3-2i)(4-i)\}\\&=\{(6+4i+3i+2i^2)(4+i)\}\{(6-4i-3i+2i^2)(4-i)\}\\&=\{(4+7i)(4+i)\}\{(4-7i)(4-i)\}\\&=(16+4i+28i+7i^2)(16-4i-28i+7i^2)\\&=(9+32i)(9-32i)=9^2+32^2\end{aligned}$$

$m>n$ から、$m=32$、$n=9$ となる。

〈②×②’＝(A×B×C’)（A’×B’×C）について〉

$$\begin{aligned}1105&=(\mathrm{A}\times\mathrm{B}\times\mathrm{C}')(\mathrm{A}'\times\mathrm{B}'\times\mathrm{C})\\&=\{(2+i)(3+2i)(4-i)\}\{(2-i)(3-2i)(4+i)\}\\&=\{(6+4i+3i+2i^2)(4-i)\}\{(6-4i-3i+2i^2)(4+i)\}\\&=\{(4+7i)(4-i)\}\{(4-7i)(4+i)\}\\&=(16-4i+28i-7i^2)(16+4i-28i-7i^2)\\&=(23+24i)(23-24i)=23^2+24^2\end{aligned}$$

$m>n$ から、$m=24$、$n=23$ となる。

〈③×③' = (A × B' × C) (A' × B × C') について〉

$$
\begin{aligned}
1105 &= (A \times B' \times C)(A' \times B \times C') \\
&= \{(2+i)(3-2i)(4+i)\}\{(2-i)(3+2i)(4-i)\} \\
&= \{(6-4i+3i-2i^2)(4+i)\}\{(6+4i-3i-2i^2)(4-i)\} \\
&= \{(8-i)(4+i)\}\{(8+i)(4-i)\} \\
&= (32+8i-4i-i^2)(32-8i+4i-i^2) \\
&= (33+4i)(33-4i) = 33^2+4^2
\end{aligned}
$$

$m > n$ から、$m = 33$、$n = 4$ となる。

〈④×④' = (A × B' × C') (A' × B × C) について〉

$$
\begin{aligned}
1105 &= (A \times B' \times C')(A' \times B \times C) \\
&= \{(2+i)(3-2i)(4-i)\}\{(2-i)(3+2i)(4+i)\} \\
&= \{(6-4i+3i-2i^2)(4-i)\}\{(6+4i-3i-2i^2)(4+i)\} \\
&= \{(8-i)(4-i)\}\{(8+i)(4+i)\} \\
&= (32-8i-4i+i^2)(32+8i+4i+i^2) \\
&= (31-12i)(31+12i) = 31^2+12^2
\end{aligned}
$$

$m > n$ から、$m = 31$、$n = 12$ となる。

～確定したm, nから隣辺a、対辺bを算出～

複素数の積の形から４種類の m, n の組合せが確定したので、隣辺 a、対辺 b を求めた。結果を下記〈表82〉に示す。

〈表82〉

積の組	m	n	a	b
(ABC)(A′B′C′)	32	9	943	576
(ABC′)(A′B′C)	24	23	47	1104
(AB′C)(A′BC′)	33	4	1073	264
(AB′C′)(A′BC)	31	12	817	744

（注）$a = m^2-n^2$、$b = 2mn$

前述の結果から、

斜辺ｃの素数の種類が３種類の場合、
[(m+ni)（m−ni）の組の種類] = 2^3 = 8で８種類
(m, n）の組の種類４種類：積の形の重複により
[(a, b）の組の種類] = $2^3/2 = 2^{3-1} = 2^2$ = 4の４種類となる。

cの素数の種類が4, 5, 6……の場合も同様の考えで（$m+ni$）と（$m-ni$）の組の種類が確定されれば、（m, n）の組の種類と（a, b）の組の種類も確定され、下記の式が成り立つ。

[(a, b）の組の種類] = $2^{(n-1)}$　n：斜辺ｃの素数の種類

第６章

準原始ピタゴラス数の散布図と位別の分類

ピタゴラス数の (a, b) は直交座標の座標

～cが同じ (a, b) は四分円上の座標～

第２章では原始ピタゴラス数（a, b, c）において斜辺 c の素数の種類と（a, b）の組合せの種類との関係を具体的に見た。例えば斜辺 c の素数の種類が４種類の $c=5\times13\times17\times29$ の場合、（a, b）の組合せの種類は８種類であった（46頁〈表21〉参照）。

ピタゴラス数（a, b, c）は直角三角形の各頂点であることからピタゴラス数（a, b, c）は（a, b）を直交座標の座標、c を直交座標軸の交点からの距離と考えることができる。

例にあげた８種類の（a, b）の各座標は c を半径とする四分円周上に位置している（下記〈グラフ１〉参照)。

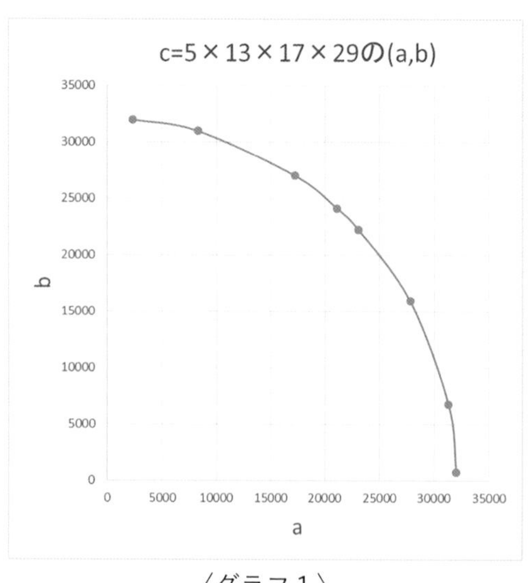

〈グラフ１〉

斜辺 c の素数の種類が５種類の $c=5\times13\times17\times29\times37$ の場合、６種類の

$c=5\times13\times17\times29\times37\times41$ の場合、(a, b) の組の種類は各々16種類、32種類であった（47頁と49頁の〈表23〉〈表25〉参照）。
(a, b) の組の種類が16種類、32種類について四分円周上に (a, b) をプロットすると下記に示す〈グラフ２〉、〈グラフ３〉となる。

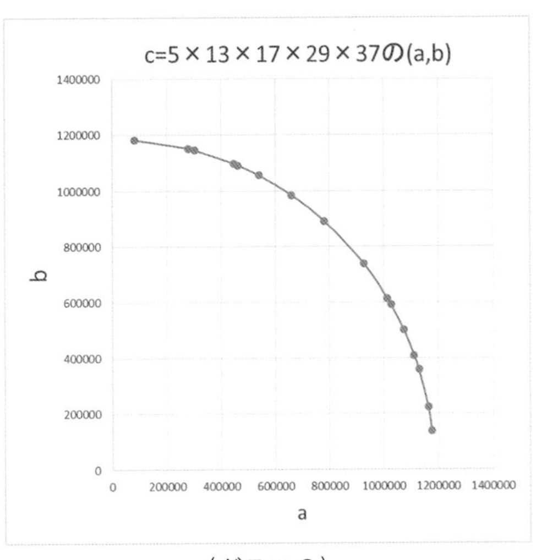

〈グラフ２〉

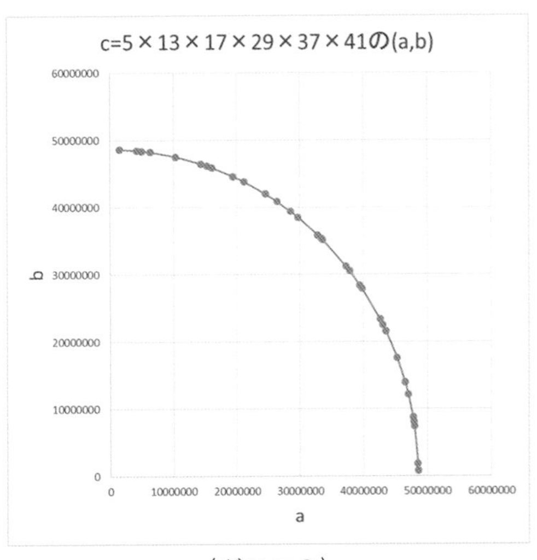

〈グラフ３〉

原始ピタゴラス数の散布図と欠損座標

〜散布図と「二つの平方の和」の表を対比する〜

ピタゴラス数（a, b, c）は c を半径とする座標（a, b）と考えることができ、c が同一の場合の原始ピタゴラス数（a, b）は四分円上の点として存在した。では対象を原始ピタゴラス数全般に広げた場合、どのような点が描かれるのだろうか。

斜辺 c を基準とした原始ピタゴラス数はすでに昇順で309個作成しているが（39〜41頁〈表15-1〜3〉参照）、その内の100個についてプロットした。次頁〈グラフ４〉に結果を示す。

プロットした散布図から各座標は規則正しく配列していることが分かる。しかし、よく観察すると規則正しい配列の中にも欠損と思われる座標が幾つか散見される。

この欠損部分の座標は再掲載した下記〈表77〉「二つの平方の和」では原始ピタゴラス数以外のセルと相似している。

表の数字を消し、原始ピタゴラス数のセルを青丸に変換した〈表83〉を新たに作成した（次頁下段参照）。

〈表77〉（109頁の〈表77〉を再掲載）

n^2 \ m^2	1^2	2^2	3^2	4^2	5^2	6^2	7^2	8^2	9^2	10^2	11^2	12^2
12^2												
11^2												265
10^2											221	
9^2										181		225
8^2									145		185	
7^2								113		149		193
6^2							85		117		157	
5^2						61		89		125		169
4^2					41		65		97		137	
3^2				25		45		73		109		153
2^2			13		29		53		85		125	
1^2		5		17		37		65		101		145

下記の〈グラフ４〉の枠線囲みの欠損部分と〈表83〉の太枠の囲い部分（非原始ピタゴラス数）を比較すると一致している。

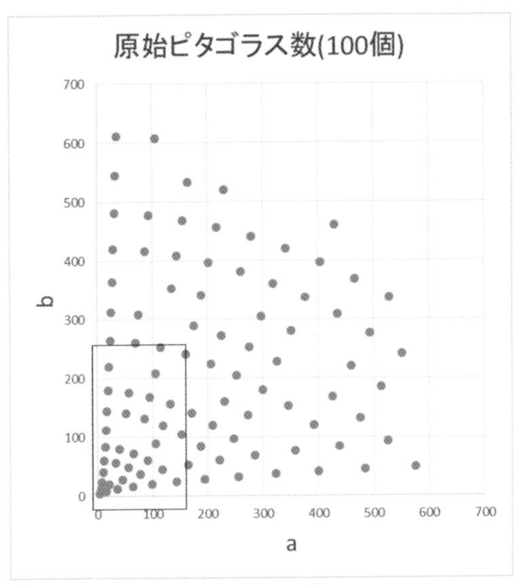

〈グラフ４〉

〈表83〉

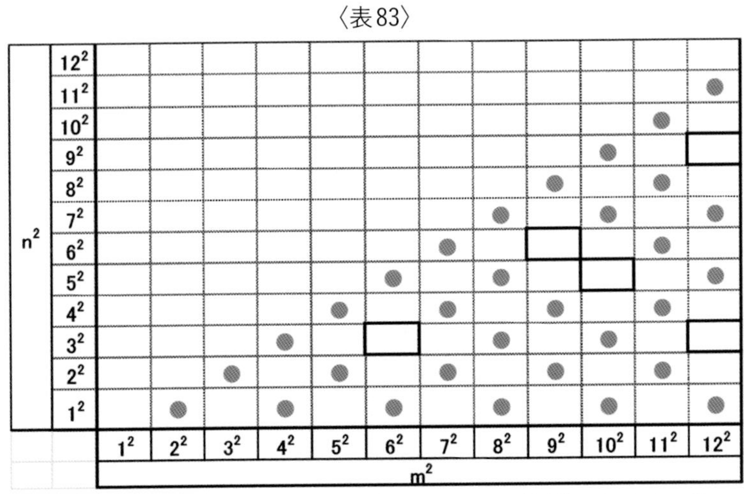

（注）太枠の□は非原始ピタゴラス数。

原始ピタゴラス数の条件緩和と欠損座標の補填

～準原始ピタゴラス数と完成された散布図～

「二つの平方の和」の〈表77〉（前々頁再掲）から原始ピタゴラス数の散布図の欠損座標を確認することができる。

確認できる欠損座標5個について下記〈表84〉にまとめた。表ではm, nの共通約数の欄を追加した。

〈表84〉散布図の欠損部分

二つの平方の和	m	n	m, nの約数	a	b
45	6	3	3	27	36
117	9	6	3	45	108
125	10	5	5	75	100
153	12	3	3	135	72
225	12	9	3	63	216

（注）$a = m^2 - n^2$、$b = 2mn$

上記の表から、原始ピタゴラス数の散布図の欠損座標のm, nは共通の約数を持っていることが分かった。

原始ピタゴラス数には2条件があり、上記表のm, nは条件①の「mとnは一方が偶数で他方が奇数」を満たしているが、条件②の「mとnは互いに素」の条件は共通の約数があるために満たしていない。以上の結果から、散布図の欠損座標は原始ピタゴラス数の条件②に由来していることが確認できる。また、欠損部分の補填は条件②を緩和することで実現できることが分かった。

条件②を緩和したピタゴラス数を**「準原始ピタゴラス数」**とし、240個の表を新に作成した（次頁以降〈表85-1～2〉参照）。この表を基にcを昇順に並べ替え、順位を確定した120個を〈表86〉として127頁に掲載する。この表から**「準原始ピタゴラス数」**120個の散布図を作成した（128頁〈グラフ5〉参照）。

〈表85-1〉

m	n	a	b	c
2	1	3	4	5
3	2	5	12	13
4	1	15	8	17
	3	7	24	25
5	2	21	20	29
	4	9	40	41
6	1	35	12	37
	3	27	36	45
	5	11	60	61
7	2	45	28	53
	4	33	56	65
	6	13	84	85
8	1	63	16	65
	3	55	48	73
	5	39	80	89
	7	15	112	113
9	2	77	36	85
	4	65	72	97
	6	45	108	117
	8	17	144	145
10	1	99	20	101
	3	91	60	109
	5	75	100	125
	7	51	140	149
	9	19	180	181
11	2	117	44	125
	4	105	88	137
	6	85	132	157
	8	57	176	185
	10	21	220	221
12	1	143	24	145
	3	135	72	153
	5	119	120	169
	7	95	168	193
	9	63	216	225
	11	23	264	265
13	2	165	52	173
	4	153	104	185
	6	133	156	205
	8	105	208	233

m	n	a	b	c
13	10	69	260	269
	12	25	312	313
14	1	195	28	197
	3	187	84	205
	5	171	140	221
	7	147	196	245
	9	115	252	277
	11	75	308	317
	13	27	364	365
15	2	221	60	229
	4	209	120	241
	6	189	180	261
	8	161	240	289
	10	125	300	325
	12	81	360	369
	14	29	420	421
16	1	255	32	257
	3	247	96	265
	5	231	160	281
	7	207	224	305
	9	175	288	337
	11	135	352	377
	13	87	416	425
	15	31	480	481
17	2	285	68	293
	4	273	136	305
	6	253	204	325
	8	225	272	353
	10	189	340	389
	12	145	408	433
	14	93	476	485
	16	33	544	545
18	1	323	36	325
	3	315	108	333
	5	299	180	349
	7	275	252	373
	9	243	324	405
	11	203	396	445
	13	155	468	493
	15	99	540	549

m	n	a	b	c
18	17	35	612	613
19	2	357	76	365
	4	345	152	377
	6	325	228	397
	8	297	304	425
	10	261	380	461
	12	217	456	505
	14	165	532	557
	16	105	608	617
	18	37	684	685
20	1	399	40	401
	3	391	120	409
	5	375	200	425
	7	351	280	449
	9	319	360	481
	11	279	440	521
	13	231	520	569
	15	175	600	625
	17	111	680	689
	19	39	760	761
21	2	437	84	445
	4	425	168	457
	6	405	252	477
	8	377	336	505
	10	341	420	541
	12	297	504	585
	14	245	588	637
	16	185	672	697
	18	117	756	765
	20	41	840	841
22	1	483	44	485
	3	475	132	493
	5	459	220	509
	7	435	308	533
	9	403	396	565
	11	363	484	605
	13	315	572	653
	15	259	660	709
	17	195	748	773
	19	123	836	845

（注）表中の薄青色は条件②の緩和対象。

〈表85-2〉

m	n	a	b	c
22	21	43	924	925
23	2	525	92	533
	4	513	184	545
	6	493	276	565
	8	465	368	593
	10	429	460	629
	12	385	552	673
	14	333	644	725
	16	273	736	785
	18	205	828	853
	20	129	920	929
	22	45	1012	1013
24	1	575	48	577
	3	567	144	585
	5	551	240	601
	7	527	336	625
	9	495	432	657
	11	455	528	697
	13	407	624	745
	15	351	720	801
	17	287	816	865
	19	215	912	937
	21	135	1008	1017
	23	47	1104	1105
25	2	621	100	629
	4	609	200	641
	6	589	300	661
	8	561	400	689
	10	525	500	725
	12	481	600	769
	14	429	700	821
	16	369	800	881
	18	301	900	949
	20	225	1000	1025
	22	141	1100	1109
	24	49	1200	1201
26	1	675	52	677
	3	667	156	685
	5	651	260	701
	7	627	364	725

m	n	a	b	c
26	9	595	468	757
	11	555	572	797
	13	507	676	845
	15	451	780	901
	17	387	884	965
	19	315	988	1037
	21	235	1092	1117
	23	147	1196	1205
	25	51	1300	1301
27	2	725	108	733
	4	713	216	745
	6	693	324	765
	8	665	432	793
	10	629	540	829
	12	585	648	873
	14	533	756	925
	16	473	864	985
	18	405	972	1053
	20	329	1080	1129
	22	245	1188	1213
	24	153	1296	1305
	26	53	1404	1405
28	1	783	56	785
	3	775	168	793
	5	759	280	809
	7	735	392	833
	9	703	504	865
	11	663	616	905
	13	615	728	953
	15	559	840	1009
	17	495	952	1073
	19	423	1064	1145
	21	343	1176	1225
	23	255	1288	1313
	25	159	1400	1409
	27	55	1512	1513
29	2	837	116	845
	4	825	232	857
	6	805	348	877
	8	777	464	905

m	n	a	b	c
29	10	741	580	941
	12	697	696	985
	14	645	812	1037
	16	585	928	1097
	18	517	1044	1165
	20	441	1160	1241
	22	357	1276	1325
	24	265	1392	1417
	26	165	1508	1517
	28	57	1624	1625
30	1	899	60	901
	3	891	180	909
	5	875	300	925
	7	851	420	949
	9	819	540	981
	11	779	660	1021
	13	731	780	1069
	15	675	900	1125
	17	611	1020	1189
	19	539	1140	1261
	21	459	1260	1341
	23	371	1380	1429
	25	275	1500	1525
	27	171	1620	1629
	29	59	1740	1741
31	2	957	124	965
	4	945	248	977
	6	925	372	997
	8	897	496	1025
	10	861	620	1061
	12	817	744	1105
	14	765	868	1157
	16	705	992	1217
	18	637	1116	1285
	20	561	1240	1361
	22	477	1364	1445
	24	385	1488	1537
	26	285	1612	1637
	28	177	1736	1745
	30	61	1860	1861

（注）表中の薄青色は条件②の緩和対象。

〈表86〉

m	n	a	b	c
2	1	3	4	5
3	2	5	12	13
4	1	15	8	17
4	3	7	24	25
5	2	21	20	29
6	1	35	12	37
5	4	9	40	41
6	3	27	36	45
7	2	45	28	53
6	5	11	60	61
7	4	33	56	65
8	1	63	16	65
8	3	55	48	73
7	6	13	84	85
9	2	77	36	85
8	5	39	80	89
9	4	65	72	97
10	1	99	20	101
10	3	91	60	109
8	7	15	112	113
9	6	45	108	117
10	5	75	100	125
11	2	117	44	125
11	4	105	88	137
9	8	17	144	145
12	1	143	24	145
10	7	51	140	149
12	3	135	72	153
11	6	85	132	157
12	5	119	120	169
13	2	165	52	173
10	9	19	180	181
11	8	57	176	185
13	4	153	104	185
12	7	95	168	193
14	1	195	28	197
13	6	133	156	205
14	3	187	84	205
11	10	21	220	221
14	5	171	140	221

m	n	a	b	c
12	9	63	216	225
15	2	221	60	229
13	8	105	208	233
15	4	209	120	241
14	7	147	196	245
16	1	255	32	257
15	6	189	180	261
12	11	23	264	265
16	3	247	96	265
13	10	69	260	269
14	9	115	252	277
16	5	231	160	281
15	8	161	240	289
17	2	285	68	293
16	7	207	224	305
17	4	273	136	305
13	12	25	312	313
14	11	75	308	317
15	10	125	300	325
17	6	253	204	325
18	1	323	36	325
18	3	315	108	333
16	9	175	288	337
18	5	299	180	349
17	8	225	272	353
14	13	27	364	365
19	2	357	76	365
15	12	81	360	369
18	7	275	252	373
16	11	135	352	377
19	4	345	152	377
17	10	189	340	389
19	6	325	228	397
20	1	399	40	401
18	9	243	324	405
20	3	391	120	409
15	14	29	420	421
16	13	87	416	425
19	8	297	304	425
20	5	375	200	425

m	n	a	b	c
17	12	145	408	433
18	11	203	396	445
21	2	437	84	445
20	7	351	280	449
21	4	425	168	457
19	10	261	380	461
21	6	405	252	477
16	15	31	480	481
20	9	319	360	481
17	14	93	476	485
22	1	483	44	485
18	13	155	468	493
22	3	475	132	493
19	12	217	456	505
21	8	377	336	505
22	5	459	220	509
20	11	279	440	521
22	7	435	308	533
23	2	525	92	533
21	10	341	420	541
17	16	33	544	545
23	4	513	184	545
18	15	99	540	549
19	14	165	532	557
22	9	403	396	565
23	6	493	276	565
20	13	231	520	569
24	1	575	48	577
21	12	297	504	585
24	3	567	144	585
23	8	465	368	593
24	5	551	240	601
22	11	363	484	605
18	17	35	612	613
19	16	105	608	617
20	15	175	600	625
24	7	527	336	625
23	10	429	460	629
25	2	621	100	629
21	14	245	588	637

（注）表中の薄青色は条件②の緩和対象。

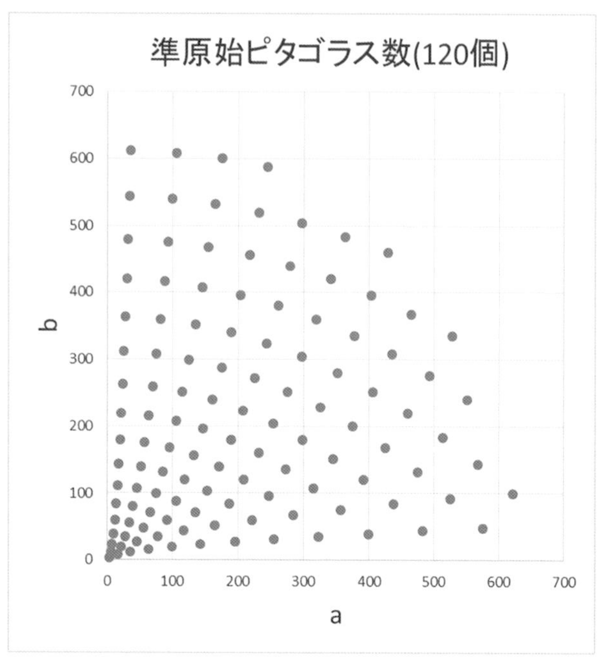

〈グラフ５〉

〈グラフ４〉（123頁）と上記の〈グラフ５〉を比較すると〈グラフ４〉の欠損座標が〈グラフ５〉では補填されていることが確認できる。

散布図の模様を楽しむ①
一の位で分類する

～cの一の位1, 3, 5, 7, 9での５分類～

準原始ピタゴラス数の散布図（前頁〈グラフ５〉）の各点は、一見して非常に規則正しい配列になっていることが確認される。

規則正しい配列故に一定の条件で散布図を分類した場合、どのような模様の散布図が得られるかは興味ある課題である。散布図の座標点 (a, b) は斜辺 c の昇順で配置されており、今回用いた分類も斜辺 c の値を基準に分類した。

分類は斜辺 c の一の位の数値とした。斜辺 c は奇数であるので、具体的には一の位が1, 3, 5, 7, 9の５分類となる。

昇順位が確定した準原始ピタゴラス数1000個を用意し、これを c の一の位1, 3, 5, 7, 9別に昇順にふるい分け、各分類100個の散布図を作成した。

次頁以降、一の位別に準原始ピタゴラス数の表〈表87〉～〈表91〉を掲載した。また、表から作成した散布図を135頁以降に〈グラフ６〉～〈グラフ11〉として掲載した。

Excel使用の計算ポイントⅢ

①一の位の数値を抽出する方法　RIGHT関数を利用する

=RIGHT（B5）

（注）セルが「B5」の場合、「B5」の一の位の数値のみ表記。

③抽出した数値の並べ替え

Excel使用の計算ポイントⅠ（続き）の④（68頁）を参照。

（注）「新しいリスト（L）」で並べ替えの優先数値を登録する。

〈表87〉一の位が「１」の準原始ピタゴラス数102個

m	n	a	b	c
5	4	9	40	41
6	5	11	60	61
10	1	99	20	101
10	9	19	180	181
11	10	21	220	221
14	5	171	140	221
15	4	209	120	241
15	6	189	180	261
16	5	231	160	281
20	1	399	40	401
15	14	29	420	421
19	10	261	380	461
16	15	31	480	481
20	9	319	360	481
20	11	279	440	521
21	10	341	420	541
24	5	551	240	601
25	4	609	200	641
25	6	589	300	661
26	5	651	260	701
20	19	39	760	761
24	15	351	720	801
25	14	429	700	821
21	20	41	840	841
25	16	369	800	881
26	15	451	780	901
30	1	899	60	901
29	10	741	580	941
30	9	819	540	981
30	11	779	660	1021
31	10	861	620	1061
34	5	1131	340	1181
25	24	49	1200	1201
29	20	441	1160	1241

m	n	a	b	c
35	4	1209	280	1241
30	19	539	1140	1261
35	6	1189	420	1261
26	25	51	1300	1301
36	5	1271	360	1321
30	21	459	1260	1341
31	20	561	1240	1361
34	15	931	1020	1381
35	14	1029	980	1421
35	16	969	1120	1481
36	15	1071	1080	1521
40	1	1599	80	1601
39	10	1421	780	1621
40	9	1519	720	1681
40	11	1479	880	1721
30	29	59	1740	1741
34	25	531	1700	1781
41	10	1581	820	1781
35	24	649	1680	1801
31	30	61	1860	1861
35	26	549	1820	1901
36	25	671	1800	1921
39	20	1121	1560	1921
40	19	1239	1520	1961
44	5	1911	440	1961
40	21	1159	1680	2041
45	4	2009	360	2041
45	6	1989	540	2061
41	20	1281	1640	2081
46	5	2091	460	2141
44	15	1711	1320	2161
45	14	1829	1260	2221
45	16	1769	1440	2281
46	15	1891	1380	2341

m	n	a	b	c
35	34	69	2380	2381
39	30	621	2340	2421
40	29	759	2320	2441
49	10	2301	980	2501
50	1	2499	100	2501
36	35	71	2520	2521
40	31	639	2480	2561
44	25	1311	2200	2561
41	30	781	2460	2581
50	9	2419	900	2581
45	24	1449	2160	2601
50	11	2379	1100	2621
45	26	1349	2340	2701
51	10	2501	1020	2701
46	25	1491	2300	2741
49	20	2001	1960	2801
50	19	2139	1900	2861
50	21	2059	2100	2941
54	5	2891	540	2941
51	20	2201	2040	3001
55	4	3009	440	3041
55	6	2989	660	3061
40	39	79	3120	3121
54	15	2691	1620	3141
44	35	711	3080	3161
56	5	3111	560	3161
45	34	869	3060	3181
55	14	2829	1540	3221
41	40	81	3280	3281
55	16	2769	1760	3281
49	30	1501	2940	3301
45	36	729	3240	3321
46	35	891	3220	3341
50	29	1659	2900	3341

〈表88〉一の位が「３」の準原始ピタゴラス数102個

m	n	a	b	c
3	2	5	12	13
7	2	45	28	53
8	3	55	48	73
8	7	15	112	113
12	3	135	72	153
13	2	165	52	173
12	7	95	168	193
13	8	105	208	233
17	2	285	68	293
13	12	25	312	313
18	3	315	108	333
17	8	225	272	353
18	7	275	252	373
17	12	145	408	433
18	13	155	468	493
22	3	475	132	493
22	7	435	308	533
23	2	525	92	533
23	8	465	368	593
18	17	35	612	613
22	13	315	572	653
23	12	385	552	673
27	2	725	108	733
22	17	195	748	773
27	8	665	432	793
28	3	775	168	793
28	7	735	392	833
23	18	205	828	853
27	12	585	648	873
28	13	615	728	953
23	22	45	1012	1013
32	3	1015	192	1033
27	18	405	972	1053
28	17	495	952	1073

m	n	a	b	c
32	7	975	448	1073
33	2	1085	132	1093
33	8	1025	528	1153
32	13	855	832	1193
27	22	245	1188	1213
33	12	945	792	1233
28	23	255	1288	1313
32	17	735	1088	1313
37	2	1365	148	1373
33	18	765	1188	1413
37	8	1305	592	1433
38	3	1435	228	1453
38	7	1395	532	1493
28	27	55	1512	1513
37	12	1225	888	1513
32	23	495	1472	1553
33	22	605	1452	1573
38	13	1275	988	1613
37	18	1045	1332	1693
38	17	1155	1292	1733
32	27	295	1728	1753
42	3	1755	252	1773
42	7	1715	588	1813
37	22	885	1628	1853
43	2	1845	172	1853
33	28	305	1848	1873
43	8	1785	688	1913
42	13	1595	1092	1933
38	23	915	1748	1973
43	12	1705	1032	1993
42	17	1475	1428	2053
33	32	65	2112	2113
37	28	585	2072	2153
38	27	715	2052	2173

m	n	a	b	c
43	18	1525	1548	2173
47	2	2205	188	2213
47	8	2145	752	2273
42	23	1235	1932	2293
48	3	2295	288	2313
43	22	1365	1892	2333
47	12	2065	1128	2353
48	7	2255	672	2353
37	32	345	2368	2393
48	13	2135	1248	2473
42	27	1035	2268	2493
38	33	355	2508	2533
47	18	1885	1692	2533
48	17	2015	1632	2593
43	28	1065	2408	2633
47	22	1725	2068	2693
52	3	2695	312	2713
52	7	2655	728	2753
38	37	75	2812	2813
53	2	2805	212	2813
48	23	1775	2208	2833
42	33	675	2772	2853
43	32	825	2752	2873
52	13	2535	1352	2873
53	8	2745	848	2873
53	12	2665	1272	2953
47	28	1425	2632	2993
52	17	2415	1768	2993
48	27	1575	2592	3033
42	37	395	3108	3133
53	18	2485	1908	3133
47	32	1185	3008	3233
52	23	2175	2392	3233
57	2	3245	228	3253

〈表89〉一の位が「５」の準原始ピタゴラス数102個

m	n	a	b	c	m	n	a	b	c	m	n	a	b	c
2	1	3	4	5	19	12	217	456	505	27	16	473	864	985
4	3	7	24	25	21	8	377	336	505	29	12	697	696	985
6	3	27	36	45	17	16	33	544	545	25	20	225	1000	1025
7	4	33	56	65	23	4	513	184	545	31	8	897	496	1025
8	1	63	16	65	22	9	403	396	565	32	1	1023	64	1025
7	6	13	84	85	23	6	493	276	565	24	23	47	1104	1105
9	2	77	36	85	21	12	297	504	585	31	12	817	744	1105
10	5	75	100	125	24	3	567	144	585	32	9	943	576	1105
11	2	117	44	125	22	11	363	484	605	33	4	1073	264	1105
9	8	17	144	145	20	15	175	600	625	30	15	675	900	1125
12	1	143	24	145	24	7	527	336	625	33	6	1053	396	1125
11	8	57	176	185	19	18	37	684	685	28	19	423	1064	1145
13	4	153	104	185	26	3	667	156	685	32	11	903	704	1145
13	6	133	156	205	23	14	333	644	725	29	18	517	1044	1165
14	3	187	84	205	25	10	525	500	725	34	3	1147	204	1165
12	9	63	216	225	26	7	627	364	725	26	23	147	1196	1205
14	7	147	196	245	24	13	407	624	745	34	7	1107	476	1205
12	11	23	264	265	27	4	713	216	745	28	21	343	1176	1225
16	3	247	96	265	21	18	117	756	765	31	18	637	1116	1285
16	7	207	224	305	27	6	693	324	765	33	14	893	924	1285
17	4	273	136	305	23	16	273	736	785	27	24	153	1296	1305
15	10	125	300	325	28	1	783	56	785	36	3	1287	216	1305
17	6	253	204	325	22	19	123	836	845	29	22	357	1276	1325
18	1	323	36	325	26	13	507	676	845	34	13	987	884	1325
14	13	27	364	365	29	2	837	116	845	35	10	1125	700	1325
19	2	357	76	365	24	17	287	816	865	33	16	833	1056	1345
18	9	243	324	405	28	9	703	504	865	36	7	1247	504	1345
16	13	87	416	425	28	11	663	616	905	32	19	663	1216	1385
19	8	297	304	425	29	8	777	464	905	37	4	1353	296	1385
20	5	375	200	425	22	21	43	924	925	27	26	53	1404	1405
18	11	203	396	445	27	14	533	756	925	37	6	1333	444	1405
21	2	437	84	445	30	5	875	300	925	31	22	477	1364	1445
17	14	93	476	485	26	17	387	884	965	34	17	867	1156	1445
22	1	483	44	485	31	2	957	124	965	38	1	1443	76	1445

〈表90〉一の位が「７」の準原始ピタゴラス数102個

m	n	a	b	c
4	1	15	8	17
6	1	35	12	37
9	4	65	72	97
9	6	45	108	117
11	4	105	88	137
11	6	85	132	157
14	1	195	28	197
16	1	255	32	257
14	9	115	252	277
14	11	75	308	317
16	9	175	288	337
16	11	135	352	377
19	4	345	152	377
19	6	325	228	397
21	4	425	168	457
21	6	405	252	477
19	14	165	532	557
24	1	575	48	577
19	16	105	608	617
21	14	245	588	637
24	9	495	432	657
26	1	675	52	677
21	16	185	672	697
24	11	455	528	697
26	9	595	468	757
26	11	555	572	797
29	4	825	232	857
29	6	805	348	877
24	19	215	912	937
31	4	945	248	977
31	6	925	372	997
24	21	135	1008	1017
26	19	315	988	1037
29	14	645	812	1037
29	16	585	928	1097
26	21	235	1092	1117
31	14	765	868	1157
34	1	1155	68	1157
31	16	705	992	1217
34	9	1075	612	1237
34	11	1035	748	1277
36	1	1295	72	1297
36	9	1215	648	1377
29	24	265	1392	1417
36	11	1175	792	1417
29	26	165	1508	1517
34	19	795	1292	1517
31	24	385	1488	1537
39	4	1505	312	1537
39	6	1485	468	1557
34	21	715	1428	1597
31	26	285	1612	1637
36	19	935	1368	1657
41	4	1665	328	1697
39	14	1325	1092	1717
41	6	1645	492	1717
36	21	855	1512	1737
39	16	1265	1248	1777
41	14	1485	1148	1877
41	16	1425	1312	1937
44	1	1935	88	1937
34	29	315	1972	1997
44	9	1855	792	2017
44	11	1815	968	2057
39	24	945	1872	2097
34	31	195	2108	2117
46	1	2115	92	2117
36	29	455	2088	2137
39	26	845	2028	2197
46	9	2035	828	2197
46	11	1995	1012	2237
36	31	335	2232	2257
41	24	1105	1968	2257
44	19	1575	1672	2297
41	26	1005	2132	2357
44	21	1495	1848	2377
49	4	2385	392	2417
49	6	2365	588	2437
46	19	1755	1748	2477
46	21	1675	1932	2557
49	14	2205	1372	2597
51	4	2585	408	2617
51	6	2565	612	2637
49	16	2145	1568	2657
39	34	365	2652	2677
44	29	1095	2552	2777
51	14	2405	1428	2797
39	36	225	2808	2817
41	34	525	2788	2837
51	16	2345	1632	2857
44	31	975	2728	2897
54	1	2915	108	2917
46	29	1275	2668	2957
41	36	385	2952	2977
49	24	1825	2352	2977
54	9	2835	972	2997
54	11	2795	1188	3037
46	31	1155	2852	3077
49	26	1725	2548	3077
56	1	3135	112	3137
51	24	2025	2448	3177
56	9	3055	1008	3217

〈表91〉一の位が「９」の準原始ピタゴラス数102個

m	n	a	b	c
5	2	21	20	29
8	5	39	80	89
10	3	91	60	109
10	7	51	140	149
12	5	119	120	169
15	2	221	60	229
13	10	69	260	269
15	8	161	240	289
18	5	299	180	349
15	12	81	360	369
17	10	189	340	389
20	3	391	120	409
20	7	351	280	449
22	5	459	220	509
18	15	99	540	549
20	13	231	520	569
23	10	429	460	629
25	2	621	100	629
20	17	111	680	689
25	8	561	400	689
22	15	259	660	709
25	12	481	600	769
28	5	759	280	809
27	10	629	540	829
30	3	891	180	909
23	20	129	920	929
25	18	301	900	949
30	7	851	420	949
28	15	559	840	1009
32	5	999	320	1049
30	13	731	780	1069
25	22	141	1100	1109
27	20	329	1080	1129
30	17	611	1020	1189

m	n	a	b	c
33	10	989	660	1189
35	2	1221	140	1229
32	15	799	960	1249
35	8	1161	560	1289
35	12	1081	840	1369
28	25	159	1400	1409
30	23	371	1380	1429
37	10	1269	740	1469
38	5	1419	380	1469
33	20	689	1320	1489
35	18	901	1260	1549
40	3	1591	240	1609
30	27	171	1620	1629
32	25	399	1600	1649
40	7	1551	560	1649
38	15	1219	1140	1669
35	22	741	1540	1709
37	20	969	1480	1769
40	13	1431	1040	1769
42	5	1739	420	1789
40	17	1311	1360	1889
43	10	1749	860	1949
33	30	189	1980	1989
42	15	1539	1260	1989
35	28	441	1960	2009
45	2	2021	180	2029
38	25	819	1900	2069
45	8	1961	720	2089
40	23	1071	1840	2129
45	12	1881	1080	2169
35	32	201	2240	2249
43	20	1449	1720	2249
37	30	469	2220	2269
47	10	2109	940	2309

m	n	a	b	c
40	27	871	2160	2329
48	5	2279	480	2329
45	18	1701	1620	2349
42	25	1139	2100	2389
45	22	1541	1980	2509
50	3	2491	300	2509
48	15	2079	1440	2529
50	7	2451	700	2549
47	20	1809	1880	2609
38	35	219	2660	2669
50	13	2331	1300	2669
40	33	511	2640	2689
52	5	2679	520	2729
43	30	949	2580	2749
50	17	2211	1700	2789
45	28	1241	2520	2809
53	10	2709	1060	2909
48	25	1679	2400	2929
52	15	2479	1560	2929
40	37	231	2960	2969
42	35	539	2940	2989
50	23	1971	2300	3029
55	2	3021	220	3029
45	32	1001	2880	3049
55	8	2961	880	3089
47	30	1309	2820	3109
55	12	2881	1320	3169
53	20	2409	2120	3209
50	27	1771	2700	3229
52	25	2079	2600	3329
55	18	2701	1980	3349
57	10	3149	1140	3349
58	5	3339	580	3389
43	40	249	3440	3449

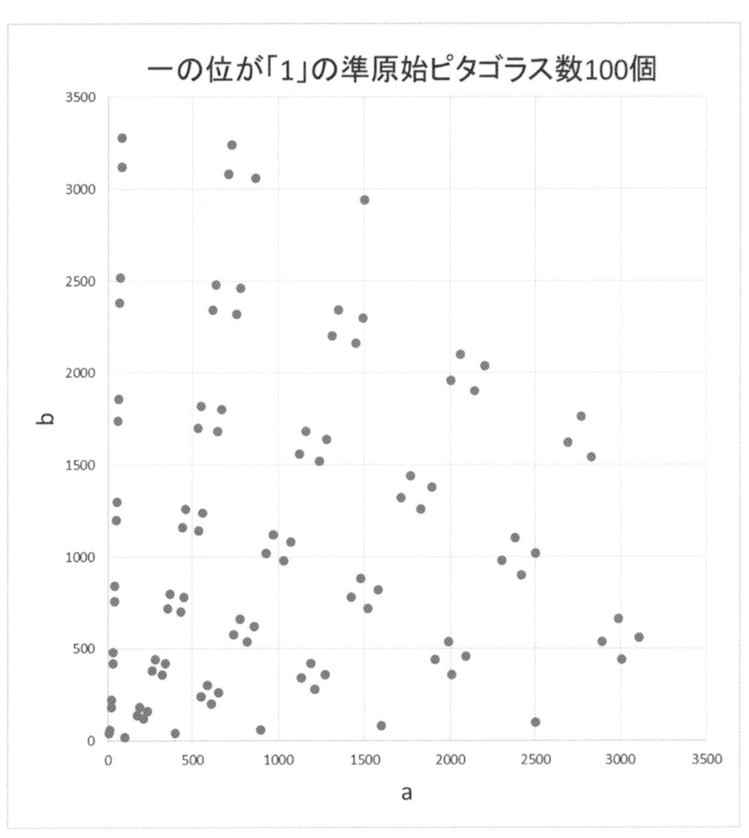

〈グラフ６〉

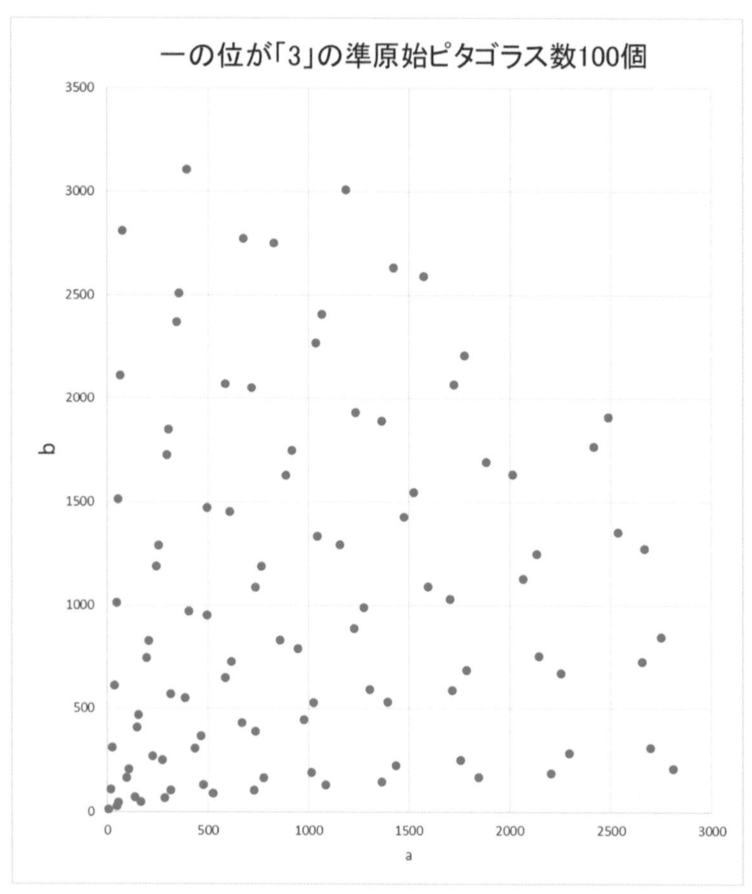
一の位が「3」の準原始ピタゴラス数100個
3500
3000
2500
2000
1500
1000
500
0
b
0
500
1000
1500
2000
2500
3000
a

〈グラフ 7〉

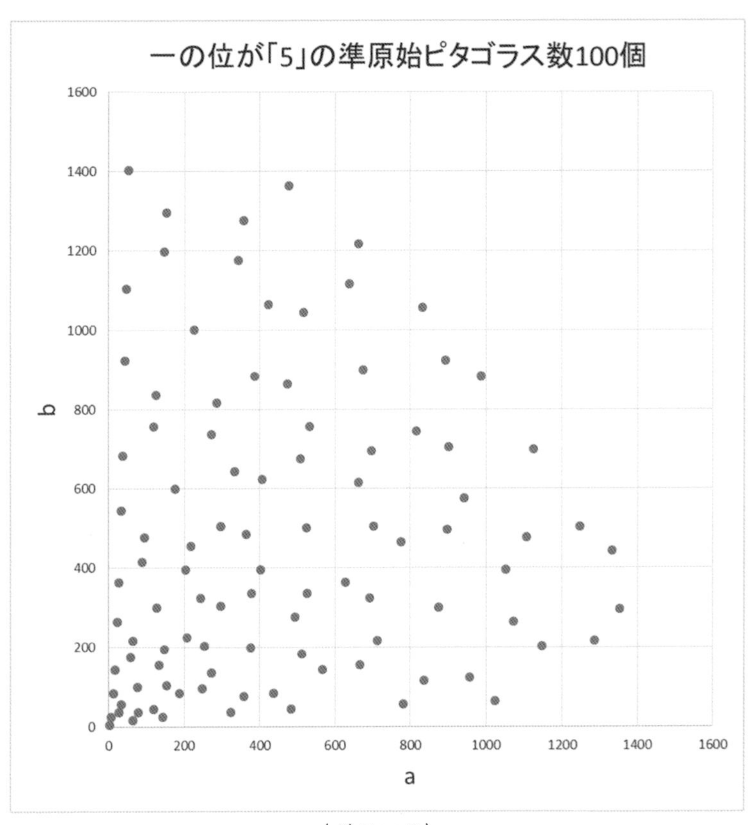
一の位が「5」の準原始ピタゴラス数100個
b
a
0
200
400
600
800
1000
1200
1400
1600

〈グラフ８〉

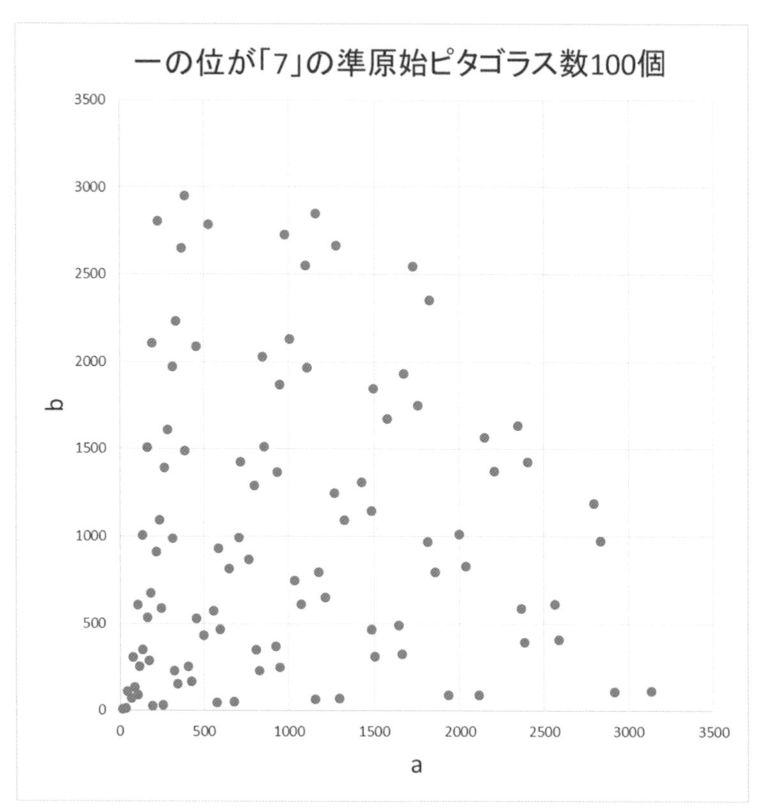
一の位が「7」の準原始ピタゴラス数100個
3500
3000
2500
2000
1500
1000
500
0
b
0
500
1000
1500
2000
2500
3000
3500
a

〈グラフ9〉

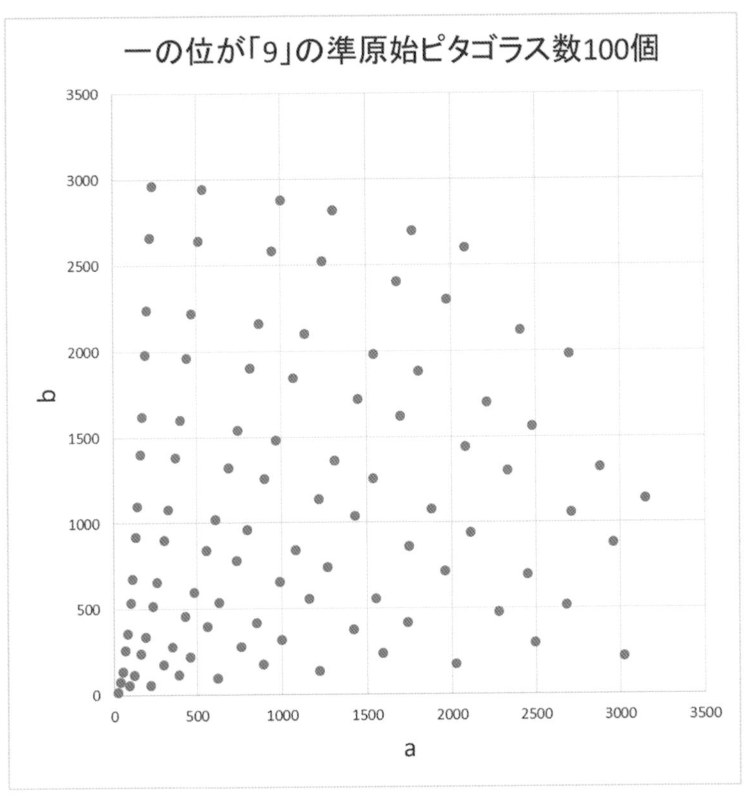
一の位が「9」の準原始ピタゴラス数100個
3500
3000
2500
2000
1500
1000
500
0
b
0
500
1000
1500
2000
2500
3000
3500
a

〈グラフ10〉

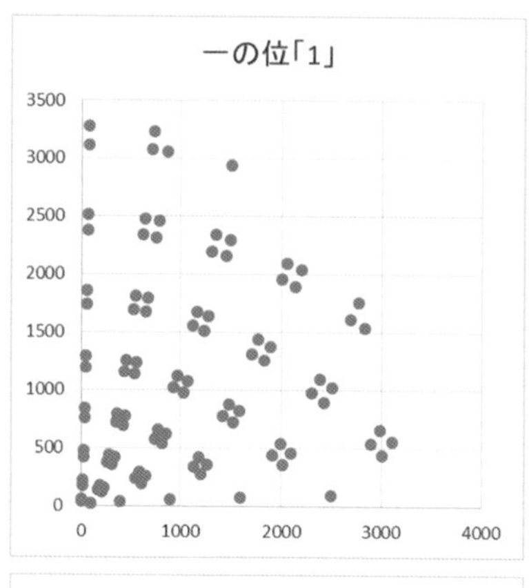

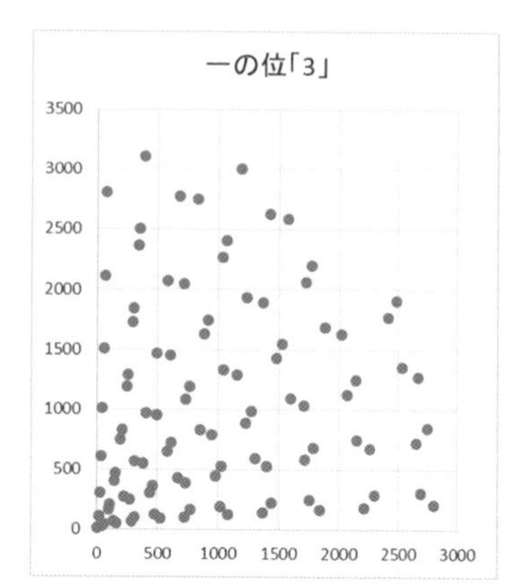

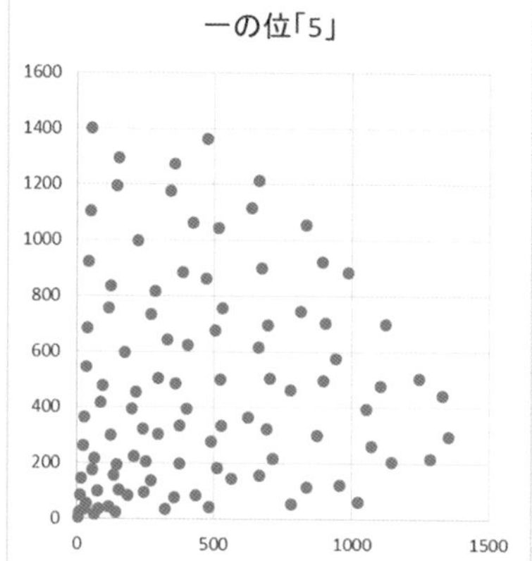

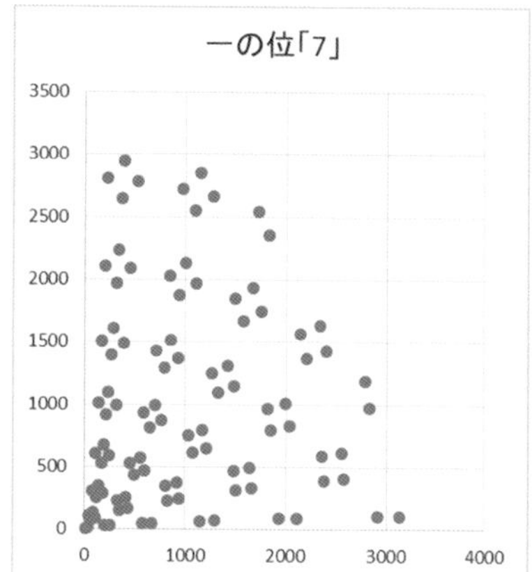

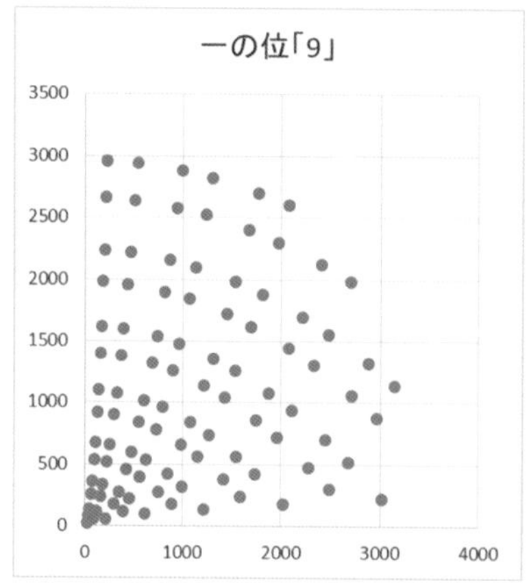

〈グラフ11〉一の位が1, 3, 5, 7, 9の散布図の一覧

散布図の模様を楽しむ②
一の位の５種類を組み合わせる

〜組合せは全部で25通り〜

前項では準原始ピタゴラス数の斜辺 c を基準に一の位の数値（1, 3, 5, 7, 9）で分類した場合の散布図について見たが、どの分類でも異なった規則正しい模様の散布図が得られた。

一の位の数値は1, 3, 5, 7, 9の５種類であるが、５種類を組み合わせた場合の散布図について作成を試みた。

組合せは下記の表に示したが、全部で25通りとなる。作成は昇位が確定した準原始ピタゴラス数1000個から対象となる組合せの各々を抽出し、合体後に昇順に並べ直した内100個を散布図作成に用いた。次頁以降に散布図を示す。尚、散布図の基になった準原始ピタゴラス数の表は割愛している。

〈表92〉

組個数	組数	一の位の組合せ
2	${}_5C_2=10$＊	①1-3, ②1-5, ③1-7, ④1-9, ⑤3-5, ⑥3-7, ⑦3-9, ⑧5-7, ⑨5-9, ⑩7-9
3	${}_5C_3=10$	①1-3-5, ②1-3-7, ③1-3-9, ④1-5-7, ⑤1-5-9, ⑥1-7-9, ⑦3-5-7, ⑧3-5-9, ⑨3-7-9, ⑩5-7-9
4	${}_5C_4=5$	①1-3-5-7, ②1-3-5-9, ③1-3-7-9, ④1-5-7-9, ⑤3-5-7-9

＊一の位５個（1, 3, 5, 7, 9）から２個をとる組合せは ${}_5C_2=\dfrac{5\times4}{2\times1}=10$。

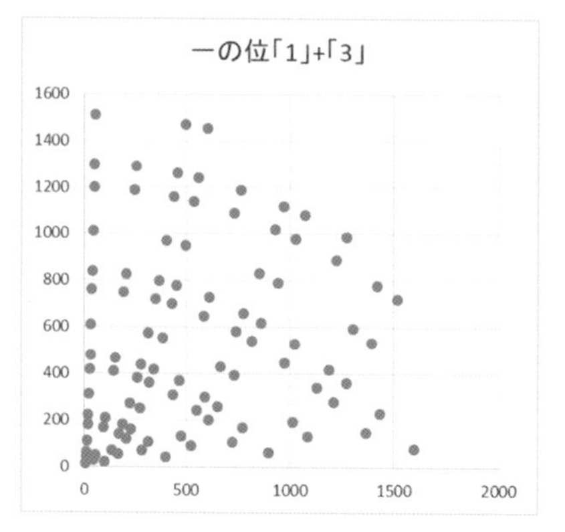

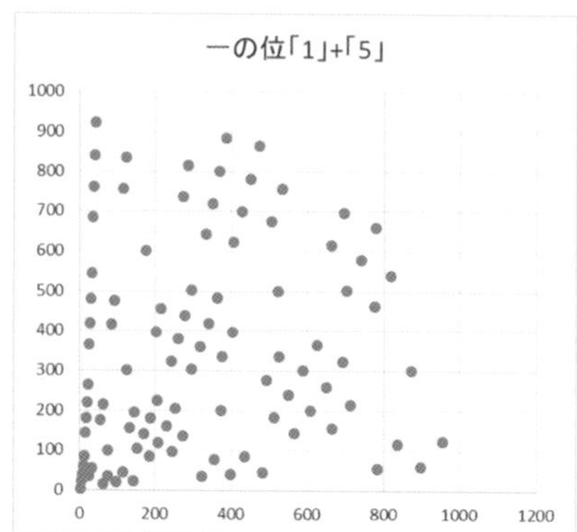

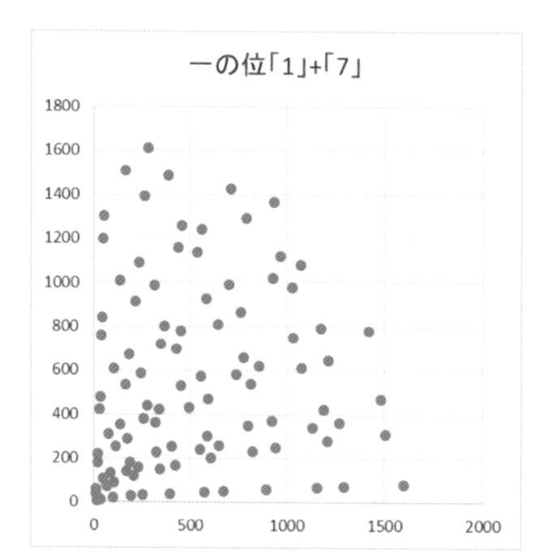

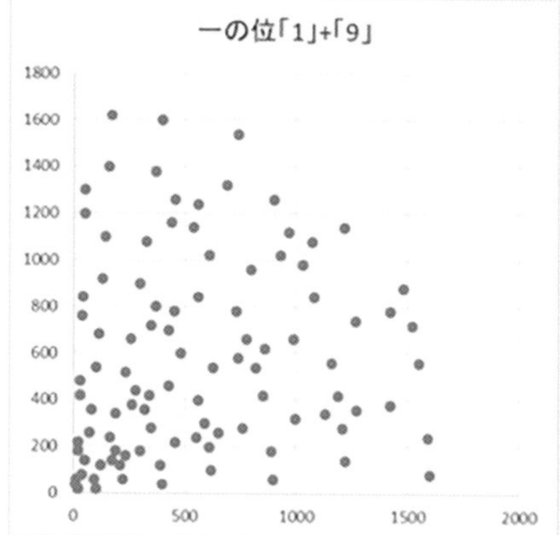

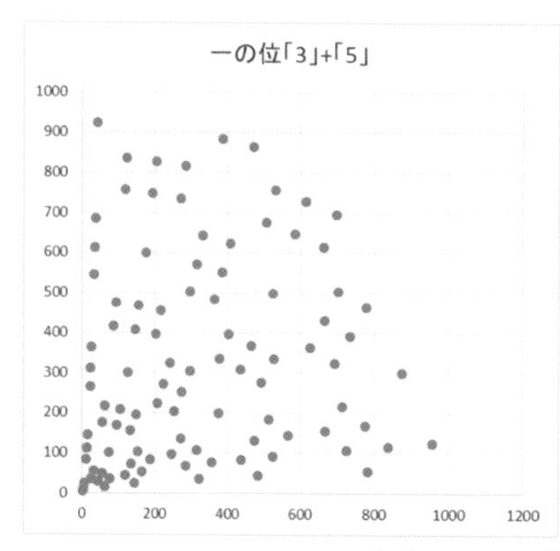

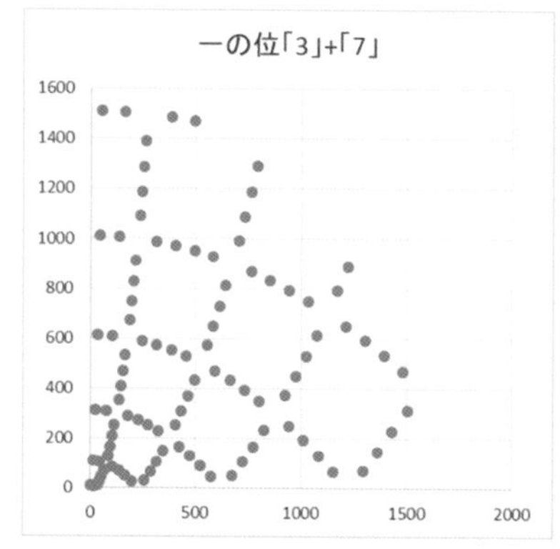

〈グラフ12-1〉一の位の組合せ

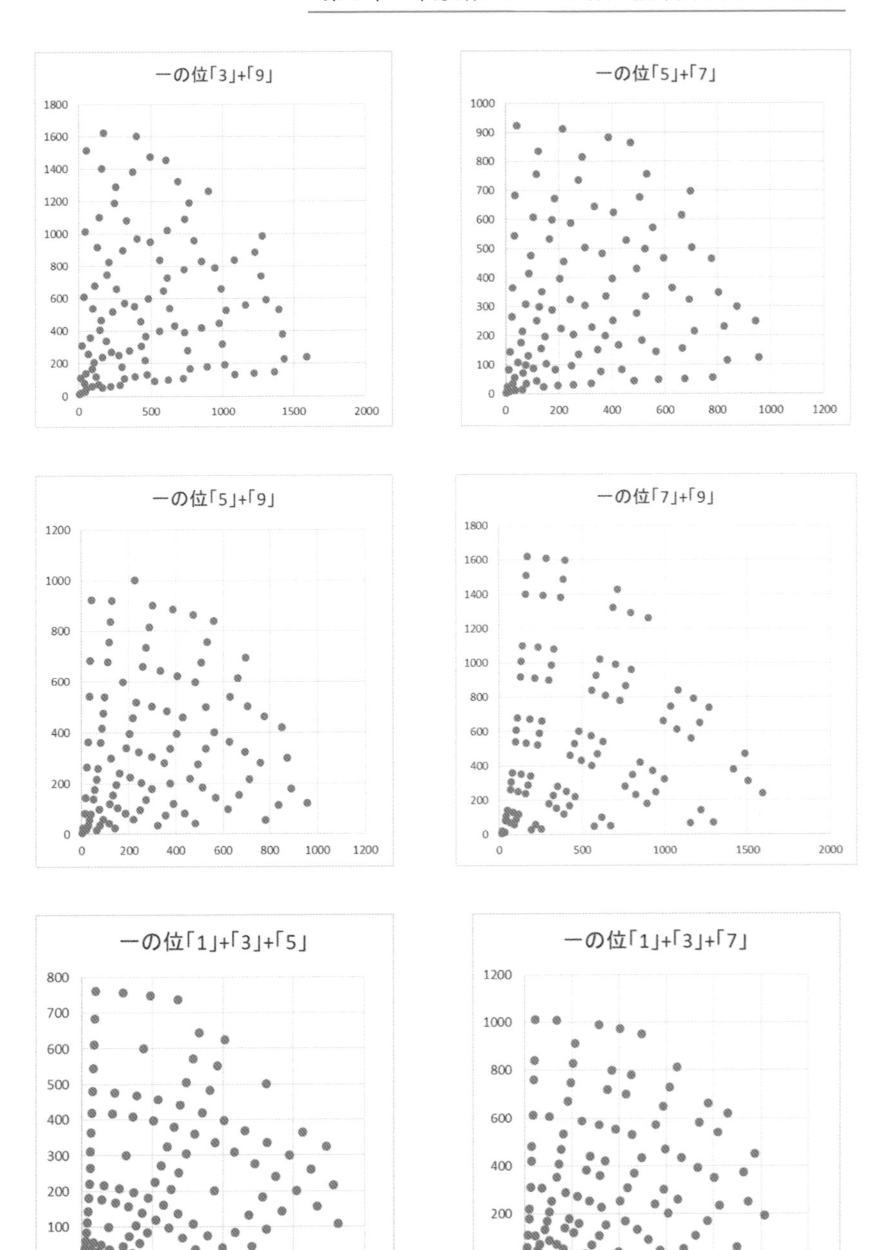

〈グラフ12-2〉一の位の組合せ

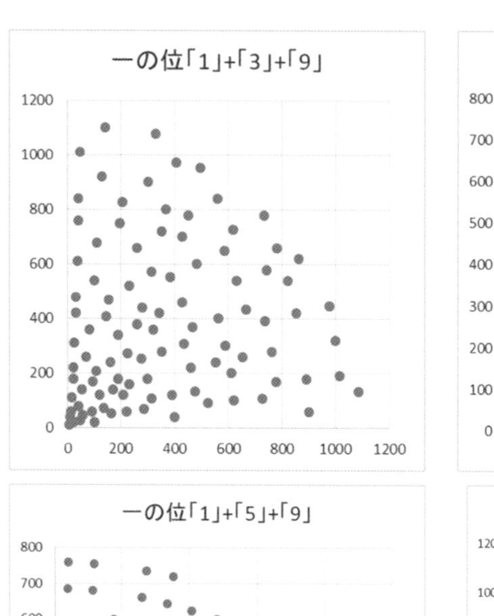

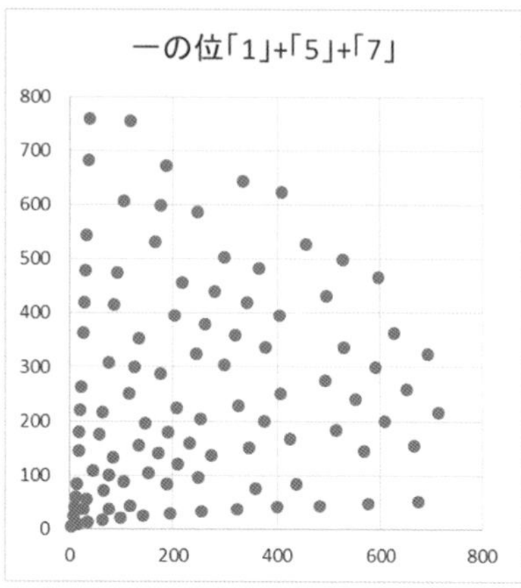

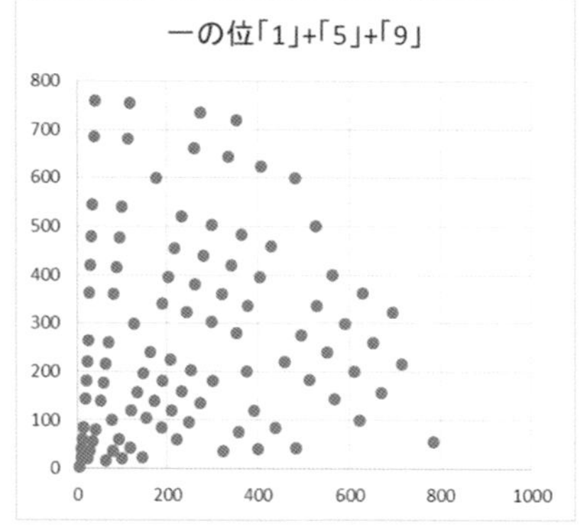

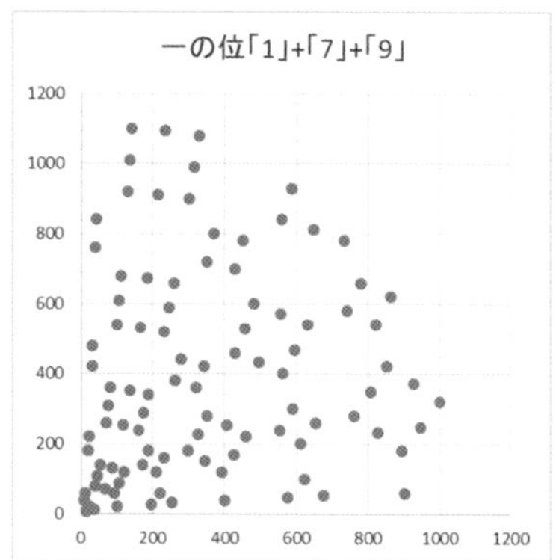

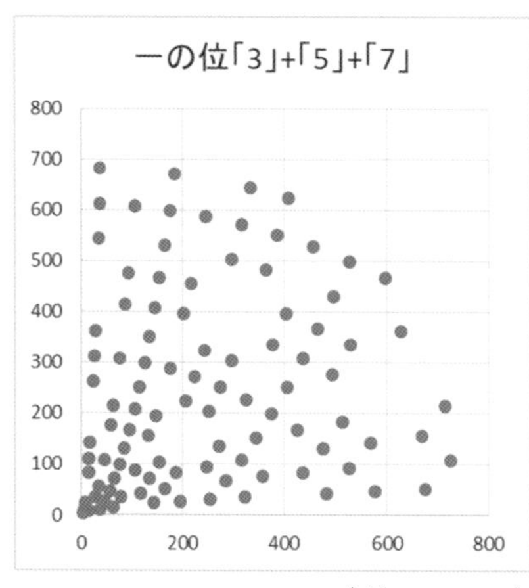

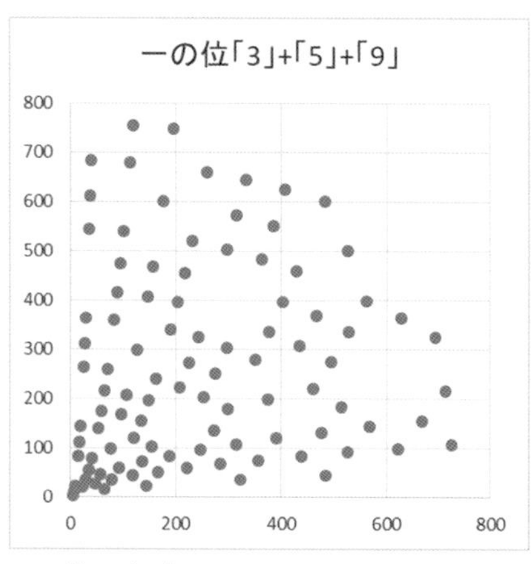

〈グラフ12-3〉一の位の組合せ

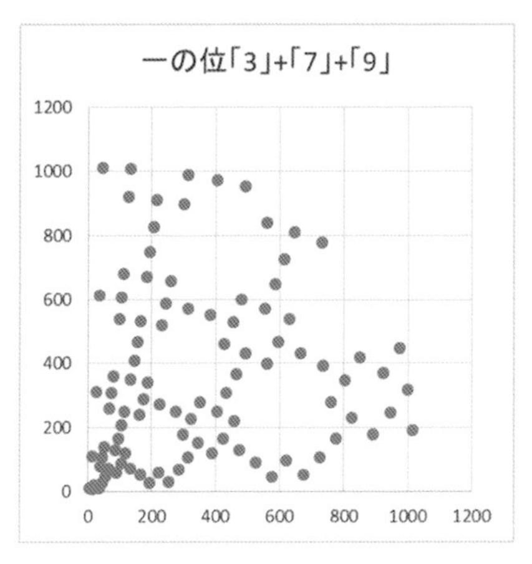

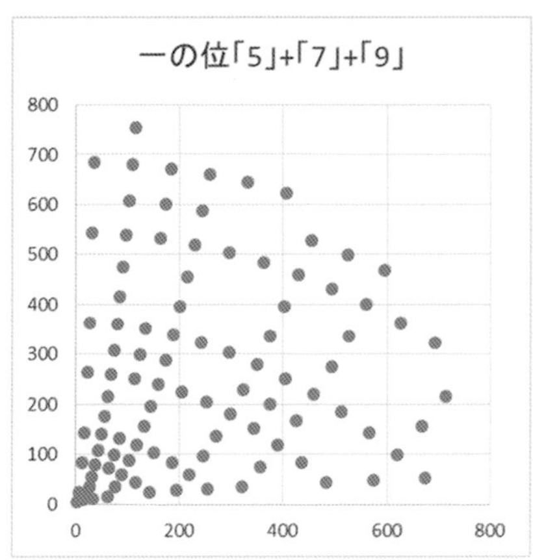

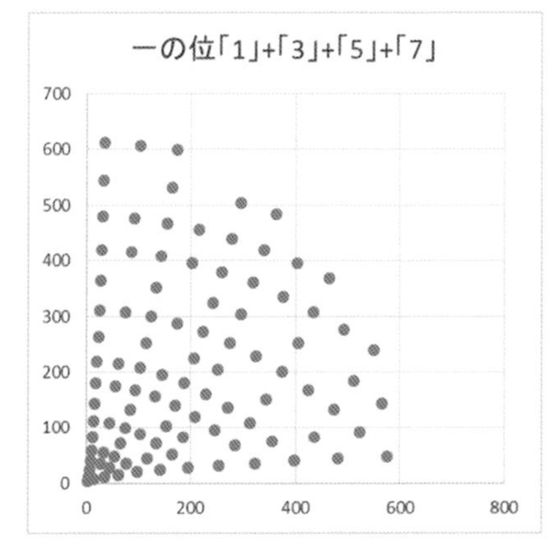

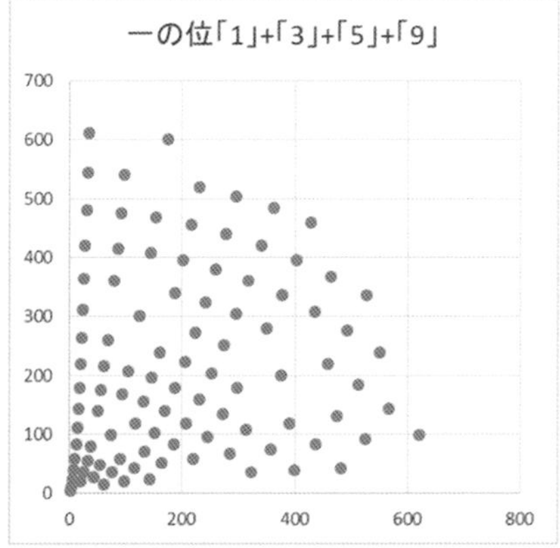

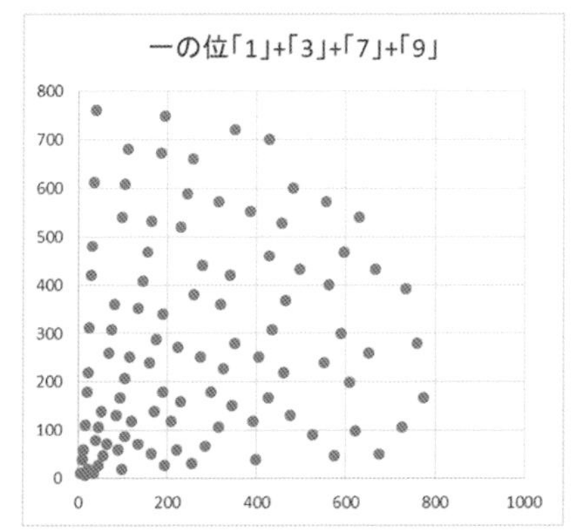

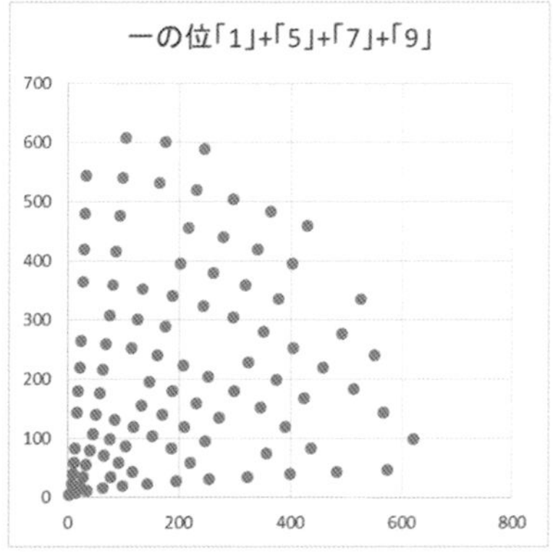

〈グラフ12-4〉一の位の組合せ

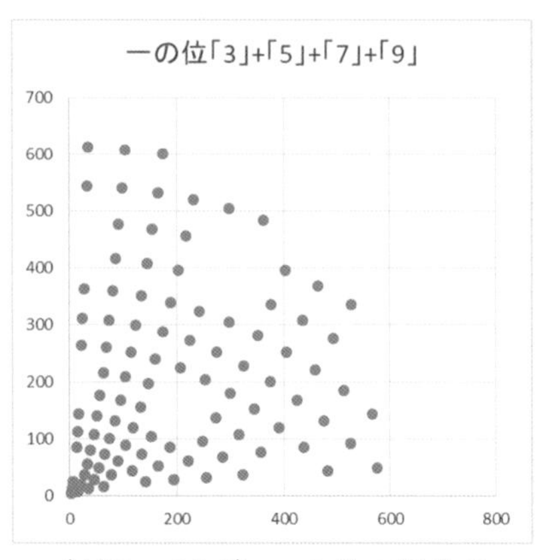

〈グラフ12-5〉一の位の組合せ

Excel使用の計算ポイントⅣ

①十の位の数値を抽出する方法

RIGHT関数とLEFT関数を併用する

=LEFT（RIGHT（B5,2）,1）

（注）セルが「B5」の場合、RIGHT（B5,2）で「B5」の十の位と一の位（下２桁）を抽出し、LEFT（抽出下２桁）,1）で抽出された下２桁の内の十の位（左から１桁目）を抽出する。結果、「B5」の十の位の数値のみ表記される。

②抽出した数値の並べ替え

Excel使用の計算ポイントⅠ（続き）の④（68頁）を参照。

散布図の模様を楽しむ③
十の位で分類する

～cの十の位1, 2, 3, 4, 5, 6, 7, 8, 9, 0での10分類～

前項までは準原始ピタゴラス数のcを基準に一の位の数値で分類して、それらを組み合わせた場合の散布図について見てきたが、どの場合も異なった規則正しい模様の散布図が得られた。

一の位で分類された規則正しい模様はピタゴラス数の持つ規則性を改めて認識させる。

前項では一の位で分類したが、本項では位を一つ上げて十の位で分類した場合の散布図を作成した。十の位でも規則正しい散布図の模様になるか否かが作成の目的となる。

事前に昇順位が確定した準原始ピタゴラス数6387個を用意して、これをcの十の位1, 2, 3, 4, 5, 6, 7, 8, 9, 0別にふるい分けた。その内、各十の位の102個について準原始ピタゴラス数の表として次頁以降に掲載した（〈表93〉～〈表102〉を参照）。また、表から作成した100個と400個の散布図を158頁以降に〈グラフ13〉～〈グラフ22〉として掲載した。

尚、準原始ピタゴラス数を十の位別に分類する方法は前頁下段の「Excel使用の計算ポイントⅣ」に沿って分類している。

〈表93〉十の位が「１」の準原始ピタゴラス数102個

m	n	a	b	c
3	2	5	12	13
4	1	15	8	17
8	7	15	112	113
9	6	45	108	117
13	12	25	312	313
14	11	75	308	317
18	17	35	612	613
19	16	105	608	617
23	22	45	1012	1013
24	21	135	1008	1017
26	21	235	1092	1117
27	22	245	1188	1213
31	16	705	992	1217
28	23	255	1288	1313
32	17	735	1088	1313
33	18	765	1188	1413
29	24	265	1392	1417
36	11	1175	792	1417
28	27	55	1512	1513
37	12	1225	888	1513
29	26	165	1508	1517
34	19	795	1292	1517
38	13	1275	988	1613
39	14	1325	1092	1717
41	6	1645	492	1717
42	7	1715	588	1813
43	8	1785	688	1913
44	9	1855	792	2017
33	32	65	2112	2113
34	31	195	2108	2117
46	1	2115	92	2117
47	2	2205	188	2213
48	3	2295	288	2313
49	4	2385	392	2417
51	4	2585	408	2617
52	3	2695	312	2713
38	37	75	2812	2813
53	2	2805	212	2813
39	36	225	2808	2817
54	1	2915	108	2917
56	9	3055	1008	3217
57	8	3185	912	3313
58	7	3315	812	3413
59	6	3445	708	3517
43	42	85	3612	3613
44	41	255	3608	3617
61	14	3525	1708	3917
62	13	3675	1612	4013
63	12	3825	1512	4113
64	11	3975	1408	4217
48	47	95	4512	4513
49	46	285	4508	4517
51	46	485	4692	4717
66	19	3995	2508	4717
67	18	4165	2412	4813
56	41	1455	4592	4817
52	47	495	4888	4913
68	17	4335	2312	4913
57	42	1485	4788	5013
61	36	2425	4392	5017
69	16	4505	2208	5017
53	48	505	5088	5113
58	43	1515	4988	5213
62	37	2475	4588	5213
54	49	515	5292	5317
66	31	3395	4092	5317
63	38	2525	4788	5413
59	44	1545	5192	5417
53	52	105	5512	5513
67	32	3465	4288	5513
54	51	315	5508	5517
64	39	2575	4992	5617
71	24	4465	3408	5617
68	33	3535	4488	5713
72	23	4655	3312	5713
71	26	4365	3692	5717
73	22	4845	3212	5813
72	27	4455	3888	5913
69	34	3605	4692	5917
74	21	5035	3108	5917
73	28	4545	4088	6113
76	21	5335	3192	6217
74	29	4635	4292	6317
77	22	5445	3388	6413
58	57	115	6612	6613
78	23	5555	3588	6613
59	56	345	6608	6617
76	29	4935	4408	6617
77	28	5145	4312	6713
78	27	5355	4212	6813
79	24	5665	3792	6817
81	16	6305	2592	6817
79	26	5565	4108	6917
82	17	6435	2788	7013
83	18	6565	2988	7213
84	19	6695	3192	7417
86	11	7275	1892	7517
87	12	7425	2088	7713
81	34	5405	5508	7717
63	62	125	7812	7813
82	33	5635	5412	7813
64	61	375	7808	7817

〈表94〉十の位が「２」の準原始ピタゴラス数102個

m	n	a	b	c
4	3	7	24	25
5	2	21	20	29
10	5	75	100	125
11	2	117	44	125
11	10	21	220	221
14	5	171	140	221
12	9	63	216	225
15	2	221	60	229
15	10	125	300	325
17	6	253	204	325
18	1	323	36	325
15	14	29	420	421
16	13	87	416	425
19	8	297	304	425
20	5	375	200	425
20	11	279	440	521
20	15	175	600	625
24	7	527	336	625
23	10	429	460	629
25	2	621	100	629
23	14	333	644	725
25	10	525	500	725
26	7	627	364	725
25	14	429	700	821
27	10	629	540	829
22	21	43	924	925
27	14	533	756	925
30	5	875	300	925
23	20	129	920	929
30	11	779	660	1021
25	20	225	1000	1025
31	8	897	496	1025
32	1	1023	64	1025
30	15	675	900	1125

m	n	a	b	c
33	6	1053	396	1125
27	20	329	1080	1129
28	21	343	1176	1225
35	2	1221	140	1229
36	5	1271	360	1321
29	22	357	1276	1325
34	13	987	884	1325
35	10	1125	700	1325
35	14	1029	980	1421
30	23	371	1380	1429
36	15	1071	1080	1521
30	25	275	1500	1525
38	9	1363	684	1525
39	2	1517	156	1525
39	10	1421	780	1621
29	28	57	1624	1625
35	20	825	1400	1625
37	16	1113	1184	1625
40	5	1575	400	1625
30	27	171	1620	1629
40	11	1479	880	1721
36	23	767	1656	1825
40	15	1375	1200	1825
41	12	1537	984	1825
36	25	671	1800	1921
39	20	1121	1560	1921
36	27	567	1944	2025
45	2	2021	180	2029
35	30	325	2100	2125
42	19	1403	1596	2125
45	10	1925	900	2125
46	3	2107	276	2125
40	23	1071	1840	2129
45	14	1829	1260	2221

m	n	a	b	c
40	25	975	2000	2225
44	17	1647	1496	2225
47	4	2193	376	2225
40	27	871	2160	2329
48	5	2279	480	2329
39	30	621	2340	2421
43	24	1273	2064	2425
45	20	1625	1800	2425
48	11	2183	1056	2425
36	35	71	2520	2521
37	34	213	2516	2525
43	26	1173	2236	2525
50	5	2475	500	2525
48	15	2079	1440	2529
50	11	2379	1100	2621
42	31	803	2604	2725
49	18	2077	1764	2725
50	15	2275	1500	2725
52	5	2679	520	2729
40	35	375	2800	2825
52	11	2583	1144	2825
53	4	2793	424	2825
45	30	1125	2700	2925
51	18	2277	1836	2925
54	3	2907	324	2925
48	25	1679	2400	2929
52	15	2479	1560	2929
44	33	847	2904	3025
50	23	1971	2300	3029
55	2	3021	220	3029
40	39	79	3120	3121
41	38	237	3116	3125
50	25	1875	2500	3125
55	10	2925	1100	3125

〈表95〉十の位が「３」の準原始ピタゴラス数102個

m	n	a	b	c	m	n	a	b	c	m	n	a	b	c
6	1	35	12	37	48	23	1775	2208	2833	69	26	4085	3588	5437
11	4	105	88	137	41	34	525	2788	2837	56	49	735	5488	5537
13	8	105	208	233	48	27	1575	2592	3033	63	42	2205	5292	5733
18	3	315	108	333	54	11	2795	1188	3037	56	51	535	5712	5737
16	9	175	288	337	42	37	395	3108	3133	61	46	1605	5612	5837
17	12	145	408	433	53	18	2485	1908	3133	74	19	5115	2812	5837
22	7	435	308	533	56	1	3135	112	3137	67	38	3045	5092	5933
23	2	525	92	533	47	32	1185	3008	3233	77	2	5925	308	5933
21	14	245	588	637	52	23	2175	2392	3233	66	41	2675	5412	6037
27	2	725	108	733	52	27	1975	2808	3433	78	7	6035	1092	6133
28	7	735	392	833	58	13	3195	1508	3533	76	19	5415	2888	6137
24	19	215	912	937	46	39	595	3588	3637	71	36	3745	5112	6337
32	3	1015	192	1033	57	22	2765	2508	3733	74	31	4515	4588	6437
26	19	315	988	1037	59	16	3225	1888	3737	79	14	6045	2212	6437
29	14	645	812	1037	61	4	3705	488	3737	61	54	805	6588	6637
33	12	945	792	1233	53	32	1785	3392	3833	82	3	6715	492	6733
34	9	1075	612	1237	57	28	2465	3192	4033	76	31	4815	4712	6737
37	8	1305	592	1433	63	8	3905	1008	4033	68	47	2415	6392	6833
31	24	385	1488	1537	62	17	3555	2108	4133	72	43	3335	6192	7033
39	4	1505	312	1537	49	44	465	4312	4337	83	12	6745	1992	7033
31	26	285	1612	1637	54	39	1395	4212	4437	81	24	5985	3888	7137
38	17	1155	1292	1733	66	9	4275	1188	4437	84	9	6975	1512	7137
36	21	855	1512	1737	51	44	665	4488	4537	81	26	5885	4212	7237
42	13	1595	1092	1933	64	21	3655	2688	4537	63	58	605	7308	7333
41	16	1425	1312	1937	67	12	4345	1608	4633	68	53	1815	7208	7433
44	1	1935	88	1937	68	3	4615	408	4633	79	36	4945	5688	7537
36	29	455	2088	2137	59	34	2325	4012	4637	73	48	3025	7008	7633
46	11	1995	1012	2237	58	37	1995	4292	4733	87	8	7505	1392	7633
43	22	1365	1892	2333	62	33	2755	4092	4933	66	59	875	7788	7837
49	6	2365	588	2437	64	29	3255	3712	4937	86	21	6955	3612	7837
38	33	355	2508	2533	72	7	5135	1008	5233	78	43	4235	6708	7933
47	18	1885	1692	2533	71	14	4845	1988	5237	89	4	7905	712	7937
43	28	1065	2408	2633	73	2	5325	292	5333	73	52	2625	7592	8033
51	6	2565	612	2637	69	24	4185	3312	5337	88	17	7455	2992	8033

〈表96〉十の位が「４」の準原始ピタゴラス数102個

m	n	a	b	c
5	4	9	40	41
6	3	27	36	45
9	8	17	144	145
12	1	143	24	145
10	7	51	140	149
15	4	209	120	241
14	7	147	196	245
18	5	299	180	349
18	11	203	396	445
21	2	437	84	445
20	7	351	280	449
21	10	341	420	541
17	16	33	544	545
23	4	513	184	545
18	15	99	540	549
25	4	609	200	641
24	13	407	624	745
27	4	713	216	745
21	20	41	840	841
22	19	123	836	845
26	13	507	676	845
29	2	837	116	845
29	10	741	580	941
25	18	301	900	949
30	7	851	420	949
32	5	999	320	1049
28	19	423	1064	1145
32	11	903	704	1145
29	20	441	1160	1241
35	4	1209	280	1241
32	15	799	960	1249
30	21	459	1260	1341
33	16	833	1056	1345
36	7	1247	504	1345

m	n	a	b	c
31	22	477	1364	1445
34	17	867	1156	1445
38	1	1443	76	1445
35	18	901	1260	1549
32	25	399	1600	1649
40	7	1551	560	1649
30	29	59	1740	1741
31	28	177	1736	1745
41	8	1617	656	1745
39	18	1197	1404	1845
42	9	1683	756	1845
37	24	793	1776	1945
44	3	1927	264	1945
43	10	1749	860	1949
40	21	1159	1680	2041
45	4	2009	360	2041
37	26	693	1924	2045
43	14	1653	1204	2045
46	5	2091	460	2141
34	33	67	2244	2245
47	6	2173	564	2245
35	32	201	2240	2249
43	20	1449	1720	2249
46	15	1891	1380	2341
45	18	1701	1620	2349
40	29	759	2320	2441
39	32	497	2496	2545
49	12	2257	1176	2545
50	7	2451	700	2549
46	23	1587	2116	2645
46	25	1491	2300	2741
48	21	1863	2016	2745
51	12	2457	1224	2745
43	30	949	2580	2749

m	n	a	b	c
46	27	1387	2484	2845
53	6	2773	636	2845
50	21	2059	2100	2941
54	5	2891	540	2941
55	4	3009	440	3041
45	32	1001	2880	3049
54	15	2691	1620	3141
43	36	553	3096	3145
48	29	1463	2784	3145
52	21	2263	2184	3145
56	3	3127	336	3145
46	35	891	3220	3341
50	29	1659	2900	3341
55	18	2701	1980	3349
57	10	3149	1140	3349
42	41	83	3444	3445
54	23	2387	2484	3445
57	14	3053	1596	3445
58	9	3283	1044	3445
43	40	249	3440	3449
54	25	2291	2700	3541
52	29	1863	3016	3545
59	8	3417	944	3545
54	27	2187	2916	3645
57	20	2849	2280	3649
60	7	3551	840	3649
49	38	957	3724	3845
62	1	3843	124	3845
60	21	3159	2520	4041
51	38	1157	3876	4045
61	18	3397	2196	4045
55	32	2001	3520	4049
46	45	91	4140	4141
54	35	1691	3780	4141

〈表97〉十の位が「5」の準原始ピタゴラス数102個

m	n	a	b	c
7	2	45	28	53
12	3	135	72	153
11	6	85	132	157
16	1	255	32	257
17	8	225	272	353
21	4	425	168	457
19	14	165	532	557
22	13	315	572	653
24	9	495	432	657
26	9	595	468	757
23	18	205	828	853
29	4	825	232	857
28	13	615	728	953
27	18	405	972	1053
33	8	1025	528	1153
31	14	765	868	1157
34	1	1155	68	1157
38	3	1435	228	1453
32	23	495	1472	1553
39	6	1485	468	1557
36	19	935	1368	1657
32	27	295	1728	1753
37	22	885	1628	1853
43	2	1845	172	1853
42	17	1475	1428	2053
44	11	1815	968	2057
37	28	585	2072	2153
36	31	335	2232	2257
41	24	1105	1968	2257
47	12	2065	1128	2353
48	7	2255	672	2353
41	26	1005	2132	2357
46	21	1675	1932	2557
49	16	2145	1568	2657

m	n	a	b	c
52	7	2655	728	2753
42	33	675	2772	2853
51	16	2345	1632	2857
53	12	2665	1272	2953
46	29	1275	2668	2957
57	2	3245	228	3253
56	11	3015	1232	3257
54	21	2475	2268	3357
44	39	415	3432	3457
49	34	1245	3332	3557
47	38	765	3572	3653
58	17	3075	1972	3653
51	34	1445	3468	3757
54	29	2075	3132	3757
61	6	3685	732	3757
62	3	3835	372	3853
59	24	2905	2832	4057
48	43	455	4128	4153
59	26	2805	3068	4157
53	38	1365	4028	4253
66	1	4355	132	4357
58	33	2275	3828	4453
63	22	3485	2772	4453
64	19	3735	2432	4457
52	43	855	4472	4553
67	8	4425	1072	4553
56	39	1615	4368	4657
63	28	3185	3528	4753
69	14	4565	1932	4957
64	31	3135	3968	5057
71	4	5025	568	5057
68	23	4095	3128	5153
68	27	3895	3672	5353
72	13	5015	1872	5353

m	n	a	b	c
57	48	945	5472	5553
74	9	5395	1332	5557
73	18	5005	2628	5653
61	44	1785	5368	5657
76	9	5695	1368	5857
57	52	545	5928	5953
62	47	1635	5828	6053
69	36	3465	4968	6057
67	42	2725	5628	6253
77	18	5605	2772	6253
78	13	5915	2028	6253
79	4	6225	632	6257
73	32	4305	4672	6353
72	37	3815	5328	6553
62	53	1035	6572	6653
66	49	1955	6468	6757
81	14	6365	2268	6757
61	56	585	6832	6857
77	32	4905	4928	6953
83	8	6825	1328	6953
66	51	1755	6732	6957
84	1	7055	168	7057
71	46	2925	6532	7157
74	41	3795	6068	7157
82	23	6195	3772	7253
78	37	4715	5772	7453
82	27	5995	4428	7453
76	41	4095	6232	7457
88	3	7735	528	7753
86	19	7035	3268	7757
67	58	1125	7772	7853
81	36	5265	5832	7857
71	54	2125	7668	7957
89	6	7885	1068	7957

〈表98〉十の位が「６」の準原始ピタゴラス数102個

m	n	a	b	c	m	n	a	b	c	m	n	a	b	c
6	5	11	60	61	37	10	1269	740	1469	50	13	2331	1300	2669
7	4	33	56	65	38	5	1419	380	1469	50	19	2139	1900	2861
8	1	63	16	65	37	14	1173	1036	1565	39	38	77	2964	2965
12	5	119	120	169	38	11	1323	836	1565	54	7	2867	756	2965
15	6	189	180	261	33	24	513	1584	1665	40	37	231	2960	2969
12	11	23	264	265	39	12	1377	936	1665	55	6	2989	660	3061
16	3	247	96	265	38	15	1219	1140	1669	52	19	2343	1976	3065
13	10	69	260	269	33	26	413	1716	1765	53	16	2553	1696	3065
14	13	27	364	365	42	1	1763	84	1765	44	35	711	3080	3161
19	2	357	76	365	37	20	969	1480	1769	56	5	3111	560	3161
15	12	81	360	369	40	13	1431	1040	1769	55	12	2881	1320	3169
19	10	261	380	461	31	30	61	1860	1861	48	31	1343	2976	3265
22	9	403	396	565	32	29	183	1856	1865	57	4	3233	456	3265
23	6	493	276	565	43	4	1833	344	1865	56	15	2911	1680	3361
20	13	231	520	569	40	19	1239	1520	1961	47	34	1053	3196	3365
25	6	589	300	661	44	5	1911	440	1961	58	1	3363	116	3365
20	19	39	760	761	45	6	1989	540	2061	50	31	1539	3100	3461
21	18	117	756	765	38	25	819	1900	2069	45	38	581	3420	3469
27	6	693	324	765	44	15	1711	1320	2161	52	31	1743	3224	3665
25	12	481	600	769	41	22	1197	1804	2165	56	23	2607	2576	3665
24	17	287	816	865	46	7	2067	644	2165	56	25	2511	2800	3761
28	9	703	504	865	45	12	1881	1080	2169	60	13	3431	1560	3769
26	17	387	884	965	37	30	469	2220	2269	56	27	2407	3024	3865
31	2	957	124	965	41	28	897	2296	2465	61	12	3577	1464	3865
31	10	861	620	1061	44	23	1407	2024	2465	50	37	1131	3700	3869
30	13	731	780	1069	47	16	1953	1504	2465	62	5	3819	620	3869
29	18	517	1044	1165	49	8	2337	784	2465	45	44	89	3960	3961
34	3	1147	204	1165	40	31	639	2480	2561	60	19	3239	2280	3961
30	19	539	1140	1261	44	25	1311	2200	2561	46	43	267	3956	3965
35	6	1189	420	1261	37	36	73	2664	2665	53	34	1653	3604	3965
31	20	561	1240	1361	44	27	1207	2376	2665	59	22	2997	2596	3965
35	12	1081	840	1369	48	19	1943	1824	2665	62	11	3723	1364	3965
32	21	583	1344	1465	51	8	2537	816	2665	62	15	3619	1860	4069
36	13	1127	936	1465	38	35	219	2660	2669	63	10	3869	1260	4069

〈表99〉十の位が「７」の準原始ピタゴラス数102個

m	n	a	b	c	m	n	a	b	c	m	n	a	b	c
8	3	55	48	73	52	13	2535	1352	2873	73	12	5185	1752	5473
13	2	165	52	173	53	8	2745	848	2873	74	1	5475	148	5477
14	9	115	252	277	41	36	385	2952	2977	58	47	1155	5452	5573
18	7	275	252	373	49	24	1825	2352	2977	64	41	2415	5248	5777
16	11	135	352	377	46	31	1155	2852	3077	76	1	5775	152	5777
19	4	345	152	377	49	26	1725	2548	3077	66	39	2835	5148	5877
21	6	405	252	477	51	24	2025	2448	3177	77	12	5785	1848	6073
24	1	575	48	577	51	26	1925	2652	3277	58	53	555	6148	6173
23	12	385	552	673	54	19	2555	2052	3277	63	48	1665	6048	6273
26	1	675	52	677	58	3	3355	348	3373	72	33	4095	4752	6273
22	17	195	748	773	57	18	2925	2052	3573	79	6	6205	948	6277
27	12	585	648	873	56	21	2695	2352	3577	78	17	5795	2652	6373
29	6	805	348	877	48	37	935	3552	3673	68	43	2775	5848	6473
31	4	945	248	977	59	14	3285	1652	3677	81	4	6545	648	6577
28	17	495	952	1073	54	31	1955	3348	3877	63	52	1265	6552	6673
32	7	975	448	1073	47	42	445	3948	3973	73	38	3885	5548	6773
34	11	1035	748	1277	63	2	3965	252	3973	82	7	6675	1148	6773
37	2	1365	148	1373	56	29	2295	3248	3977	69	46	2645	6348	6877
36	9	1215	648	1377	61	16	3465	1952	3977	71	44	3105	6248	6977
33	22	605	1452	1573	52	37	1335	3848	4073	78	33	4995	5148	7173
42	3	1755	252	1773	64	9	4015	1152	4177	84	11	6935	1848	7177
39	16	1265	1248	1777	57	32	2225	3648	4273	77	38	4485	5852	7373
33	28	305	1848	1873	62	23	3315	2852	4373	83	22	6405	3652	7373
41	14	1485	1148	1877	66	11	4235	1452	4477	86	9	7315	1548	7477
38	23	915	1748	1973	53	42	1045	4452	4573	87	2	7565	348	7573
38	27	715	2052	2173	62	27	3115	3348	4573	64	59	615	7552	7577
43	18	1525	1548	2173	68	7	4575	952	4673	83	28	6105	4648	7673
47	8	2145	752	2273	59	36	2185	4248	4777	69	54	1845	7452	7677
44	21	1495	1848	2377	69	4	4745	552	4777	68	57	1375	7752	7873
48	13	2135	1248	2473	61	34	2565	4148	4877	74	49	3075	7252	7877
46	19	1755	1748	2477	67	22	4005	2948	4973	66	61	635	8052	8077
39	34	365	2652	2677	71	6	5005	852	5077	74	51	2875	7548	8077
44	29	1095	2552	2777	67	28	3705	3752	5273	71	56	1905	7952	8177
43	32	825	2752	2873	72	17	4895	2448	5473	76	49	3375	7448	8177

〈表100〉十の位が「８」の準原始ピタゴラス数102個

m	n	a	b	c	m	n	a	b	c	m	n	a	b	c
7	6	13	84	85	35	16	969	1120	1481	47	26	1533	2444	2885
9	2	77	36	85	33	20	689	1320	1489	49	22	1917	2156	2885
8	5	39	80	89	36	17	1007	1224	1585	42	35	539	2940	2989
10	9	19	180	181	39	8	1457	624	1585	51	22	2117	2244	3085
11	8	57	176	185	40	9	1519	720	1681	54	13	2747	1404	3085
13	4	153	104	185	34	23	627	1564	1685	55	8	2961	880	3089
16	5	231	160	281	41	2	1677	164	1685	45	34	869	3060	3181
15	8	161	240	289	34	25	531	1700	1781	49	28	1617	2744	3185
17	10	189	340	389	41	10	1581	820	1781	56	7	3087	784	3185
16	15	31	480	481	42	5	1739	420	1789	41	40	81	3280	3281
20	9	319	360	481	34	27	427	1836	1885	55	16	2769	1760	3281
17	14	93	476	485	38	21	1003	1596	1885	42	39	243	3276	3285
22	1	483	44	485	42	11	1643	924	1885	57	6	3213	684	3285
21	12	297	504	585	43	6	1813	516	1885	51	28	1817	2856	3385
24	3	567	144	585	40	17	1311	1360	1889	53	24	2233	2544	3385
19	18	37	684	685	32	31	63	1984	1985	58	5	3339	580	3389
26	3	667	156	685	44	7	1887	616	1985	46	37	747	3404	3485
20	17	111	680	689	33	30	189	1980	1989	53	26	2133	2756	3485
25	8	561	400	689	42	15	1539	1260	1989	58	11	3243	1276	3485
23	16	273	736	785	41	20	1281	1640	2081	59	2	3477	236	3485
28	1	783	56	785	45	8	1961	720	2089	59	10	3381	1180	3581
25	16	369	800	881	45	16	1769	1440	2281	50	33	1411	3300	3589
30	9	819	540	981	38	29	603	2204	2285	58	15	3139	1740	3589
27	16	473	864	985	46	13	1947	1196	2285	60	9	3519	1080	3681
29	12	697	696	985	35	34	69	2380	2381	44	43	87	3784	3785
34	5	1131	340	1181	36	33	207	2376	2385	61	8	3657	976	3785
30	17	611	1020	1189	48	9	2223	864	2385	45	42	261	3780	3789
33	10	989	660	1189	42	25	1139	2100	2389	59	20	3081	2360	3881
31	18	637	1116	1285	41	30	781	2460	2581	60	17	3311	2040	3889
33	14	893	924	1285	50	9	2419	900	2581	48	41	623	3936	3985
35	8	1161	560	1289	40	33	511	2640	2689	63	4	3953	504	3985
34	15	931	1020	1381	47	24	1633	2256	2785	58	25	2739	2900	3989
32	19	663	1216	1385	52	9	2623	936	2785	50	41	819	4100	4181
37	4	1353	296	1385	50	17	2211	1700	2789	55	34	1869	3740	4181

〈表101〉十の位が「9」の準原始ピタゴラス数102個

m	n	a	b	c	m	n	a	b	c	m	n	a	b	c
9	4	65	72	97	51	14	2405	1428	2797	73	8	5265	1168	5393
12	7	95	168	193	44	31	975	2728	2897	59	46	1365	5428	5597
14	1	195	28	197	47	28	1425	2632	2993	74	11	5355	1628	5597
17	2	285	68	293	52	17	2415	1768	2993	62	43	1995	5332	5693
19	6	325	228	397	54	9	2835	972	2997	76	11	5655	1672	5897
18	13	155	468	493	43	38	405	3268	3293	68	37	3255	5032	5993
22	3	475	132	493	53	22	2325	2332	3293	77	8	5865	1232	5993
23	8	465	368	593	48	33	1215	3168	3393	78	3	6075	468	6093
21	16	185	672	697	57	12	3105	1368	3393	71	34	3885	4828	6197
24	11	455	528	697	56	19	2775	2128	3497	59	54	565	6372	6397
27	8	665	432	793	59	4	3465	472	3497	64	49	1695	6272	6497
28	3	775	168	793	53	28	2025	2968	3593	79	16	5985	2528	6497
26	11	555	572	797	49	36	1105	3528	3697	81	6	6525	972	6597
31	6	925	372	997	52	33	1615	3432	3793	64	51	1495	6528	6697
33	2	1085	132	1093	46	41	435	3772	3797	69	44	2825	6072	6697
29	16	585	928	1097	58	23	2835	2668	3893	67	48	2185	6432	6793
32	13	855	832	1193	62	7	3795	868	3893	82	13	6555	2132	6893
36	1	1295	72	1297	51	36	1305	3672	3897	83	2	6885	332	6893
38	7	1395	532	1493	58	27	2635	3132	4093	74	39	3955	5772	6997
34	21	715	1428	1597	56	31	2175	3472	4097	62	57	595	7068	7093
37	18	1045	1332	1693	64	1	4095	128	4097	73	42	3565	6132	7093
41	4	1665	328	1697	63	18	3645	2268	4293	67	52	1785	6968	7193
43	12	1705	1032	1993	61	24	3145	2928	4297	76	39	4255	5928	7297
34	29	315	1972	1997	61	26	3045	3172	4397	72	47	2975	6768	7393
39	24	945	1872	2097	67	2	4485	268	4493	79	34	5085	5372	7397
39	26	845	2028	2197	54	41	1235	4428	4597	86	1	7395	172	7397
46	9	2035	828	2197	57	38	1805	4332	4693	84	21	6615	3528	7497
42	23	1235	1932	2293	68	13	4455	1768	4793	77	42	4165	6468	7693
44	19	1575	1672	2297	66	21	3915	2772	4797	88	7	7695	1232	7793
37	32	345	2368	2393	69	6	4725	828	4797	87	18	7245	3132	7893
42	27	1035	2268	2493	63	32	2945	4032	4993	69	56	1625	7728	7897
48	17	2015	1632	2593	72	3	5175	432	5193	84	29	6215	4872	7897
49	14	2205	1372	2597	66	29	3515	3828	5197	72	53	2375	7632	7993
47	22	1725	2068	2693	71	16	4785	2272	5297	82	37	5355	6068	8093

〈表102〉十の位が「０」の準原始ピタゴラス数102個

m	n	a	b	c	m	n	a	b	c	m	n	a	b	c
10	1	99	20	101	36	3	1287	216	1305	52	1	2703	104	2705
10	3	91	60	109	27	26	53	1404	1405	49	20	2001	1960	2801
13	6	133	156	205	37	6	1333	444	1405	45	28	1241	2520	2809
14	3	187	84	205	28	25	159	1400	1409	53	10	2709	1060	2909
16	7	207	224	305	40	1	1599	80	1601	51	20	2201	2040	3001
17	4	273	136	305	40	3	1591	240	1609	43	34	693	2924	3005
20	1	399	40	401	35	22	741	1540	1709	53	14	2613	1484	3005
18	9	243	324	405	35	24	649	1680	1801	47	30	1309	2820	3109
20	3	391	120	409	38	19	1083	1444	1805	46	33	1027	3036	3205
19	12	217	456	505	35	26	549	1820	1901	54	17	2627	1836	3205
21	8	377	336	505	39	22	1037	1716	2005	53	20	2409	2120	3209
22	5	459	220	509	41	18	1357	1476	2005	49	30	1501	2940	3301
24	5	551	240	601	35	28	441	1960	2009	44	37	567	3256	3305
22	11	363	484	605	43	16	1593	1376	2105	56	13	2967	1456	3305
26	5	651	260	701	44	13	1767	1144	2105	51	30	1701	3060	3501
22	15	259	660	709	42	21	1323	1764	2205	47	36	913	3384	3505
24	15	351	720	801	39	28	737	2184	2305	57	16	2993	1824	3505
28	5	759	280	809	48	1	2303	96	2305	55	22	2541	2420	3509
26	15	451	780	901	47	10	2109	940	2309	55	24	2449	2640	3601
30	1	899	60	901	38	31	483	2356	2405	60	1	3599	120	3601
28	11	663	616	905	46	17	1827	1564	2405	60	3	3591	360	3609
29	8	777	464	905	47	14	2013	1316	2405	55	26	2349	2860	3701
30	3	891	180	909	49	2	2397	196	2405	53	30	1909	3180	3709
28	15	559	840	1009	49	10	2301	980	2501	58	21	2923	2436	3805
24	23	47	1104	1105	50	1	2499	100	2501	59	18	3157	2124	3805
31	12	817	744	1105	45	22	1541	1980	2509	47	40	609	3760	3809
32	9	943	576	1105	50	3	2491	300	2509	55	28	2241	3080	3809
33	4	1073	264	1105	45	24	1449	2160	2601	49	40	801	3920	4001
25	22	141	1100	1109	42	29	923	2436	2605	54	33	1827	3564	4005
25	24	49	1200	1201	51	2	2597	204	2605	63	6	3933	756	4005
26	23	147	1196	1205	47	20	1809	1880	2609	53	36	1513	3816	4105
34	7	1107	476	1205	45	26	1349	2340	2701	64	3	4087	384	4105
26	25	51	1300	1301	51	10	2501	1020	2701	51	40	1001	4080	4201
27	24	153	1296	1305	41	32	657	2624	2705	58	29	2523	3364	4205

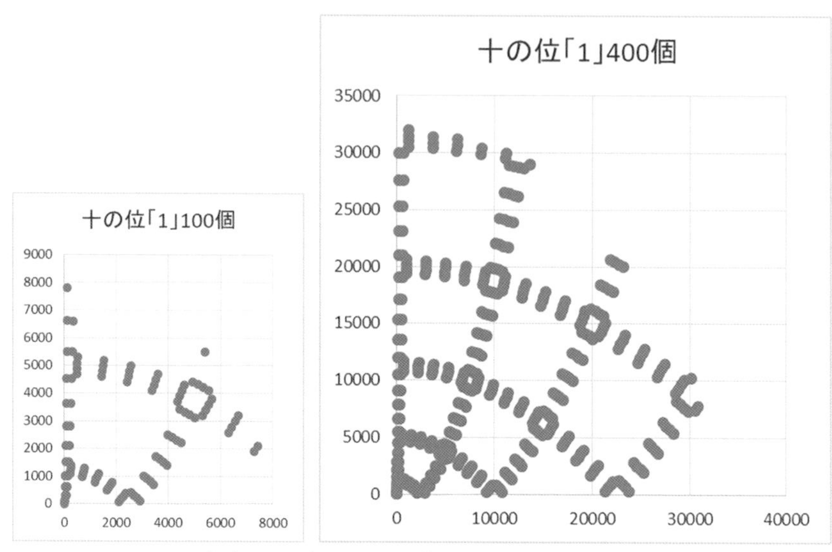

〈グラフ13〉 十の位「１」：100個と400個

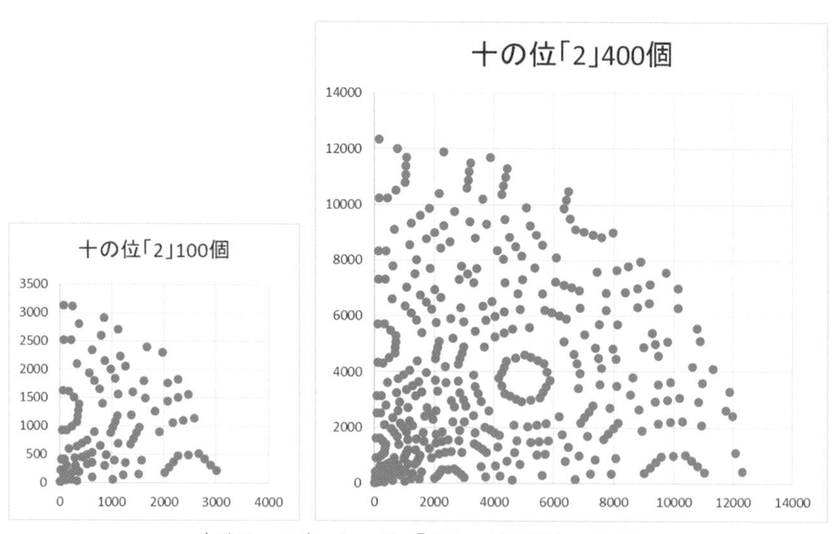

〈グラフ14〉 十の位「２」：100個と400個

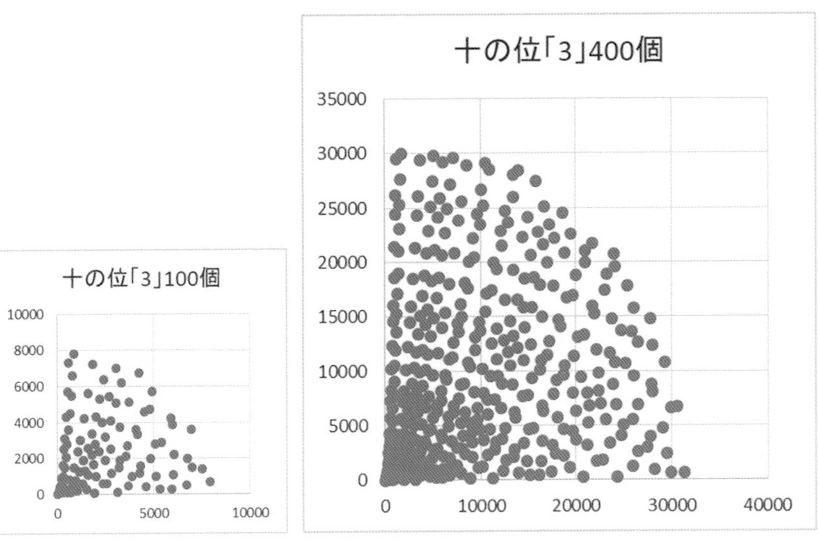

〈グラフ15〉 十の位「３」：100個と400個

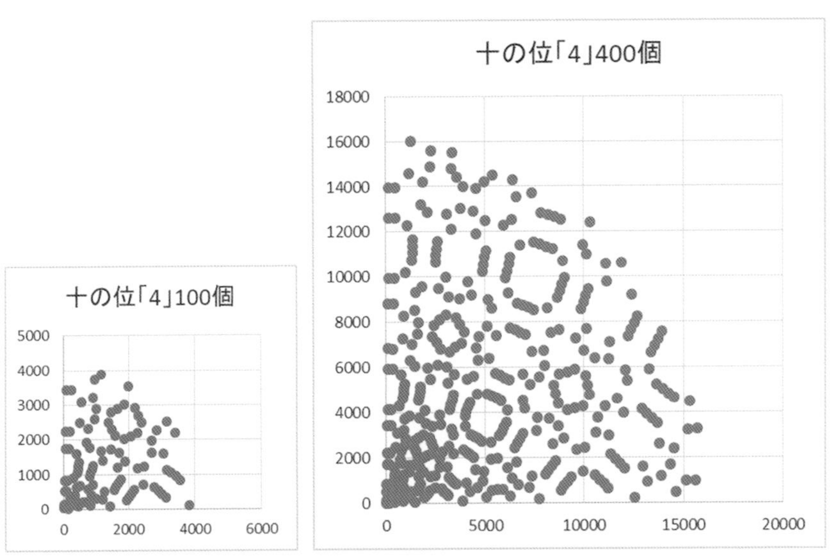

〈グラフ16〉 十の位「４」：100個と400個

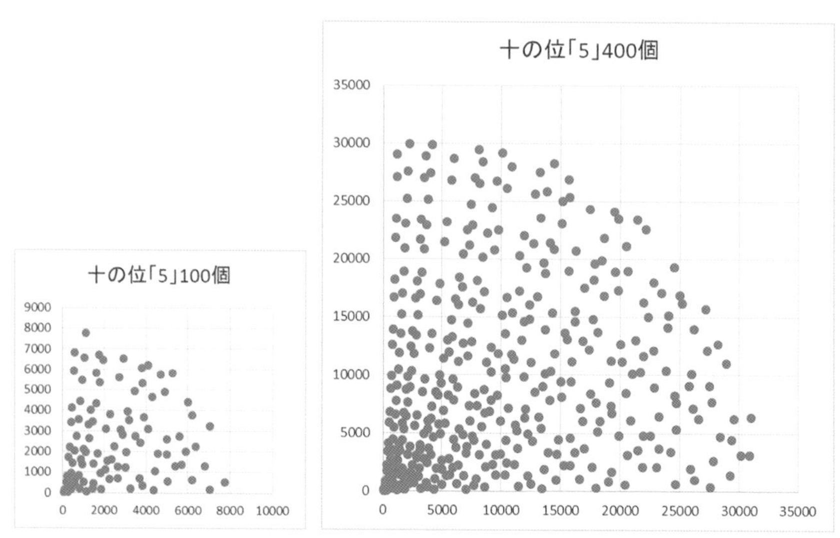

〈グラフ17〉十の位「５」：100個と400個

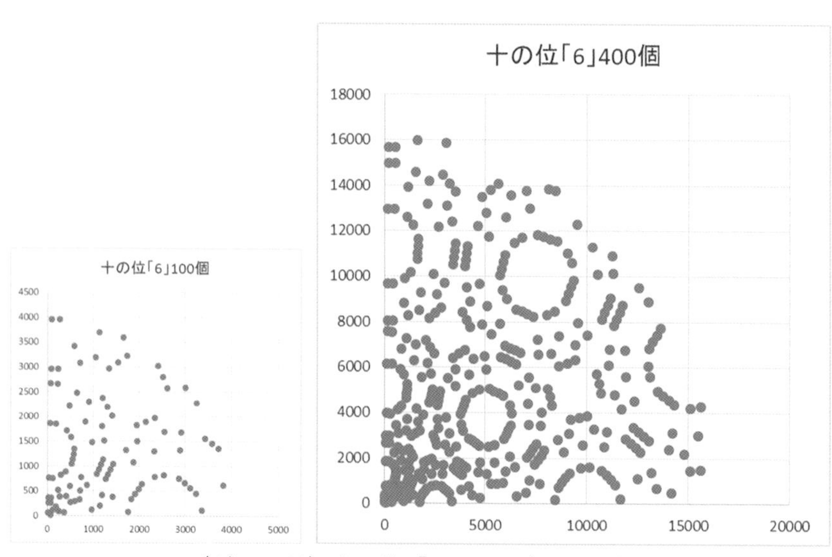

〈グラフ18〉十の位「６」：100個と400個

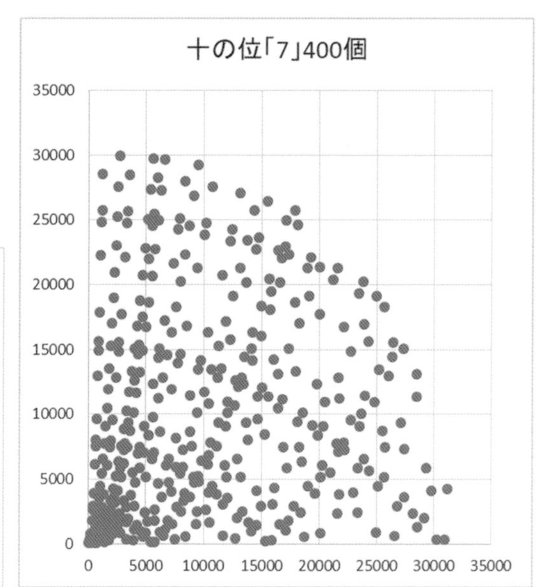

〈グラフ19〉 十の位「７」：100個と400個

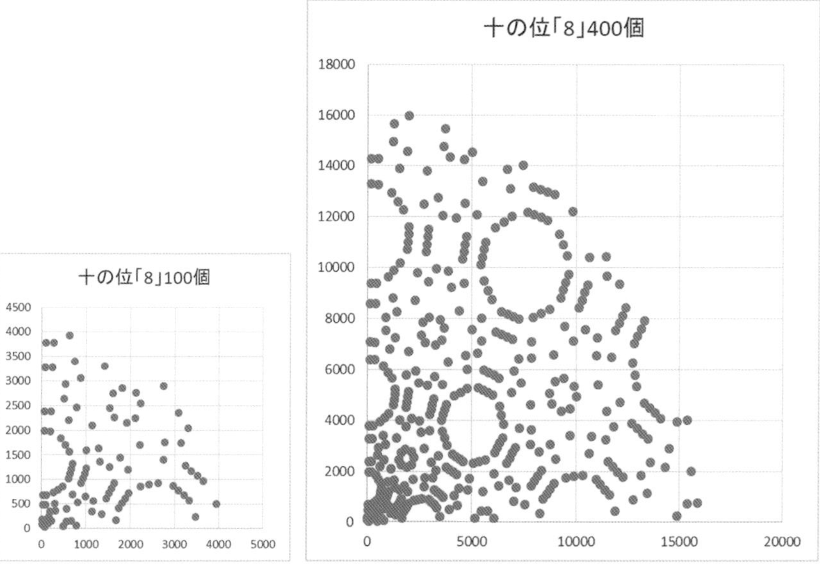

〈グラフ20〉 十の位「８」：100個と400個

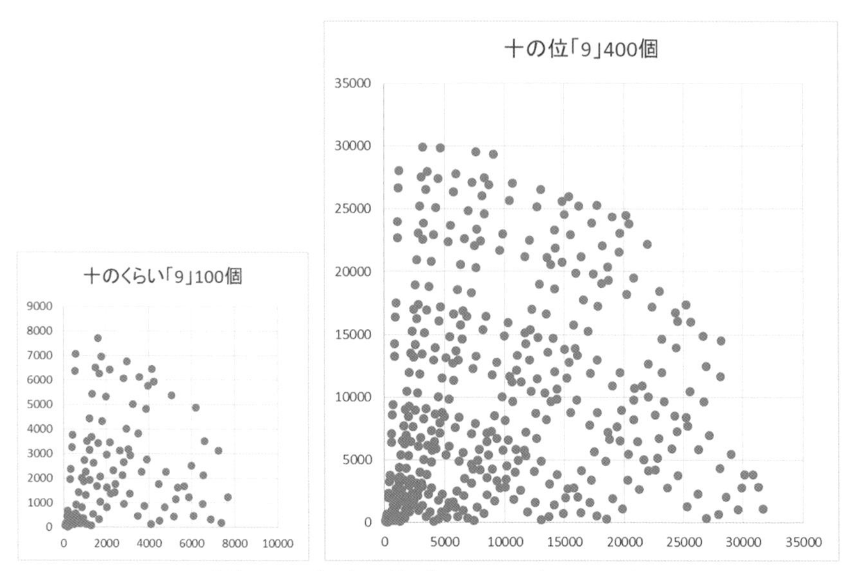

〈グラフ21〉 十の位「９」：100個と400個

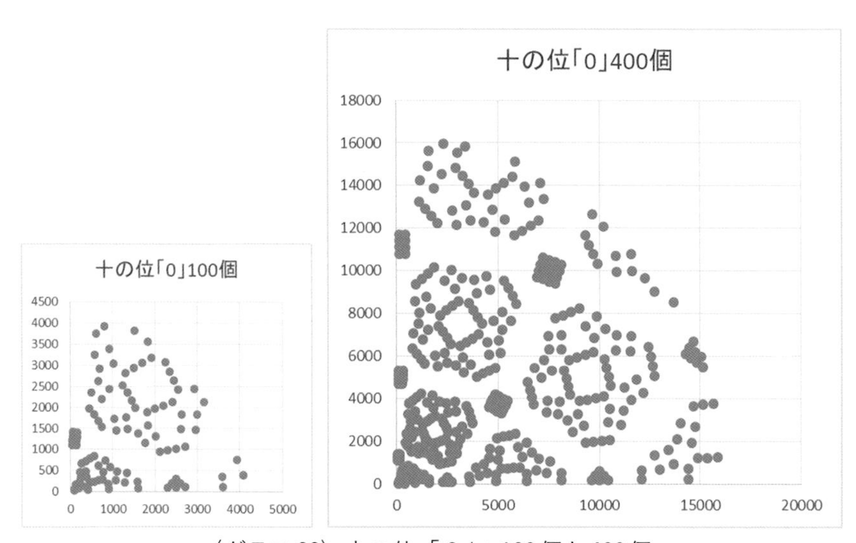

〈グラフ22〉 十の位「０」：100個と400個

散布図の模様を楽しむ④
百の位で分類する

〜cの百の位1, 2, 3, 4, 5, 6, 7, 8, 9, 0での10分類〜

これまで準原始ピタゴラス数の斜辺cを基準に一の位、十の位の数値で分類した散布図について見てきた。得られた散布図は各々独自の模様を持ち規則性があった。

一の位、十の位の比較では一の位より十の位の方がより複雑な模様となっていた。また十の位の模様を見ると、数値が奇数の場合（1, 3, 5, 7, 9）は放射状と同心円状（四分円）を組み合わせた点の模様であるのに対し、数値が偶数の場合（2, 4, 6, 8, 0）は幾つかの円状の模様であることが特徴づけられる。

前項まで一の位、十の位の数値で分類した散布図を見てきたが、更に位を一つ上げた百の位の場合、どのような散布図を準原始ピタゴラス数は示してくれるのだろうか。百の位の場合についても散布図の作成をした。

事前に昇順位が確定した数値が100以上の準原始ピタゴラス数6370個を用意し、cの百の位の数値1, 2, 3, 4, 5, 6, 7, 8, 9, 0別にふるい分けた。

次頁以降に百の位の数値別に作成した100個と400個の散布図を掲載する（グラフ23、グラフ24）。

グラフの基になる準原始ピタゴラス数の表は百の位が0についてのみ408個を166頁以降に掲載（表103-1〜4参照）。

〜百の位の散布図の特徴〜

一の位、十の位の散布図は数値別に散布図の模様は各々異なっていたが、次頁、次々頁の百の位の散布図を見ると「１」〜「０」の数値間で部分的な差異はあるものの模様の基本的なパターンは同一になっている。

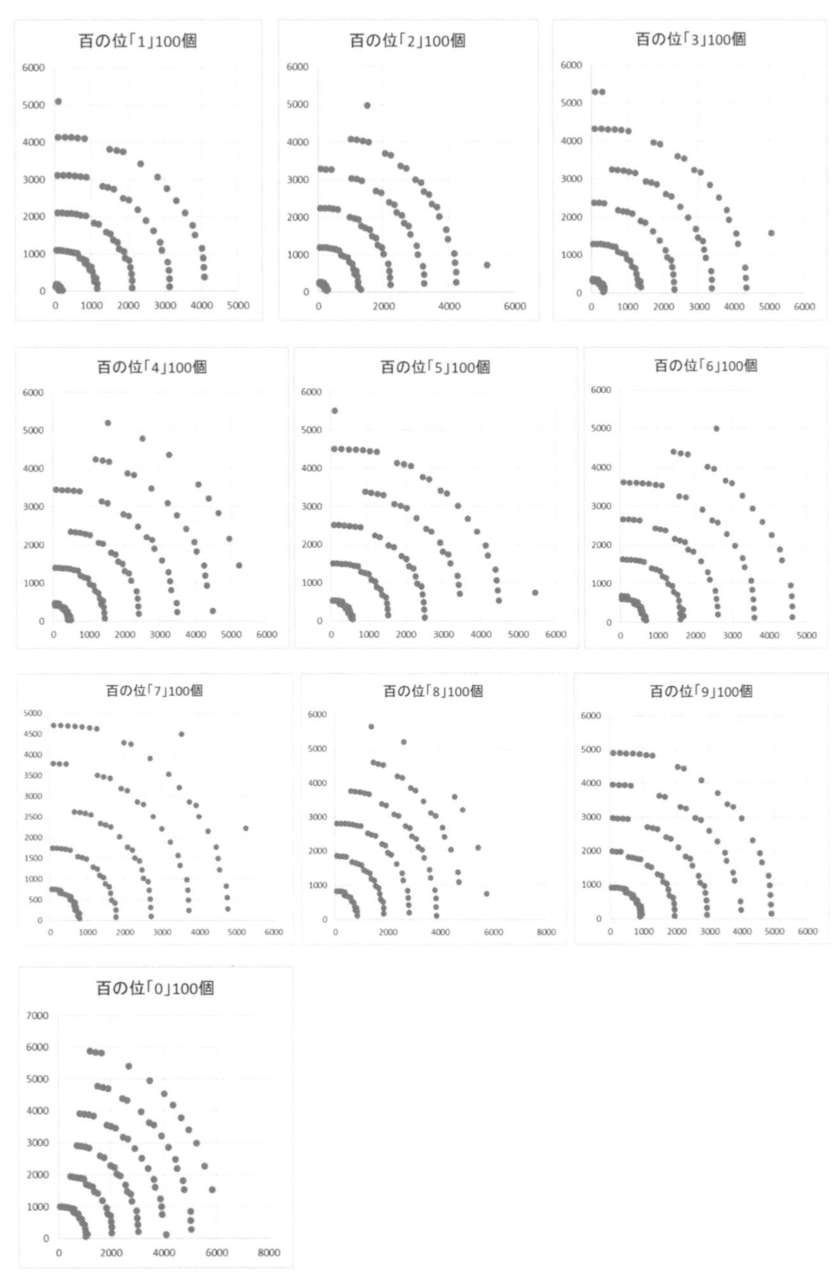

〈グラフ23〉 百の位「１」〜「０」：100個

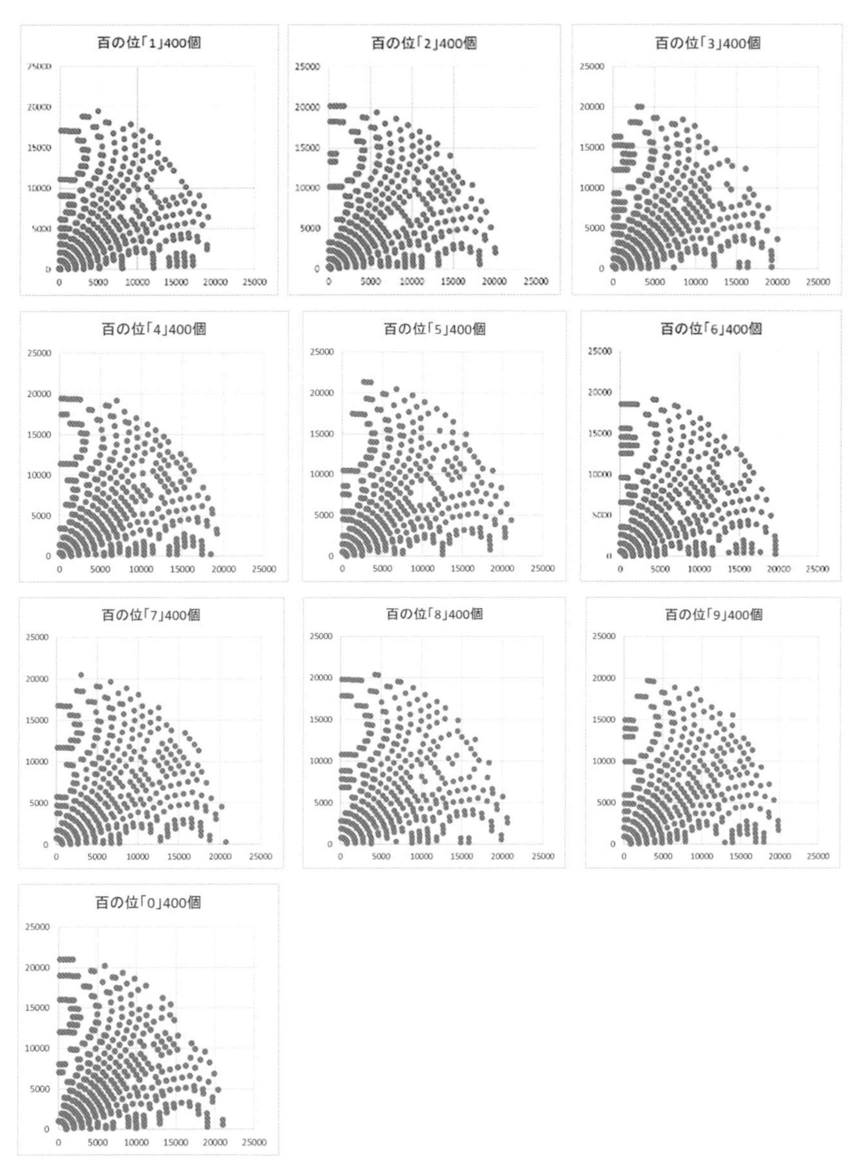

〈グラフ24〉 百の位「１」〜「０」：400個

〈表103-1〉

m	n	a	b	c	m	n	a	b	c	m	n	a	b	c
28	15	559	840	1009	39	24	945	1872	2097	58	27	2635	3132	4093
23	22	45	1012	1013	51	20	2201	2040	3001	56	31	2175	3472	4097
24	21	135	1008	1017	43	34	693	2924	3005	64	1	4095	128	4097
30	11	779	660	1021	53	14	2613	1484	3005	65	28	3441	3640	5009
25	20	225	1000	1025	44	33	847	2904	3025	57	42	1485	4788	5013
31	8	897	496	1025	50	23	1971	2300	3029	61	36	2425	4392	5017
32	1	1023	64	1025	55	2	3021	220	3029	69	16	4505	2208	5017
32	3	1015	192	1033	48	27	1575	2592	3033	70	11	4779	1540	5021
26	19	315	988	1037	54	11	2795	1188	3037	58	41	1683	4756	5045
29	14	645	812	1037	55	4	3009	440	3041	71	2	5037	284	5045
32	5	999	320	1049	45	32	1001	2880	3049	64	31	3135	3968	5057
27	18	405	972	1053	55	6	2989	660	3061	71	4	5025	568	5057
31	10	861	620	1061	52	19	2343	1976	3065	67	24	3913	3216	5065
30	13	731	780	1069	53	16	2553	1696	3065	68	21	4183	2856	5065
28	17	495	952	1073	46	31	1155	2852	3077	62	35	2619	4340	5069
32	7	975	448	1073	49	26	1725	2548	3077	70	13	4731	1820	5069
33	2	1085	132	1093	51	22	2117	2244	3085	71	6	5005	852	5077
29	16	585	928	1097	54	13	2747	1404	3085	59	40	1881	4720	5081
39	22	1037	1716	2005	55	8	2961	880	3089	66	27	3627	3564	5085
41	18	1357	1476	2005	49	40	801	3920	4001	69	18	4437	2484	5085
35	28	441	1960	2009	54	33	1827	3564	4005	60	49	1199	5880	6001
44	9	1855	792	2017	63	6	3933	756	4005	76	15	5551	2280	6001
36	27	567	1944	2025	62	13	3675	1612	4013	73	26	4653	3796	6005
45	2	2021	180	2029	50	39	979	3900	4021	74	23	4947	3404	6005
40	21	1159	1680	2041	57	28	2465	3192	4033	61	48	1417	5856	6025
45	4	2009	360	2041	63	8	3905	1008	4033	72	29	4343	4176	6025
37	26	693	1924	2045	60	21	3159	2520	4041	75	20	5225	3000	6025
43	14	1653	1204	2045	51	38	1157	3876	4045	77	10	5829	1540	6029
42	17	1475	1428	2053	61	18	3397	2196	4045	66	41	2675	5412	6037
44	11	1815	968	2057	55	32	2001	3520	4049	62	47	1635	5828	6053
45	6	1989	540	2061	59	24	2905	2832	4057	69	36	3465	4968	6057
38	25	819	1900	2069	62	15	3619	1860	4069	71	32	4017	4544	6065
41	20	1281	1640	2081	63	10	3869	1260	4069	76	17	5487	2584	6065
45	8	1961	720	2089	52	37	1335	3848	4073	77	12	5785	1848	6073

（注）$c=1009$〜3089は薄青色で着色・171頁参照。

〈表103-2〉

m	n	a	b	c	m	n	a	b	c	m	n	a	b	c
63	46	1853	5796	6085	83	34	5733	5644	8045	100	5	9975	1000	10025
78	1	6083	156	6085	87	22	7085	3828	8053	89	46	5805	8188	10037
67	40	2889	5360	6089	64	63	127	8064	8065	91	42	6517	7644	10045
78	3	6075	468	6093	89	12	7777	2136	8065	98	21	9163	4116	10045
76	35	4551	5320	7001	65	62	381	8060	8069	95	32	8001	6080	10049
82	17	6435	2788	7013	66	61	635	8052	8077	100	7	9951	1400	10049
68	49	2223	6664	7025	74	51	2875	7548	8077	78	63	2115	9828	10053
79	28	5457	4424	7025	80	41	4719	6560	8081	96	29	8375	5568	10057
80	25	5775	4000	7025	67	60	889	8040	8089	99	16	9545	3168	10057
72	43	3335	6192	7033	82	37	5355	6068	8093	94	35	7611	6580	10061
83	12	6745	1992	7033	80	51	3799	8160	9001	87	50	5069	8700	10069
78	31	5123	4836	7045	83	46	4773	7636	9005	84	55	4031	9240	10081
81	22	6077	3564	7045	94	13	8667	2444	9005	100	9	9919	1800	10081
84	1	7055	168	7057	87	38	6125	6612	9013	79	62	2397	9796	10085
69	48	2457	6624	7065	76	57	2527	8664	9025	97	26	8733	5044	10085
84	3	7047	504	7065	95	2	9021	380	9029	93	38	7205	7068	10093
75	38	4181	5700	7069	95	4	9009	760	9041	97	40	7809	7760	11009
60	59	119	7080	7081	93	20	8249	3720	9049	103	20	10209	4120	11009
84	5	7031	840	7081	81	50	4061	8100	9061	84	63	3087	10584	11025
61	58	357	7076	7085	90	31	7139	5580	9061	102	25	9779	5100	11029
77	34	4773	5236	7085	94	15	8611	2820	9061	105	2	11021	420	11029
82	19	6363	3116	7085	95	6	8989	1140	9061	104	15	10591	3120	11041
83	14	6693	2324	7085	77	56	2793	8624	9065	105	4	11009	840	11041
62	57	595	7068	7093	91	28	7497	5096	9065	94	47	6627	8836	11045
73	42	3565	6132	7093	86	41	5715	7052	9077	89	56	4785	9968	11057
79	42	4477	6636	8005	89	34	6765	6052	9077	105	6	10989	1260	11061
81	38	5117	6156	8005	84	45	5031	7560	9081	92	51	5863	9384	11065
85	28	6441	4760	8009	92	25	7839	4600	9089	96	43	7367	8256	11065
84	31	6095	5208	8017	95	8	8961	1520	9089	85	62	3381	10540	11069
86	25	6771	4300	8021	76	65	1551	9880	10001	100	33	8911	6600	11089
89	10	7821	1780	8021	100	1	9999	200	10001	105	8	10961	1680	11089
73	52	2625	7592	8033	100	3	9991	600	10009	103	22	10125	4532	11093
88	17	7455	2992	8033	77	64	1833	9856	10025	99	36	8505	7128	11097
77	46	3813	7084	8045	83	56	3753	9296	10025	98	49	7203	9604	12005

〈表103-3〉

m	n	a	b	c
78	77	155	12012	12013
93	58	5285	10788	12013
79	76	465	12008	12017
89	64	3825	11392	12017
80	75	775	12000	12025
96	53	6407	10176	12025
100	45	7975	9000	12025
107	24	10873	5136	12025
108	19	11303	4104	12025
109	12	11737	2616	12025
81	74	1085	11988	12037
104	35	9591	7280	12041
105	32	10001	6720	12049
82	73	1395	11972	12053
103	38	9165	7828	12053
90	63	4131	11340	12069
83	72	1705	11952	12073
106	29	10395	6148	12077
109	14	11685	3052	12077
94	57	5587	10716	12085
102	41	8723	8364	12085
84	71	2015	11928	12097
85	76	1449	12920	13001
93	66	4293	12276	13005
102	51	7803	10404	13005
114	3	12987	684	13005
97	60	5809	11640	13009
86	75	1771	12900	13021
114	5	12971	1140	13021
100	55	6975	11000	13025
104	47	8607	9776	13025
113	16	12513	3616	13025
108	37	10295	7992	13033
109	34	10725	7412	13037

m	n	a	b	c
87	74	2093	12876	13045
114	7	12947	1596	13045
107	40	9849	8560	13049
94	65	4611	12220	13061
110	31	11139	6820	13061
88	73	2415	12848	13073
112	23	12015	5152	13073
114	9	12915	2052	13077
98	59	6123	11564	13085
106	43	9387	9116	13085
113	18	12445	4068	13093
89	78	1837	13884	14005
118	9	13843	2124	14005
115	28	12441	6440	14009
117	18	13365	4212	14013
90	77	2171	13860	14029
97	68	4785	13192	14033
101	62	6357	12524	14045
106	53	8427	11236	14045
118	11	13803	2596	14045
91	76	2505	13832	14057
104	57	7567	11856	14065
108	49	9263	10584	14065
112	39	11023	8736	14065
113	36	11473	8136	14065
116	25	12831	5800	14081
111	42	10557	9324	14085
114	33	11907	7524	14085
92	75	2839	13800	14089
117	20	13289	4680	14089
98	67	5115	13132	14093
118	13	13755	3068	14093
91	82	1557	14924	15005
122	11	14763	2684	15005

m	n	a	b	c
118	33	12835	7788	15013
109	56	8745	12208	15017
114	45	10971	10260	15021
92	81	1903	14904	15025
111	52	9617	11544	15025
120	25	13775	6000	15025
100	71	4959	14200	15041
104	65	6591	13520	15041
121	20	14241	4840	15041
93	80	2249	14880	15049
107	60	7849	12840	15049
122	13	14715	3172	15053
119	30	13261	7140	15061
113	48	10465	10848	15073
94	79	2595	14852	15077
124	25	14751	6200	16001
90	89	179	16020	16021
114	55	9971	12540	16021
91	88	537	16016	16025
112	59	9063	13216	16025
125	20	15225	5000	16025
102	75	4779	15300	16029
123	30	14229	7380	16029
92	87	895	16008	16033
93	86	1253	15996	16045
126	13	15707	3276	16045
116	51	10855	11832	16057
94	85	1611	15980	16061
110	63	8131	13860	16069
107	68	6825	14552	16073
95	84	1969	15960	16081
120	41	12719	9840	16081
103	74	5133	15244	16085
121	38	13197	9196	16085

（注）$c = 14005$～21097は薄青色で着色・172頁参照。

〈表103-4〉

m	n	a	b	c	m	n	a	b	c	m	n	a	b	c
119	44	12225	10472	16097	105	84	3969	17640	18081	132	51	14823	13464	20025
120	51	11799	12240	17001	126	47	13667	11844	18085	141	12	19737	3384	20025
103	80	4209	16480	17009	129	38	15197	9804	18085	123	70	10229	17220	20029
128	25	15759	6400	17009	133	20	17289	5320	18089	140	21	19159	5880	20041
130	11	16779	2860	17021	111	76	6545	16872	18097	111	88	4577	19536	20065
127	30	15229	7620	17029	115	76	7449	17480	19001	137	36	17473	9864	20065
112	67	8055	15008	17033	135	28	17441	7560	19009	131	54	14245	14148	20077
129	20	16241	5160	17041	98	97	195	19012	19013	141	14	19685	3948	20077
117	58	10325	13572	17053	99	96	585	19008	19017	117	80	7289	18720	20089
104	79	4575	16432	17057	100	95	975	19000	19025	124	75	9751	18600	21001
124	41	13695	10168	17057	136	23	17967	6256	19025	131	62	13317	16244	21005
109	72	6697	15696	17065	137	16	18513	4384	19025	142	29	19323	8236	21005
123	44	13193	10824	17065	101	94	1365	18988	19037	103	102	205	21012	21013
115	62	9381	14260	17069	111	82	5597	18204	19045	104	101	615	21008	21017
125	38	14181	9500	17069	127	54	13213	13716	19045	105	100	1025	21000	21025
130	13	16731	3380	17069	134	33	16867	8844	19045	116	87	5887	20184	21025
119	54	11245	12852	17077	138	1	19043	276	19045	143	24	19873	6864	21025
122	47	12675	11468	17093	102	93	1755	18972	19053	144	17	20447	4896	21025
103	86	3213	17716	18005	138	3	19035	828	19053	127	70	11229	17780	21029
119	62	10317	14756	18005	119	70	9261	16660	19061	145	2	21021	580	21029
121	58	11277	14036	18005	138	5	19019	1380	19069	106	99	1435	20988	21037
134	7	17907	1876	18005	103	92	2145	18952	19073	141	34	18725	9588	21037
133	18	17365	4788	18013	116	75	7831	17400	19081	121	80	8241	19360	21041
110	77	6171	16940	18029	137	18	18445	4932	19093	145	4	21009	1160	21041
114	71	7955	16188	18037	138	7	18995	1932	19093	107	98	1845	20972	21053
134	9	17875	2412	18037	104	91	2535	18928	19097	133	58	14325	15428	21053
104	85	3591	17680	18041	124	61	11655	15128	19097	145	6	20989	1740	21061
117	66	9333	15444	18045	131	44	15225	11528	19097	138	45	17019	12420	21069
123	54	12213	13284	18045	129	58	13277	14964	20005	108	97	2255	20952	21073
132	25	16799	6600	18049	138	31	18083	8556	20005	137	48	16465	13152	21073
131	30	16261	7860	18061	116	81	6895	18792	20017	117	86	6293	20124	21085
127	44	14193	11176	18065	136	39	16975	10608	20017	139	42	17557	11676	21085
128	41	14703	10496	18065	110	89	4179	19580	20021	145	8	20961	2320	21089
134	11	17835	2948	18077	120	75	8775	18000	20025	109	96	2665	20928	21097

（注）$c=14005$～21097は薄青色で着色・172頁参照。

散布図の模様の成長を百の位「0」で確認する

～百の位の模様の変化～

百の位において最初は同心円状（四分円）に輪がいくつも現れ、その後に円状の模様が追加されていく。模様の変化を確認するため百の位「0」の場合の200個、300個、400個、500個、600個について下記〈グラフ25〉の散布図で確認する。

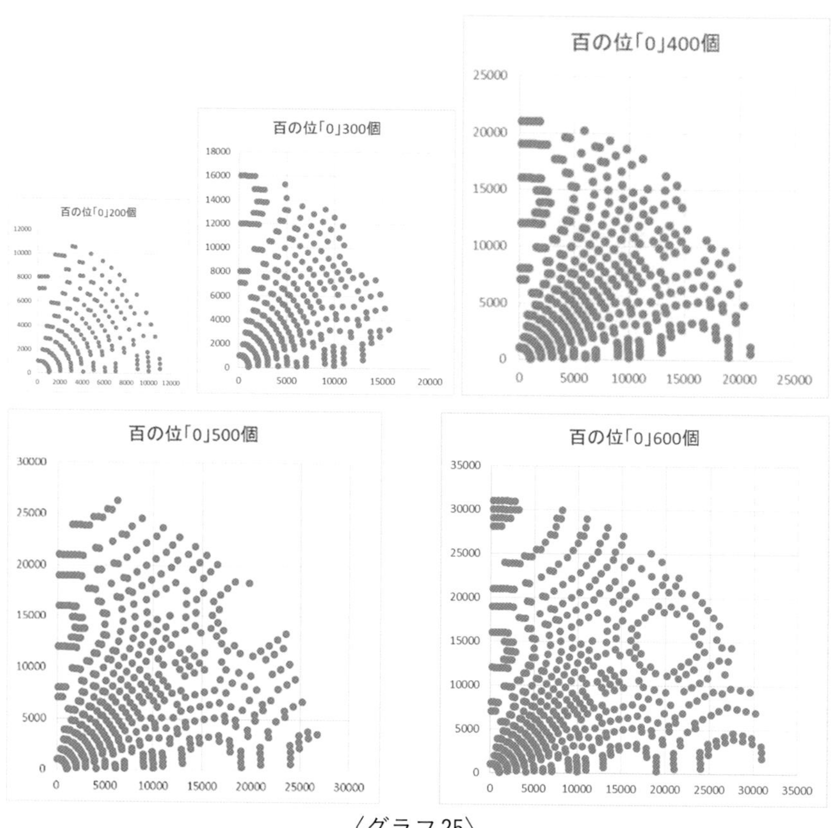

〈グラフ25〉

同心円状（四分円）の輪と斜辺cの関係

～模様の形成過程～

百の位において最初は同心円状（四分円）に輪がいくつも現れるが、一つの輪から上段の輪へと新たに輪が形成される条件について百の位が「０」の場合を例に考えた。

斜辺 c の値が「輪の数」に関係していると考え、c の千の位の数値別に散布図を作成した（下記〈グラフ26〉と166頁〈表103-1〉を参照）。

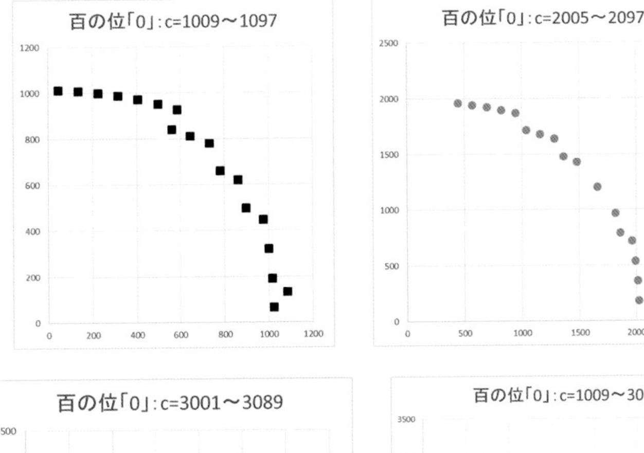

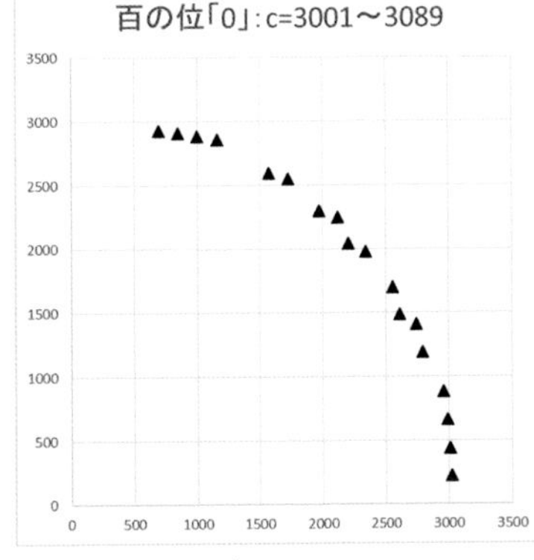

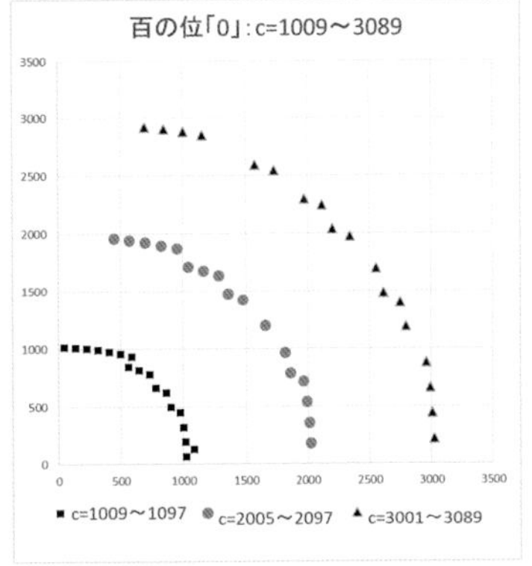

〈グラフ26〉 c＝1009～1097、c＝2005～2097、c＝3001～3089

前頁〈グラフ26〉から同心円状（四分円）の輪と斜辺cの値の関連を見ると、千の位の数値が「１」⇒「２」⇒「３」と変化すると輪も新たに上段に形成されることが分かった。

輪の上段への変化は印刷時のプリンターヘッドの折り返しに似ている。プリンターの場合、印字されない部分は無色（白色）となるが、輪の場合も座標が無い点は無色（白色）となり、この無色（白色）部分が散布図の模様として出現する。

下記に百の位「０」における14〜18番目（$c=14005$〜21097）の輪の散布図（〈グラフ27〉）を示す。座標点が無いことによって模様が形成されていることが分かる一例である（〈表103-3〜4〉、168〜169頁参照、対象のcを薄青色で表示）。

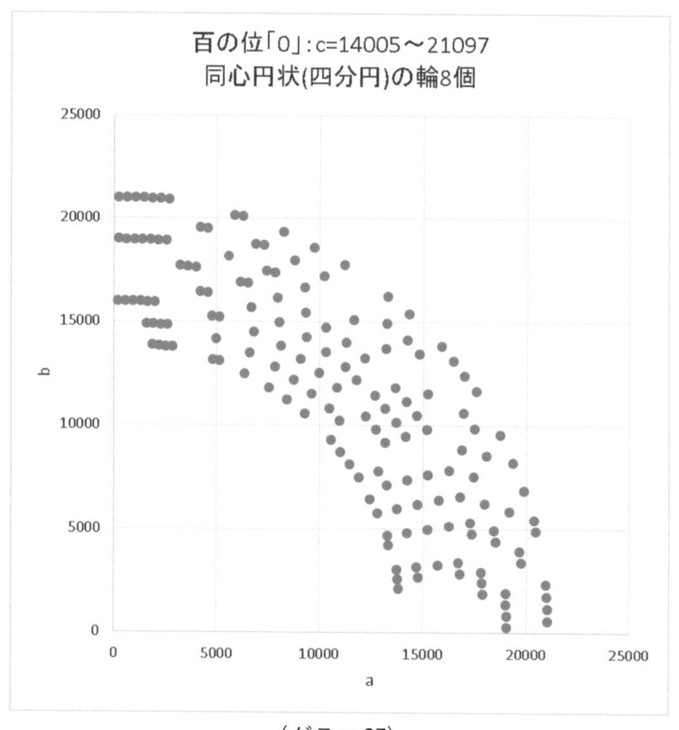

〈グラフ27〉

散布図の模様を楽しむ⑤
千の位で分類する

～cの千の位1, 2, 3, 4, 5, 6, 7, 8, 9, 0での10分類～

これまで一の位、十の位、百の位において準原始ピタゴラス数の斜辺 c の数値で分類した場合の散布図について見てきた。

その結果、一の位、十の位については各数値で異なる散布図の模様が得られた。一の位においては数値の組合せによる模様の変化も見てきた。百の位においては数値間で部分的な差異はあるものの模様の基本的なパターンは同一であった。また、最初に現れる同心円状（四分円）の輪を通して、輪の数の増加と模様の形成過程も確認できた。

今回は位を更に一つ上げ、千の位の数値で分類した場合の散布図の模様について調べた。

事前に昇順位が確定した数値が1000以上の準原始ピタゴラス数6199個を用意し、これを c の千の位の数値1, 2, 3, 4, 5, 6, 7, 8, 9, 0別にふるい分けた。

次頁以降に千の位の数値別に作成した100個と500個の散布図を掲載する（〈グラフ28〉〈グラフ29〉）。

尚、散布図の基になった準原始ピタゴラス数の表は割愛している。

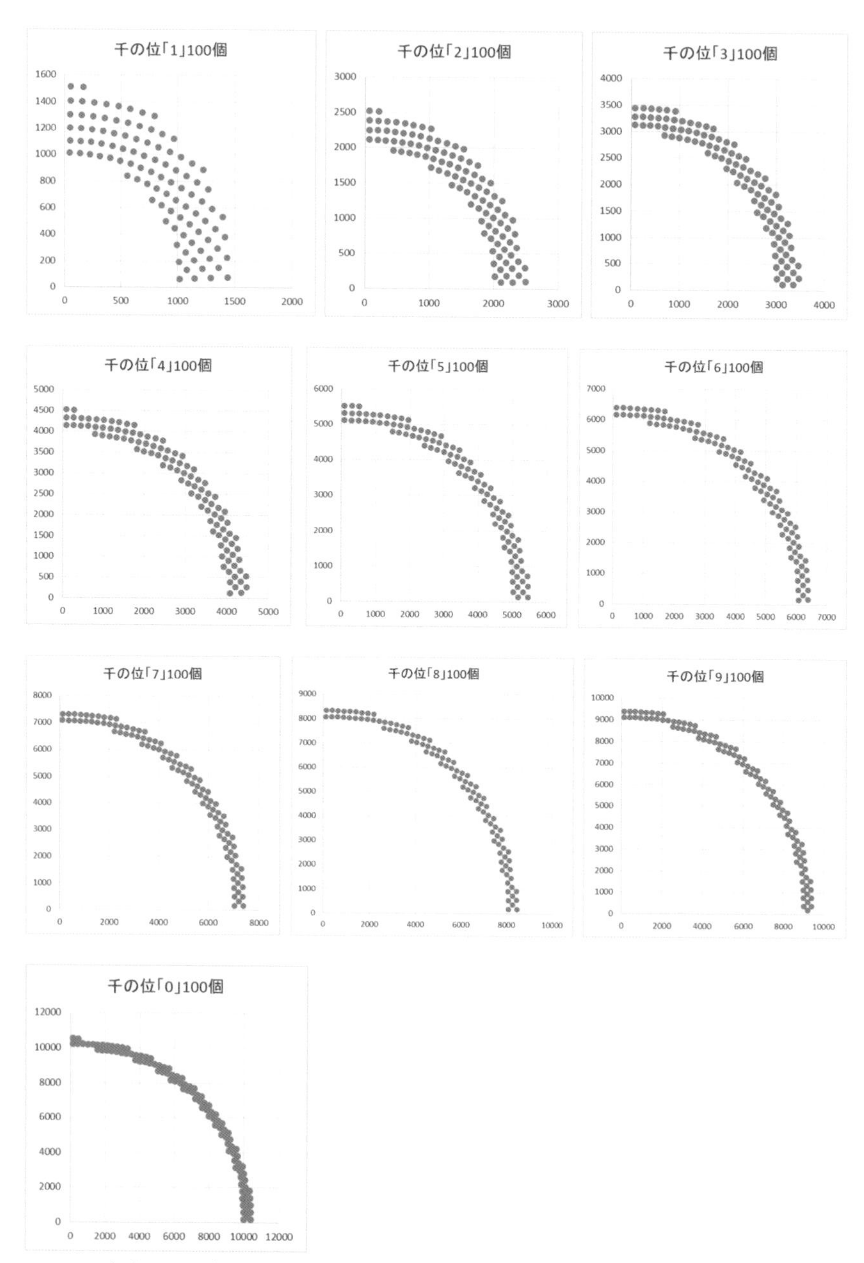

〈グラフ28〉準原始ピタゴラス数・千の位「１」〜「０」：100個

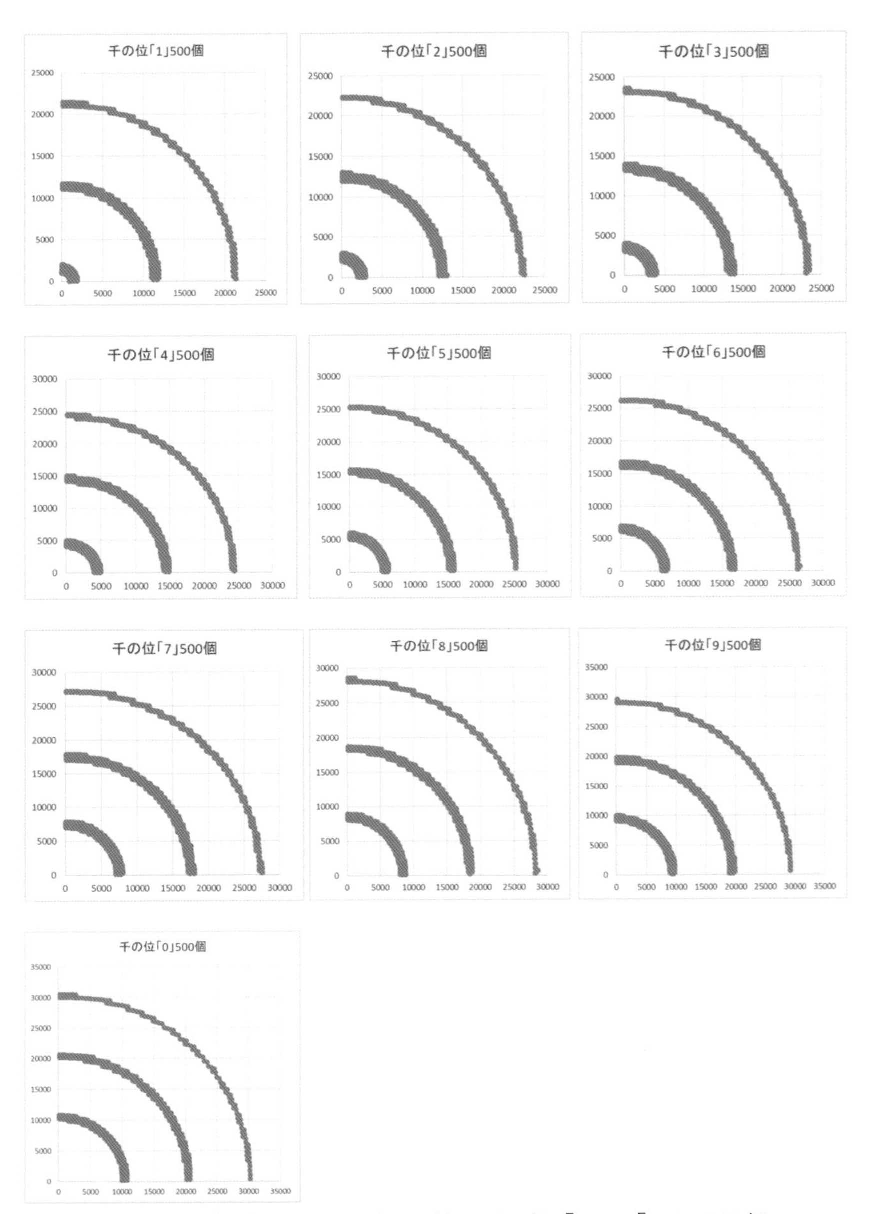

〈グラフ29〉準原始ピタゴラス数・千の位「１」〜「０」：500個

千の位に見る
同心円状（四分円）の輪

〜百の位と同様の輪の形成〜

百の位での分類では最初に同心円状（四分円）に輪がいくつも現れ、その後模様の形成へと進むが、数値間では部分的な差異はあるものの模様の基本的なパターンは同一であった。

千の位での分類では準原始ピタゴラス数の最初の100個において千の位の数値に関係なくどの数値も同心円状（四分円）に輪が１個であった。また、準原始ピタゴラス数500個の場合は千の位の数値に関係なくどの数値も同心円状（四分円）に輪が３個であり、数値間では部分的な差異はあるものの模様の基本的なパターンは同一であった。

百の位の分類において、一つの輪から上段の輪へと新たに輪が形成される過程は千の位の値が「１」⇒「２」、「２」⇒「３」に変化していた。

千の位の分類でも輪が新たに上段に形成される過程は同一と考え、千の位が「０」の場合を例に、cの万の位の数値別に散布図を作成した(次頁〈グラフ30〉を参照)。〈グラフ30〉から同心円状（四分円）の輪とcの値の関連を見ると万の位の数値が「１」⇒「２」⇒「３」と変化すると輪も百の位の場合と同様に新たに上段に形成されることが分かった。

〜千の位の模様の行方〜

今回は斜辺cの昇順位が確定し、数値が1000以上の準原始ピタゴラス数6199個を用いて散布図を作成したが、散布図作成の個数を多くすれば百の位の分類で見たように、幾つもの同心円状（四分円）の輪を経て模様が形成されると推測できる。

分類を更に千から万にした場合も百の位の場合と同様の変化が推測される。

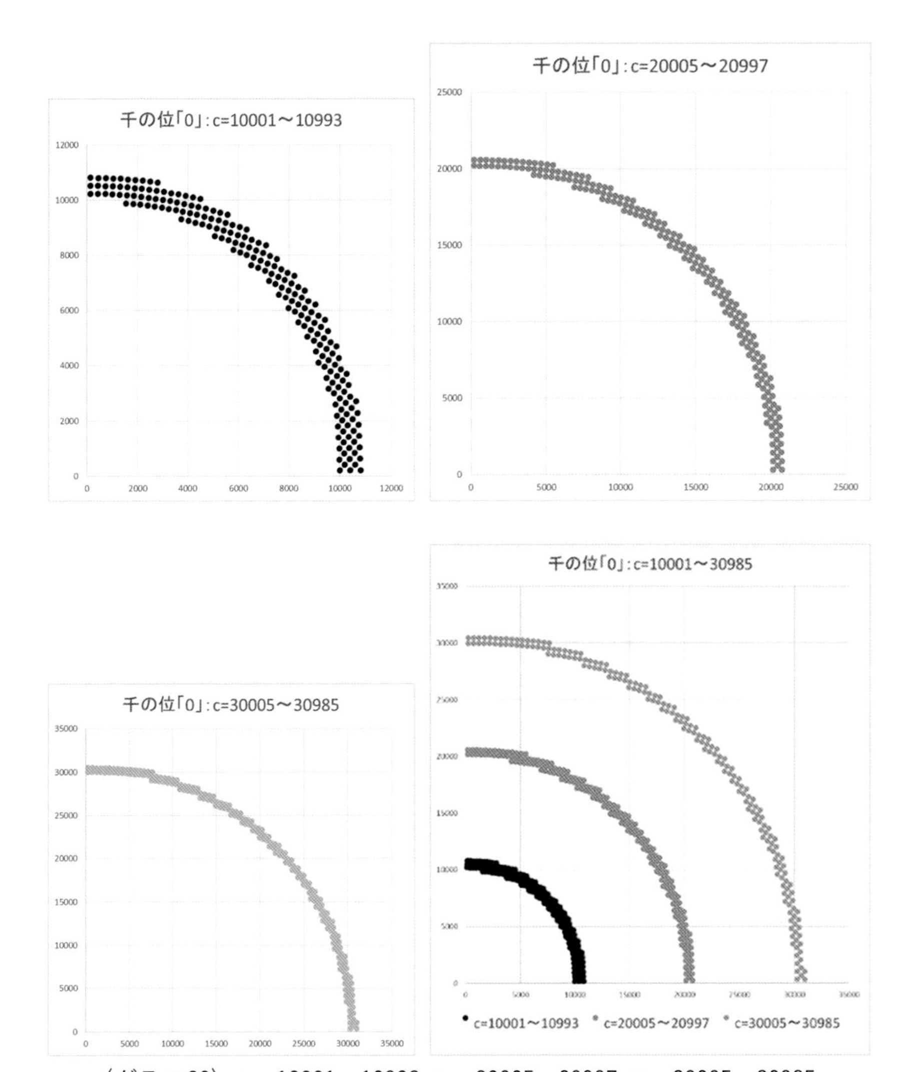

〈グラフ30〉 c = 10001～10993, c = 20005～20997, c = 30005～30985

第７章

準原始ピタゴラス数の数列群（４種類）

準原始ピタゴラス数の座標を線で繋ぐ

〜４種類の数列群のパターン〜

下記の〈グラフ31〉に示す準原始ピタゴラス数の散布図の各点は一見して非常に規則正しい配列になっているが、数学的には確認されていない。本章の目的は数列を用いて散布図の各点の規則性を解析することにある。

数列と思われる点を線でつないでいくと次頁〈グラフ32〉に示す４種類のパターンが考えられ、各々のパターンを、「数列群 α」「数列群 β」「数列群 ɤ」「数列群 δ」とした。

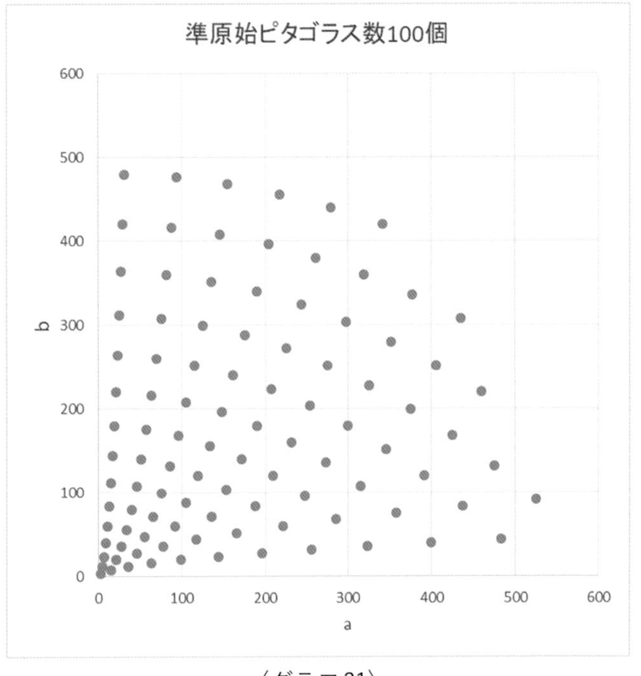

〈グラフ31〉

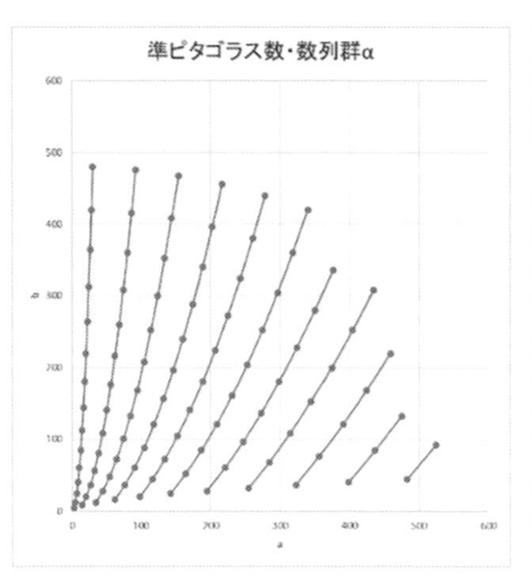

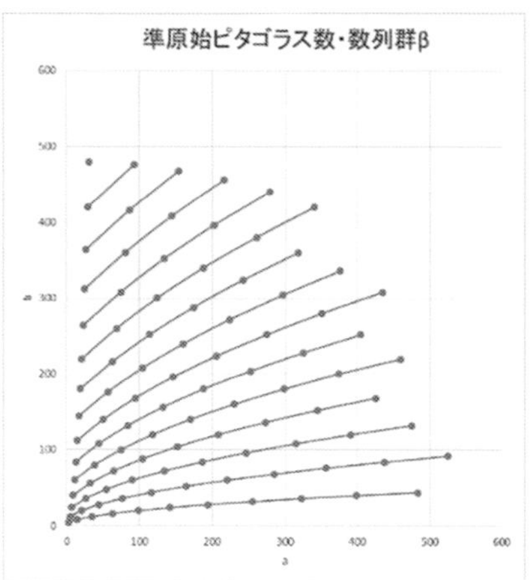

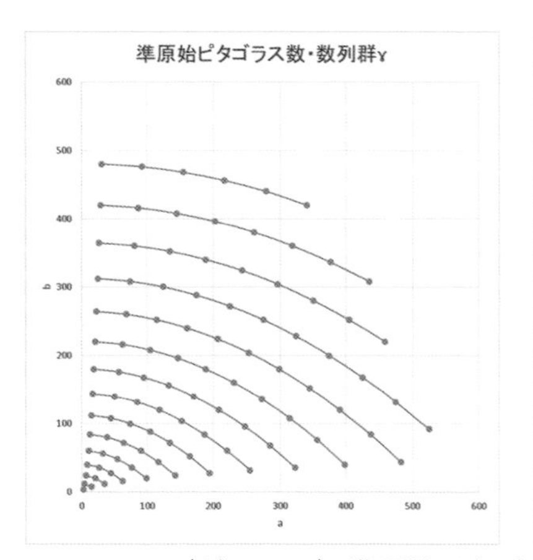

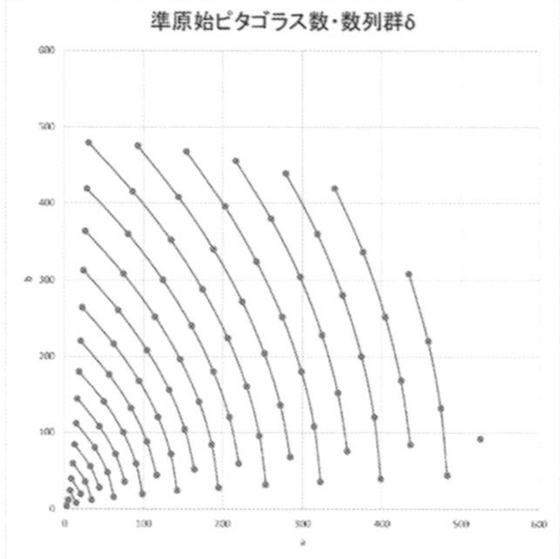

〈グラフ32〉準原始ピタゴラス数の数列群α , β ,ɣ, δ

散布図の座標 (a, b) を確認する

～マウスポインターで確認～

準原始ピタゴラス数の散布図の座標 (a, b) はマウスポインターを近づければ下記〈グラフ33〉に示すように a, b の値が表示され、確認できる。

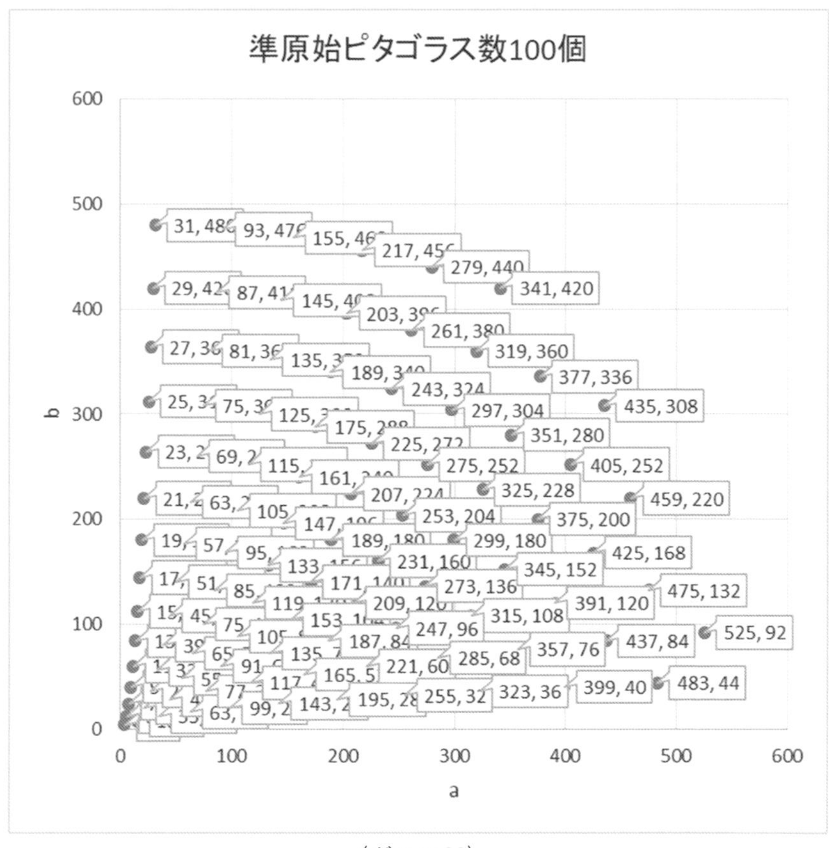

〈グラフ33〉

数列群αの
数列別の番号表記

～上に伸びる数列群～

前項で示した４種類の数列群の内、上に伸びる数列群αの各数列について①②③……と番号を下記〈グラフ34〉に示すように割り振った。

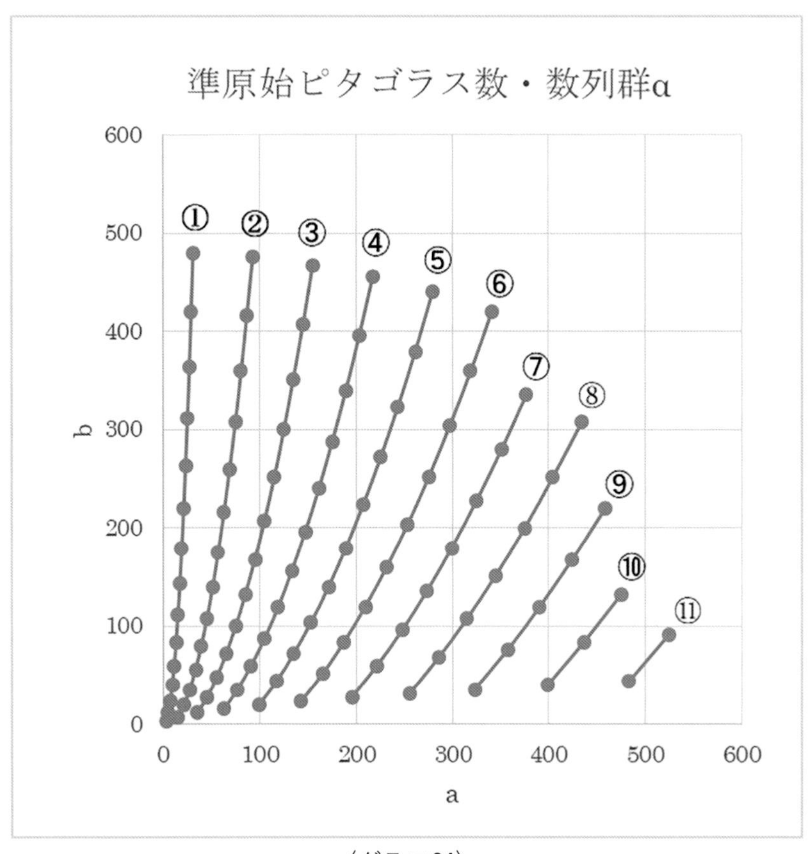

〈グラフ34〉

数列群αの
座標（a, b）の確認

～数列別座標の確認～

数列群αの数列別に座標（a, b）の数値を確認し、下記の表にまとめた。

〈表104〉

①	a	3	5	7	9	11	13	15	17
	b	4	12	24	40	60	84	112	144
②	a	15	21	27	33	39	45	51	57
	b	8	20	36	56	80	108	140	176
③	a	35	45	55	65	75	85	95	105
	b	12	28	48	72	100	132	168	208
④	a	63	77	91	105	119	133	147	161
	b	16	36	60	88	120	156	196	240
⑤	a	99	117	135	153	171	189	207	225
	b	20	44	72	104	140	180	224	272
⑥	a	143	165	187	209	231	253	275	297
	b	24	52	84	120	160	204	252	304
⑦	a	195	221	247	273	299	325	351	377
	b	28	60	96	136	180	228	280	336
⑧	a	255	285	315	345	375	405	435	
	b	32	68	108	152	200	252	308	
⑨	a	323	357	391	425	459			
	b	36	76	120	168	220			
⑩	a	399	437	475					
	b	40	84	132					
⑪	a	483	525						
	b	44	92						

数列群αの数列①を解析する

～数列①の一般項を求める～

数列群αの①のa, b及びcについて解析する。

〈数列 {a_n} について〉

aは下記の数字の並びになっていて、数列 $\{a_n\}$ とする。

　a：3, 5, 7, 9, 11, 13, 15, 17

数値間の差を見ると下記のようになっている。

3	5	7	9	11	13	15	17
∨	∨	∨	∨	∨	∨	∨	
2	2	2	2	2	2	2	

上記の結果から、

数列 $\{a_n\}$ は初項３、公差２の等差数列である。

一般項 a_n は、(第 n 項) = (初項)+(n−1)(公差) の公式から

$$a_n = 3+(n-1)\times2 = 3+2n-2$$
$$= 2n+1$$

〈数列 {b_n} について〉

bは下記の数字の並びになっていて、数列 $\{b_n\}$ とする。

　b：4, 12, 24, 40, 60, 84, 112, 144

数値間の差を見ると下記のようになっている。

4	12	24	40	60	84	112	144
∨	∨	∨	∨	∨	∨	∨	
8	12	16	20	24	28	32	
∨	∨	∨	∨	∨	∨		
4	4	4	4	4	4		

上記の結果から、

数列 $\{b_n\}$ は階差数列となっている。

数列 $\{b_n\}$ の階差数列を $\{d_n\}$ とすると

数列 $\{d_n\}$ は8, 12, 16, 20, 24, 28, 32……であるから初項８、公差４の等差数列である。

ゆえに、

$$d_n = 8+(n-1)\times 4 = 8+4n-4$$
$$= 4n+4$$

よって、$n \geqq 2$のとき

$$b_n = b_1+\sum_{k=1}^{n-1}(4k+4) = 4+4\sum_{k=1}^{n-1}k+4\sum_{k=1}^{n-1}1$$

$$= 4+4\times\frac{(n-1)(n-1+1)}{2}+4(n-1) = 4+4\times\frac{(n-1)n}{2}+4(n-1)$$

$$= 4+2n^2-2n+4n-4 = 2n^2+2n = 2n(n+1)$$

また、初項$b_1 = 4$であるから、上式$2n(n+1)$ は$n = 1$のときにも成り立つ。

以上により、数列 $\{b_n\}$ の一般項 b_n は $b_n = 2n(n+1)$

〈数列 {cn} について〉

座標点の a, b の値から計算（$c = \sqrt{a^2+b^2}$）により c の値が下記表のように得られる。

〈表105〉

a	3	5	7	9	11	13	15
b	4	12	24	40	60	84	112
c	5	13	25	41	61	85	113

c は下記の数字の並びになっていて、数列 $\{c_n\}$ とする。

c：5, 13, 25, 41, 61, 85, 113

数値間の差を見ると次頁のようになっている。

5	13	25	41	61	85	113	145
∨	∨	∨	∨	∨	∨	∨	
8	12	16	20	24	28	32	
∨	∨	∨	∨	∨	∨		
4	4	4	4	4	4		

上記の結果から、

数列 $\{c_n\}$ は階差数列となっている。

数列 $\{c_n\}$ の階差数列を $\{d_n\}$ とすると

数列 $\{d_n\}$ は8, 12, 16, 20, 24, 28, 32……であるから初項８、公差４の等差数列である。

ゆえに、

$$d_n = 8+(n-1)\times 4 = 8+4n-4$$
$$= 4n+4$$

よって、$n \geqq 2$のとき

$$c_n = c_1+\sum_{k=1}^{n-1}(4k+4) = 4+4\sum_{k=1}^{n-1}k+4\sum_{k=1}^{n-1}1$$

$$= 5+4\times\frac{(n-1)(n-1+1)}{2}+4(n-1) = 5+4\times\frac{(n-1)n}{2}+4(n-1)$$

$$= 5+2n^2-2n+4n-4 = 2n^2+2n+1 = 2n(n+1)+1$$

また、初項 $d_1 = 5$であるから、上式$2n(n+1)+1$は $n = 1$のときにも成り立つ。

以上により、数列 $\{c_n\}$ の一般項 c_n は $c_n = 2n(n+1)+1$

数列群α、②〜⑩の一般項を算出する

前項と同様の方法で数列②〜⑩の a, b, c について数列の一般項を算出した。下記〈表106〉に結果を示す。

〈表106〉

										一般項
①	a	3	5	7	9	11	13	15	17	1(2n+1)
	b	4	12	24	40	60	84	112	144	2n(n+1)
	c	5	13	25	41	61	85	113	145	2n(n+1)+1
②	a	15	21	27	33	39	45	51	57	3(2n+3)
	b	8	20	36	56	80	108	140	176	2n(n+3)
	c	17	29	45	65	89	117	149	185	$2n(n+3)+3^2$
③	a	35	45	55	65	75	85	95	105	5(2n+5)
	b	12	28	48	72	100	132	168	208	2n(n+5)
	c	37	53	73	97	125	157	193	233	$2n(n+5)+5^2$
④	a	63	77	91	105	119	133	147	161	7(2n+7)
	b	16	36	60	88	120	156	196	240	2n(n+7)
	c	65	85	109	137	169	205	245	289	$2n(n+7)+7^2$
⑤	a	99	117	135	153	171	189	207	225	9(2n+9)
	b	20	44	72	104	140	180	224	272	2n(n+9)
	c	101	125	153	185	221	261	305	353	$2n(n+9)+9^2$
⑥	a	143	165	187	209	231	253	275	297	11(2n+11)
	b	24	52	84	120	160	204	252	304	2n(n+11)
	c	145	173	205	241	281	325	373	425	$2n(n+11)+11^2$
⑦	a	195	221	247	273	299	325	351	377	13(2n+13)
	b	28	60	96	136	180	228	280	336	2n(n+13)
	c	197	229	265	305	349	397	449	505	$2n(n+13)+13^2$
⑧	a	255	285	315	345	375	405	435		15(2n+15)
	b	32	68	108	152	200	252	308		2n(n+15)
	c	257	293	333	377	425	477	533		$2n(n+15)+15^2$
⑨	a	323	357	391	425	459				17(2n+17)
	b	36	76	120	168	220				2n(n+17)
	c	325	365	409	457	509				$2n(n+17)+17^2$
⑩	a	399	437	475						19(2n+19)
	b	40	84	132						
	c	401	445	493						
⑪	a	483	525							
	b	44	92							
	c	485	533							

（注）一般項は薄青色で着色。

数列群αの一般項の係数を解析する

～数列別にまとめる～

前項では数列群αの各数列の a, b, c について数列の一般項を算出し表にした。一方、一般項を数列 $\{a_n\}$, 数列 $\{b_n\}$, 数列 $\{c_n\}$ 別にまとめると下記〈表107〉のようになる。表から一般項の係数の変化にも規則性が見られ（変化の係数を青色で着色）、解析すると〈表108〉に示すように数列番号に対して数列の変化になっている。

〈表107〉

番号	数列 $\{a_n\}$	数列 $\{b_n\}$	数列 $\{c_n\}$
①	$1(2n+1)$	$2n(n+1)$	$2n(n+1)+1^2$
②	$3(2n+3)$	$2n(n+3)$	$2n(n+3)+3^2$
③	$5(2n+5)$	$2n(n+5)$	$2n(n+5)+5^2$
④	$7(2n+7)$	$2n(n+7)$	$2n(n+7)+7^2$
⑤	$9(2n+9)$	$2n(n+9)$	$2n(n+9)+9^2$
⑥	$11(2n+11)$	$2n(n+11)$	$2n(n+11)+11^2$
⑦	$13(2n+13)$	$2n(n+13)$	$2n(n+13)+13^2$
⑧	$15(2n+15)$	$2n(n+15)$	$2n(n+15)+15^2$
⑨	$17(2n+17)$	$2n(n+17)$	$2n(n+17)+17^2$
⑩	$19(2n+19)$	―	―

各数列の係数を t とすると下記〈表108〉のようになる。

〈表108〉

番号	数列 $\{a_n\}$	数列 $\{b_n\}$	数列 $\{c_n\}$
m	$t(2n+t)$	$2n(n+t)$	$2n(n+t)+t^2$

（注）$t=2m-1$、m は数列番号。

数列群βの数列別の番号表記

〜右上に伸びる数列群〜

４種類の数列群の内、右上に伸びる数列群βの各数列について①②③……と番号を下記〈グラフ35〉に示すように割り振った。

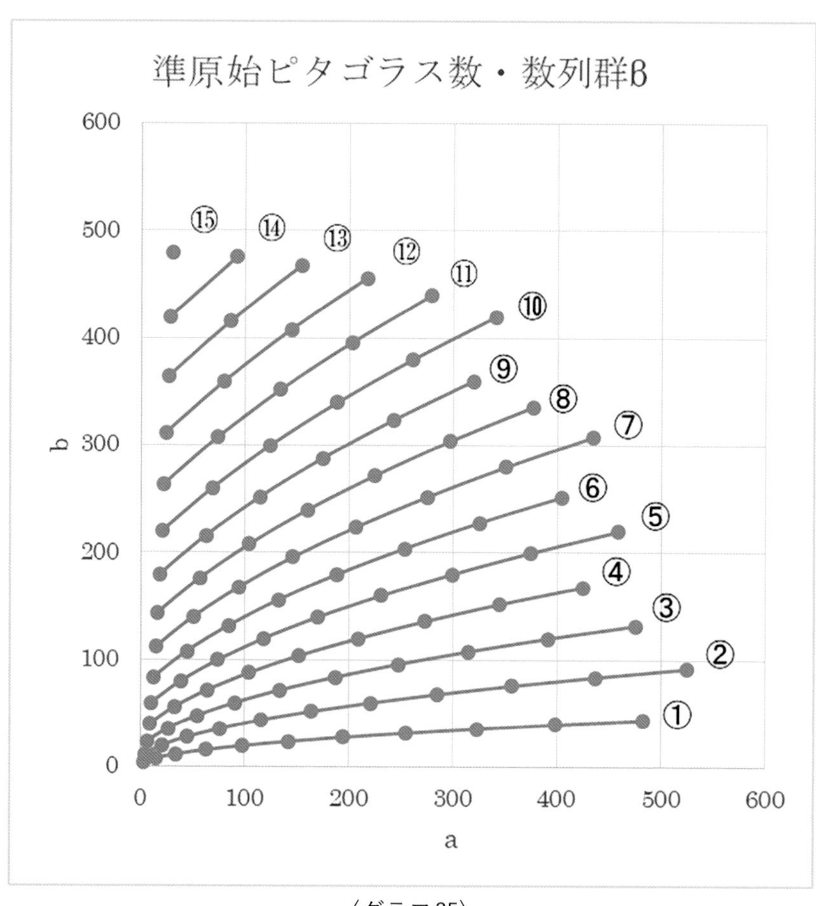

〈グラフ35〉

数列群βの各数列の一般項を算出する

数列群αと同様の方法で数列①〜⑩のa, b, cについて数列の一般項を算出した。下記〈表109〉に結果を示す。

〈表109〉

										一般項
①	a	3	15	35	63	99	143	195	255	4n(n+0)-1
	b	4	8	12	16	20	24	28	32	2(2n+0)
	c	5	17	37	65	101	145	197	257	4n(n+0)+1
②	a	5	21	45	77	117	165	221	285	4n(n+1)-3
	b	12	20	28	36	44	52	60	68	4(2n+1)
	c	13	29	53	85	125	173	229	293	4n(n+1)+5
③	a	7	27	55	91	135	187	247	315	4n(n+2)-5
	b	24	36	48	60	72	84	96	108	6(2n+2)
	c	25	45	73	109	153	205	265	333	4n(n+2)+13
④	a	9	33	65	105	153	209	273	345	4n(n+3)-7
	b	40	56	72	88	104	120	136	152	8(2n+3)
	c	41	65	97	137	185	241	305	377	4n(n+3)+25
⑤	a	11	39	75	119	171	231	299	375	4n(n+4)-9
	b	60	80	100	120	140	160	180	200	10(2n+4)
	c	61	89	125	169	221	281	349	425	4n(n+4)+41
⑥	a	13	45	85	133	189	253	325	405	4n(n+5)-11
	b	84	108	132	156	180	204	228	252	12(2n+5)
	c	85	117	157	205	261	325	397	477	4n(n+5)+61
⑦	a	15	51	95	147	207	275	351	435	4n(n+6)-13
	b	112	140	168	196	224	252	280	308	14(2n+6)
	c	113	149	193	245	305	373	449	533	4n(n+6)+85
⑧	a	17	57	105	161	225	297	377		4n(n+7)-15
	b	144	176	208	240	272	304	336		16(2n+7)
	c	145	185	233	289	353	425	505		4n(n+7)+113
⑨	a	19	63	115	175	243	319			4n(n+8)-17
	b	180	216	252	288	324	360			18(2n+8)
	c	181	225	277	337	405	481			4n(n+8)+145
⑩	a	21	69	125	189	261	341			4n(n+9)-19
	b	220	260	300	340	380	420			20(2n+9)
	c	221	269	325	389	461	541			4n(n+9)+181

（注）一般項は薄青色で着色。

数列群βの
一般項の係数を解析する

～数列別にまとめる～

前項では数列群βの各数列のa, b, cについて数列の一般項を算出し表にした。一方、一般項を数列$\{a_n\}$, 数列$\{b_n\}$, 数列$\{c_n\}$別にまとめると下記〈表110〉のようになる。表から一般項の係数の変化にも規則性が見られ（変化の係数を青色で着色)、解析すると〈表111〉に示すように数列番号に対して数列の変化になっている。

〈表110〉

番号	数列$\{a_n\}$	数列$\{b_n\}$	数列$\{c_n\}$
①	$4n(n+0)-1$	$2(2n+0)$	$4n(n+0)+1$
②	$4n(n+1)-3$	$4(2n+1)$	$4n(n+1)+5$
③	$4n(n+2)-5$	$6(2n+2)$	$4n(n+2)+13$
④	$4n(n+3)-7$	$8(2n+3)$	$4n(n+3)+25$
⑤	$4n(n+4)-9$	$10(2n+4)$	$4n(n+4)+41$
⑥	$4n(n+5)-11$	$12(2n+5)$	$4n(n+5)+61$
⑦	$4n(n+6)-13$	$14(2n+6)$	$4n(n+6)+85$
⑧	$4n(n+7)-15$	$16(2n+7)$	$4n(n+7)+113$
⑨	$4n(n+8)-17$	$18(2n+8)$	$4n(n+8)+145$
⑩	$4n(n+9)-19$	$20(2n+9)$	$4n(n+9)+181$

各数列の係数をs, t, u, wとすると下記の〈表111〉のようになる。

〈表111〉

番号	数列$\{a_n\}$	数列$\{b_n\}$	数列$\{c_n\}$
m	$4n(n+s)-t$	$u(2n+s)$	$4n(n+s)+w$

（注）$s=m-1$、$t=2m-1$、$u=2m$、$w=2m(m-1)+1$、mは数列番号。

数列群γの数列別の番号表記

～右下に伸びる数列群～

４種類の数列群の内、右下に伸びる数列群γの各数列について①②③……と番号を下記〈グラフ36〉に示すように割り振った。

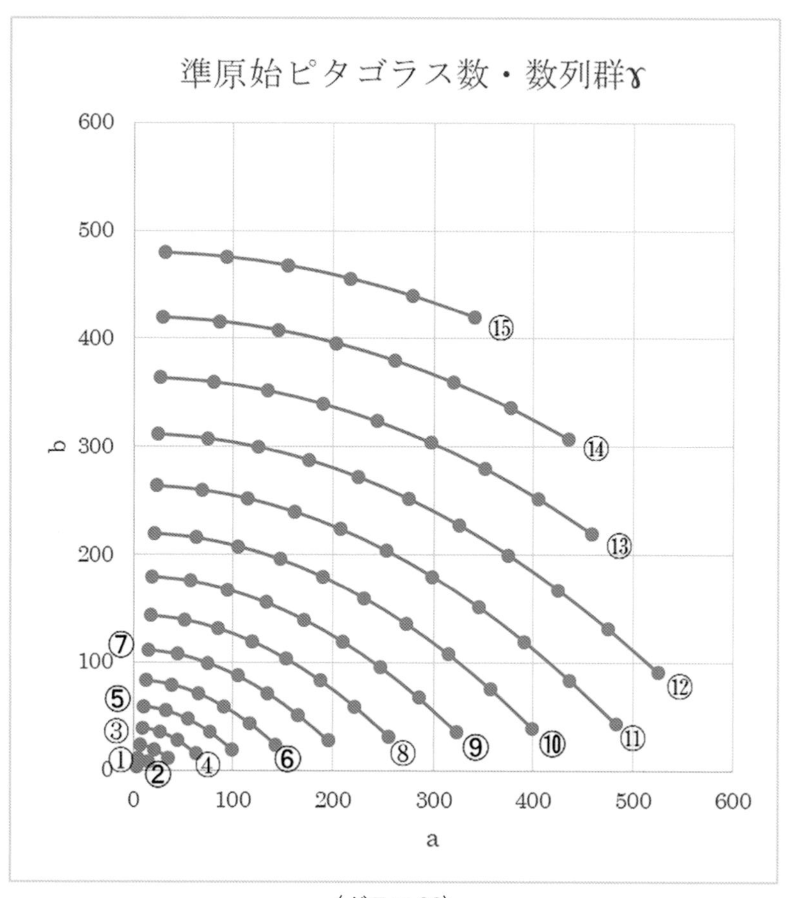

〈グラフ36〉

数列群γの各数列の一般項を算出する

数列群α , βと同様の方法で数列④〜⑬のa, b, cについて数列の一般項を算出した。下記〈表112〉に結果を示す。

〈表112〉

										一般項
④	a	9	27	45	63					9(2n-1)
	b	40	36	28	16					2n(1-n)+40
	c	41	45	53	65					2n(n-1)+41
⑤	a	11	33	55	77	99				11(2n-1)
	b	60	56	48	36	20				2n(1-n)+60
	c	61	65	73	85	101				2n(n-1)+61
⑥	a	13	39	65	91	117	143			13(2n-1)
	b	84	80	72	60	44	24			2n(1-n)+84
	c	85	89	97	109	125	145			2n(n-1)+85
⑦	a	15	45	75	105	135	165	195		15(2n-1)
	b	112	108	100	88	72	52	28		2n(1-n)+112
	c	113	117	125	137	153	173	197		2n(n-1)+113
⑧	a	17	51	85	119	153	187	221	255	17(2n-1)
	b	144	140	132	120	104	84	60	32	2n(1-n)+144
	c	145	149	157	169	185	205	229	257	2n(n-1)+145
⑨	a	19	57	95	133	171	209	247	285	19(2n-1)
	b	180	176	168	156	140	120	96	68	2n(1-n)+180
	c	181	185	193	205	221	241	265	293	2n(n-1)+181
⑩	a	21	63	105	147	189	231	273	315	21(2n-1)
	b	220	216	208	196	180	160	136	108	2n(1-n)+220
	c	221	225	233	245	261	281	305	333	2n(n-1)+221
⑪	a	23	69	115	161	207	253	299	345	23(2n-1)
	b	264	260	252	240	224	204	180	152	2n(1-n)+264
	c	265	269	277	289	305	325	349	377	2n(n-1)+265
⑫	a	25	75	125	175	225	275	325	375	25(2n-1)
	b	312	308	300	288	272	252	228	200	2n(1-n)+312
	c	313	317	325	337	353	373	397	425	2n(n-1)+313
⑬	a	27	81	135	189	243	297	351	405	27(2n-1)
	b	364	360	352	340	324	304	280	252	2n(1-n)+364
	c	365	369	377	389	405	425	449	477	2n(n-1)+365

（注）一般項は薄青色で着色。

数列群γの一般項の係数を解析する

～数列別にまとめる～

前項では数列群γの各数列のa, b, cについて数列の一般項を算出し表にした。一方、一般項を数列$\{a_n\}$, 数列$\{b_n\}$, 数列$\{c_n\}$別にまとめると下記〈表113〉のようになる。表から一般項の係数の変化にも規則性が見られ（変化の係数を青色で着色）、解析すると〈表114〉に示すように数列番号に対して数列の変化になっている。

〈表113〉

番号	数列 $\{a_n\}$	数列 $\{b_n\}$	数列 $\{c_n\}$
④	$9(2n-1)$	$2n(1-n)+40$	$2n(n-1)+41$
⑤	$11(2n-1)$	$2n(1-n)+60$	$2n(n-1)+61$
⑥	$13(2n-1)$	$2n(1-n)+84$	$2n(n-1)+85$
⑦	$15(2n-1)$	$2n(1-n)+112$	$2n(n-1)+113$
⑧	$17(2n-1)$	$2n(1-n)+144$	$2n(n-1)+145$
⑨	$19(2n-1)$	$2n(1-n)+180$	$2n(n-1)+181$
⑩	$21(2n-1)$	$2n(1-n)+220$	$2n(n-1)+221$
⑪	$23(2n-1)$	$2n(1-n)+264$	$2n(n-1)+265$
⑫	$25(2n-1)$	$2n(1-n)+312$	$2n(n-1)+313$
⑬	$27(2n-1)$	$2n(1-n)+364$	$2n(n-1)+365$

各数列の係数をv, x, yとすると下記の〈表114〉のようになる。

〈表114〉

番号	数列 $\{a_n\}$	数列 $\{b_n\}$	数列 $\{c_n\}$
m	$v(2n-1)$	$2n(1-n)+x$	$2n(n-1)+y$

（注）$v=2m+1$、$x=2m(m+1)$、$y=2m(m+1)+1$、mは数列番号。

数列群δの
数列別の番号表記

～下に伸びる数列群～

４種類の数列群の内、下に伸びる数列群δの各数列について①②③……と番号を下記〈グラフ37〉に示すように割り振った。

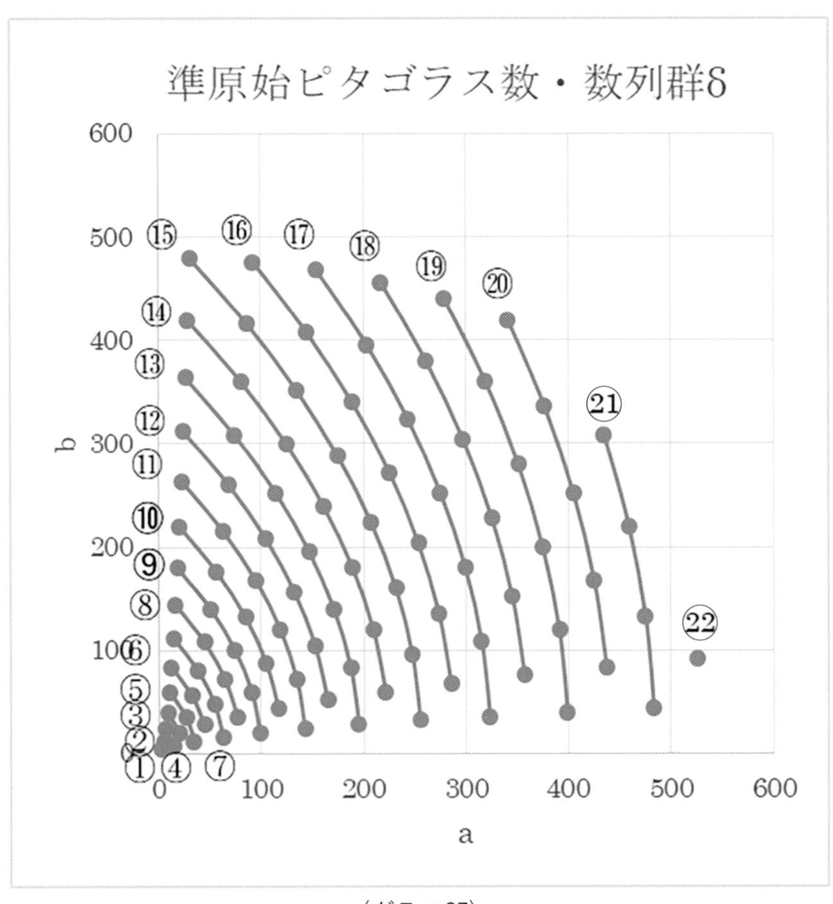

〈グラフ37〉

数列群δの各数列の一般項を算出する

数列群α, β, γと同様の方法で数列⑦～⑮のa, b, cについて数列の一般項を算出した。下記〈表115〉に結果を示す。

〈表115〉

										一般項
⑦	a	15	39	55	63					4n(9−n)−17
	b	112	80	48	16					4(36−8n)
	c	113	89	73	65					4n(n−9)+145
⑧	a	17	45	65	77					4n(10−n)−19
	b	144	108	72	36					4(45−9n)
	c	145	117	97	85					4n(n−10)+181
⑨	a	19	51	75	91	99				4n(11−n)−21
	b	180	140	100	60	20				4(55−10n)
	c	181	149	125	109	101				4n(n−11)+221
⑩	a	21	57	85	105	117				4n(12−n)−23
	b	220	176	132	88	44				4(66−11n)
	c	221	185	157	137	125				4n(n−12)+265
⑪	a	23	63	95	119	135	143			4n(13−n)−25
	b	264	216	168	120	72	24			4(78−12n)
	c	265	225	193	169	153	145			4n(n−13)+313
⑫	a	25	69	105	133	153	165			4n(14−n)−27
	b	312	260	208	156	104	52			4(91−13n)
	c	313	269	233	205	185	173			4n(n−14)+365
⑬	a	27	75	115	147	171	187	195		4n(15−n)−29
	b	364	308	252	196	140	84	28		4(105−14n)
	c	365	317	277	245	221	205	197		4n(n−15)+421
⑭	a	29	81	125	161	189	209	221		4n(16−n)−31
	b	420	360	300	240	180	120	60		4(120−15n)
	c	421	369	325	289	261	241	229		4n(n−16)+481
⑮	a	31	87	135	175	207	231	247	255	4n(17−n)−33
	b	480	416	352	288	224	160	96	32	4(136−16n)
	c	481	425	377	337	305	281	265	257	4n(n−17)+545

数列群δの
一般項の係数を解析する

～数列別にまとめる～

前項では数列群δの各数列のa, b, cについて数列の一般項を算出し表にした。一方、一般項を数列$\{a_n\}$, 数列$\{b_n\}$, 数列$\{c_n\}$別にまとめると下記〈表116〉のようになる。表から一般項の係数の変化にも規則性が見られ（変化の係数を青色で着色）、解析すると〈表117〉に示すように数列番号に対して数列の変化になっている。

〈表116〉

番号	数列 $\{a_n\}$	数列 $\{b_n\}$	数列 $\{c_n\}$
⑦	$4n(9-n)-17$	$4(36-8n)$	$4n(n-9)+145$
⑧	$4n(10-n)-19$	$4(45-9n)$	$4n(n-10)+181$
⑨	$4n(11-n)-21$	$4(55-10n)$	$4n(n-11)+221$
⑩	$4n(12-n)-23$	$4(66-11n)$	$4n(n-12)+265$
⑪	$4n(13-n)-25$	$4(78-12n)$	$4n(n-13)+313$
⑫	$4n(14-n)-27$	$4(91-13n)$	$4n(n-14)+365$
⑬	$4n(15-n)-29$	$4(105-14n)$	$4n(n-15)+421$
⑭	$4n(16-n)-31$	$4(120-15n)$	$4n(n-16)+481$
⑮	$4n(17-n)-33$	$4(136-16n)$	$4n(n-17)+545$

数列の係数をr, f, g, z, h, iとすると下記の〈表117〉のようになる。

〈表117〉

番号	数列 $\{a_n\}$	数列 $\{b_n\}$	数列 $\{c_n\}$
m	$4n(r-n)-f$	$4(g-zn)$	$4n(n-h)+i$

（注）$r=m+2$、$f=2m+3$、$g=(1/2)m(m+3)+1$、$z=m+1$、$h=m+2$、$i=2m(m+3)+5$、mは数列番号。

準原始ピタゴラス数作成表と数列群δの各数列表

〜両者は同一〜

下記上段〈表118〉は $m=8$〜11までの準原始ピタゴラス数作成表である。一方、下段の〈表119〉は数列群δ・⑦〜⑩の表である。両者の表を比べると、$m=8$と⑦、$m=9$と⑧、$m=10$と⑨、$m=11$と⑩において a, b, c の一致が確認される。

〈表118〉準原始ピタゴラス数作成表（m＝8〜11）

m	n	a	b	c
8	1	63	16	65
	3	55	48	73
	5	39	80	89
	7	15	112	113
9	2	77	36	85
	4	65	72	97
	6	45	108	117
	8	17	144	145

m	n	a	b	c
10	1	99	20	101
	3	91	60	109
	5	75	100	125
	7	51	140	149
	9	19	180	181
11	2	117	44	125
	4	105	88	137
	6	85	132	157
	8	57	176	185
	10	21	220	221

〈表119〉数列群δ・⑦〜⑩の表（詳細は前々頁参照）

⑦	a	15	39	55	63	
	b	112	80	48	16	
	c	113	89	73	65	
⑧	a	17	45	65	77	
	b	144	108	72	36	
	c	145	117	97	85	
⑨	a	19	51	75	91	99
	b	180	140	100	60	20
	c	181	149	125	109	101
⑩	a	21	57	85	105	117
	b	220	176	132	88	44
	c	221	185	157	137	125

下記左の〈グラフ38〉は前頁〈表118〉を m の値別にグラフ化したものである。一方、下記右の〈グラフ39〉は前頁〈表119〉の数列群 δ・⑦～⑩をグラフ化したもので、両者のグラフの一致が確認される。

両者の表とグラフの一致から、数列群 δ は準原始ピタゴラス数作成表が反映された数列であると言える。

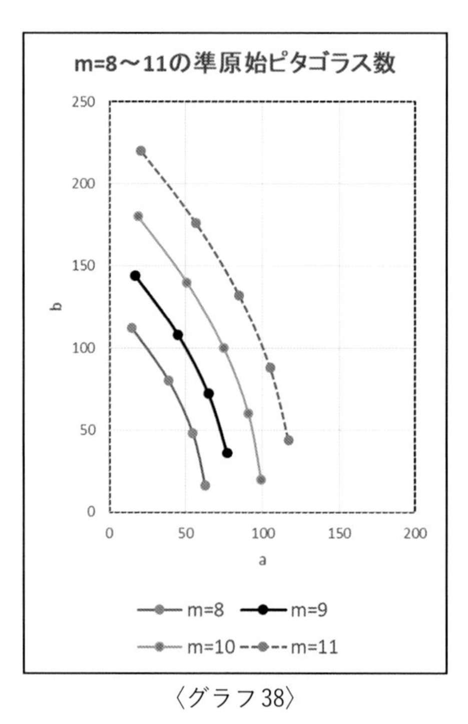

〈グラフ38〉

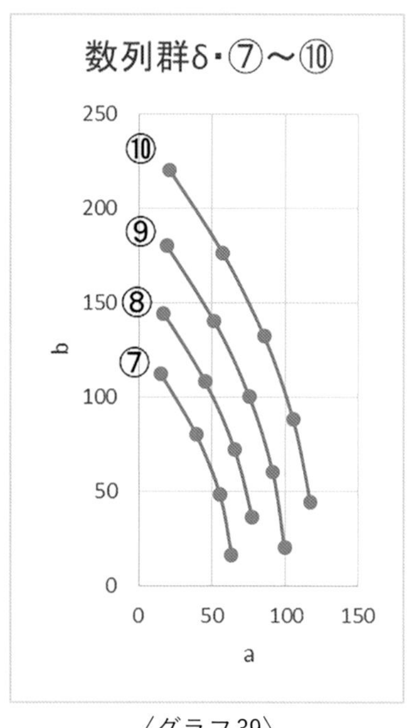

〈グラフ39〉

数列群を重ねる $\alpha+\beta+\gamma+\delta$

〜幾何模様の出現〜

これまで４種類の数列群 α, β, γ, δ 内の数列の一般項を求めることにより数列群の規則性を確認してきた。

今回は４種類の数列群を順次重ね合わせた。この結果、規則的な各数列群の結びつきが幾何模様の図形として得られた（下記グラフ40参照）。

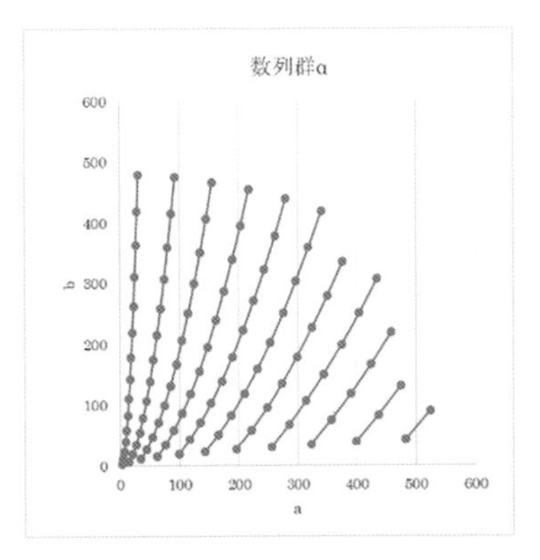

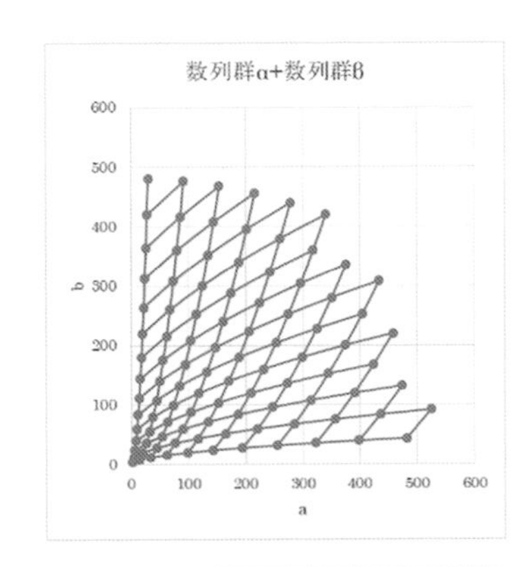

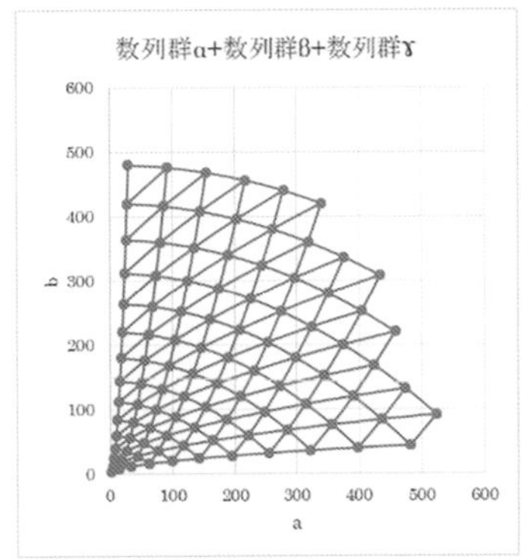

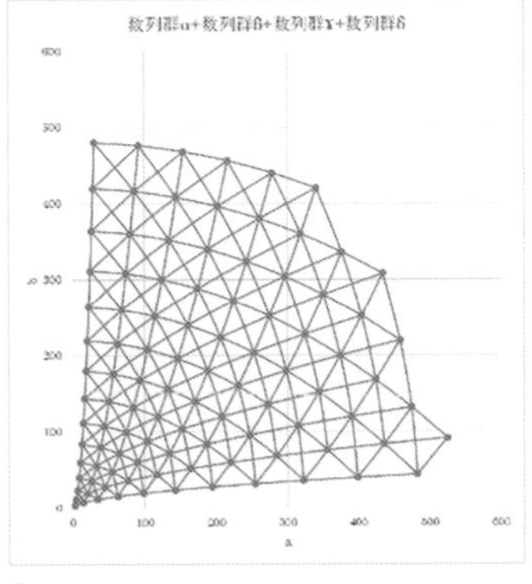

〈グラフ40〉

前頁の数列群を４種類重ね合わせたグラフを下記に〈グラフ41〉として拡大し再掲載する。

グラフから準原始ピタゴラス数の各座標点は線で結ばれた４種類の数列（α, β, γ, δ）の交点にもなっていることが分かる。

各座標点は周囲の座標点８個と規則性を持って密接に結びついていることが線分の結びつきから確認される。

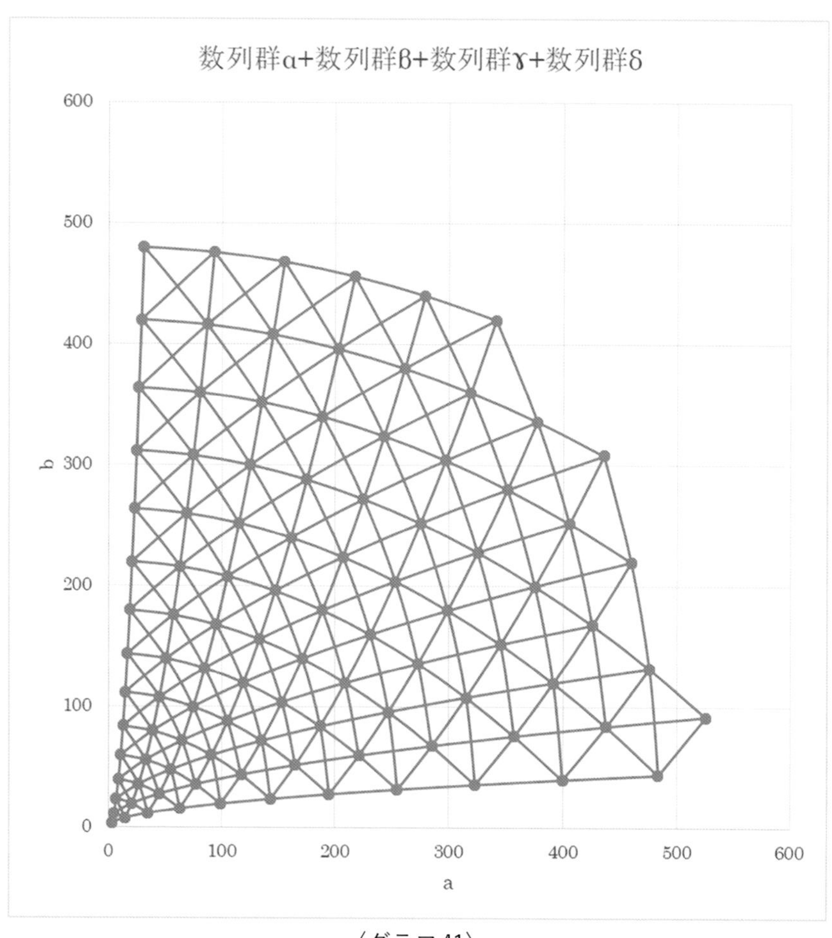

〈グラフ41〉

第8章

ピタゴラス数の
散布図と位別の分類

ピタゴラス数の散布図
条件①の緩和へ

～第２の散布図～

本書では下記の公式と条件を基にしているので再確認する。
ピタゴラス数 (a, b, c) は下記の公式により算出される。

$(m^2-n^2)^2+(2mn)^2=(m^2+n^2)^2$　m, n は自然数で $m>n>0$
$a=m^2-n^2$　$b=2mn$　$c=m^2+n^2$ から $a^2+b^2=c^2$

原始ピタゴラス数 (a, b, c) は更に下記の２条件が必要である。

① m と n は一方が偶数で他方が奇数
② m と n は互いに素

第6章では原始ピタゴラス数 (a, b, c) を直行座標軸 a, b の点と考え、c を基準として昇順に座標 (a, b) をプロットすると散布図が得られた。しかし、この散布図は規則的な配列ではあるが欠損座標があった。この欠損座標の穴埋めには原始ピタゴラスの２条件の内、条件②の「m と n は互いに素」の条件を緩和することが必要であることが分かり、緩和により欠損座標は穴埋めされ、規則正しい散布図が得られた（128頁〈グラフ5〉参照）。緩和したピタゴラス数を「準原始ピタゴラス数」とし「原始ピタゴラス数」と区別した。「原始ピタゴラス数」を条件②の緩和で「準原始ピタゴラス数」にすることにより規則正しい散布図が得られたが、本章では更に原始ピタゴラス数の条件①の「m と n は一方が偶数で他方が奇数」も緩和し、その散布図について考察する。

手順として、ピタゴラス数の表を作成し（次頁〈表120〉参照）、次に斜辺 c を基準に昇順位が確定したピタゴラス数の表を作成した（次々頁〈表121〉）。作成した表を基にピタゴラス数100個の散布図を完成させた（207頁〈グラフ42〉参照）。

〈表 120〉

m	n	a	b	c
2	1	3	4	5
3	1	8	6	10
	2	5	12	13
4	1	15	8	17
	2	12	16	20
	3	7	24	25
5	1	24	10	26
	2	21	20	29
	3	16	30	34
	4	9	40	41
6	1	35	12	37
	2	32	24	40
	3	27	36	45
	4	20	48	52
	5	11	60	61
7	1	48	14	50
	2	45	28	53
	3	40	42	58
	4	33	56	65
	5	24	70	74
	6	13	84	85
8	1	63	16	65
	2	60	32	68
	3	55	48	73
	4	48	64	80
	5	39	80	89
	6	28	96	100
	7	15	112	113
9	1	80	18	82
	2	77	36	85
	3	72	54	90
	4	65	72	97
	5	56	90	106
	6	45	108	117
	7	32	126	130
	8	17	144	145
10	1	99	20	101
	2	96	40	104
	3	91	60	109
	4	84	80	116

m	n	a	b	c
10	5	75	100	125
	6	64	120	136
	7	51	140	149
	8	36	160	164
	9	19	180	181
11	1	120	22	122
	2	117	44	125
	3	112	66	130
	4	105	88	137
	5	96	110	146
	6	85	132	157
	7	72	154	170
	8	57	176	185
	9	40	198	202
	10	21	220	221
12	1	143	24	145
	2	140	48	148
	3	135	72	153
	4	128	96	160
	5	119	120	169
	6	108	144	180
	7	95	168	193
	8	80	192	208
	9	63	216	225
	10	44	240	244
	11	23	264	265
13	1	168	26	170
	2	165	52	173
	3	160	78	178
	4	153	104	185
	5	144	130	194
	6	133	156	205
	7	120	182	218
	8	105	208	233
	9	88	234	250
	10	69	260	269
	11	48	286	290
	12	25	312	313
14	1	195	28	197
	2	192	56	200

m	n	a	b	c
14	3	187	84	205
	4	180	112	212
	5	171	140	221
	6	160	168	232
	7	147	196	245
	8	132	224	260
	9	115	252	277
	10	96	280	296
	11	75	308	317
	12	52	336	340
	13	27	364	365
15	1	224	30	226
	2	221	60	229
	3	216	90	234
	4	209	120	241
	5	200	150	250
	6	189	180	261
	7	176	210	274
	8	161	240	289
	9	144	270	306
	10	125	300	325
	11	104	330	346
	12	81	360	369
	13	56	390	394
	14	29	420	421
16	1	255	32	257
	2	252	64	260
	3	247	96	265
	4	240	128	272
	5	231	160	281
	6	220	192	292
	7	207	224	305
	8	192	256	320
	9	175	288	337
	10	156	320	356
	11	135	352	377
	12	112	384	400
	13	87	416	425
	14	60	448	452
	15	31	480	481
17	1	288	34	290

（注）表中の薄青色は条件①の緩和対象。

〈表121〉昇順位が確定したピタゴラス数100個

m	n	a	b	c
2	1	3	4	5
3	1	8	6	10
3	2	5	12	13
4	1	15	8	17
4	2	12	16	20
4	3	7	24	25
5	1	24	10	26
5	2	21	20	29
5	3	16	30	34
6	1	35	12	37
6	2	32	24	40
5	4	9	40	41
6	3	27	36	45
7	1	48	14	50
6	4	20	48	52
7	2	45	28	53
7	3	40	42	58
6	5	11	60	61
7	4	33	56	65
8	1	63	16	65
8	2	60	32	68
8	3	55	48	73
7	5	24	70	74
8	4	48	64	80
9	1	80	18	82
7	6	13	84	85
9	2	77	36	85
8	5	39	80	89
9	3	72	54	90
9	4	65	72	97
8	6	28	96	100
10	1	99	20	101
10	2	96	40	104
9	5	56	90	106

m	n	a	b	c
10	3	91	60	109
8	7	15	112	113
10	4	84	80	116
9	6	45	108	117
11	1	120	22	122
10	5	75	100	125
11	2	117	44	125
9	7	32	126	130
11	3	112	66	130
10	6	64	120	136
11	4	105	88	137
9	8	17	144	145
12	1	143	24	145
11	5	96	110	146
12	2	140	48	148
10	7	51	140	149
12	3	135	72	153
11	6	85	132	157
12	4	128	96	160
10	8	36	160	164
12	5	119	120	169
11	7	72	154	170
13	1	168	26	170
13	2	165	52	173
13	3	160	78	178
12	6	108	144	180
10	9	19	180	181
11	8	57	176	185
13	4	153	104	185
12	7	95	168	193
13	5	144	130	194
14	1	195	28	197
14	2	192	56	200
11	9	40	198	202

m	n	a	b	c
13	6	133	156	205
14	3	187	84	205
12	8	80	192	208
14	4	180	112	212
13	7	120	182	218
11	10	21	220	221
14	5	171	140	221
12	9	63	216	225
15	1	224	30	226
15	2	221	60	229
14	6	160	168	232
13	8	105	208	233
15	3	216	90	234
15	4	209	120	241
12	10	44	240	244
14	7	147	196	245
13	9	88	234	250
15	5	200	150	250
16	1	255	32	257
14	8	132	224	260
16	2	252	64	260
15	6	189	180	261
12	11	23	264	265
16	3	247	96	265
13	10	69	260	269
16	4	240	128	272
15	7	176	210	274
14	9	115	252	277
16	5	231	160	281
15	8	161	240	289
13	11	48	286	290
17	1	288	34	290

（注）表中の薄青色は条件①の緩和対象。

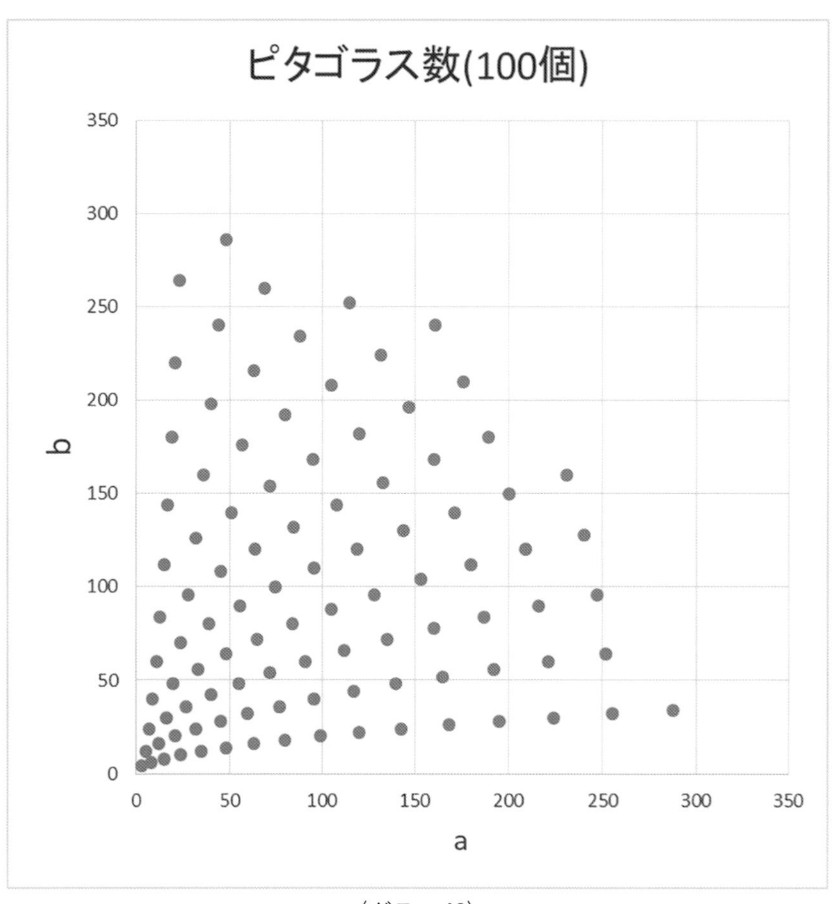
ピタゴラス数(100個)
350
300
250
200
150
100
50
0
b
0
50
100
150
200
250
300
350
a

〈グラフ42〉

準原始ピタゴラス数と追加されたピタゴラス数

～散布図の色分け～

前頁掲載の原始ピタゴラス数の２条件が全く無いピタゴラス数の散布図は準原始ピタゴラス数の散布図（128頁参照）と同じく規則的に配置されている。

ピタゴラス数の散布図は、準原始ピタゴラス数の散布図に緩和によって新たに算出されたピタゴラス数が加わったものである。この経緯を示したのが次頁の〈グラフ43〉の散布図で、準原始ピタゴラス数の座標（青色）に新たに加えられたピタゴラス数（黒色）の座標を加えている。

次頁のグラフから、新たに加えられたピタゴラス数の座標は準原始ピタゴラス数の座標の間に調和する形で分布していることが分かる。

Excel使用の計算ポイントⅤ

●散布図のグループ別の色分け方法

横軸ａの値は同じ列、縦軸ｂの値は下記のように列を変えて散布図の範囲を指定し、散布図を作成する。

横軸(a)	縦軸b)	
	グループ1	グループ2
3	4	
5	12	
15	8	
8		6
12		16
24		10

⇒
範囲指定

横軸(a)	縦軸b)	
	グループ1	グループ2
3	4	
5	12	
15	8	
8		6
12		16
24		10

20
15
10
5
0
0 10 20 30
●グループ1 ■グループ2

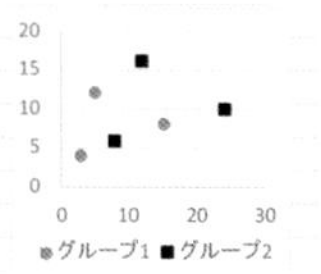

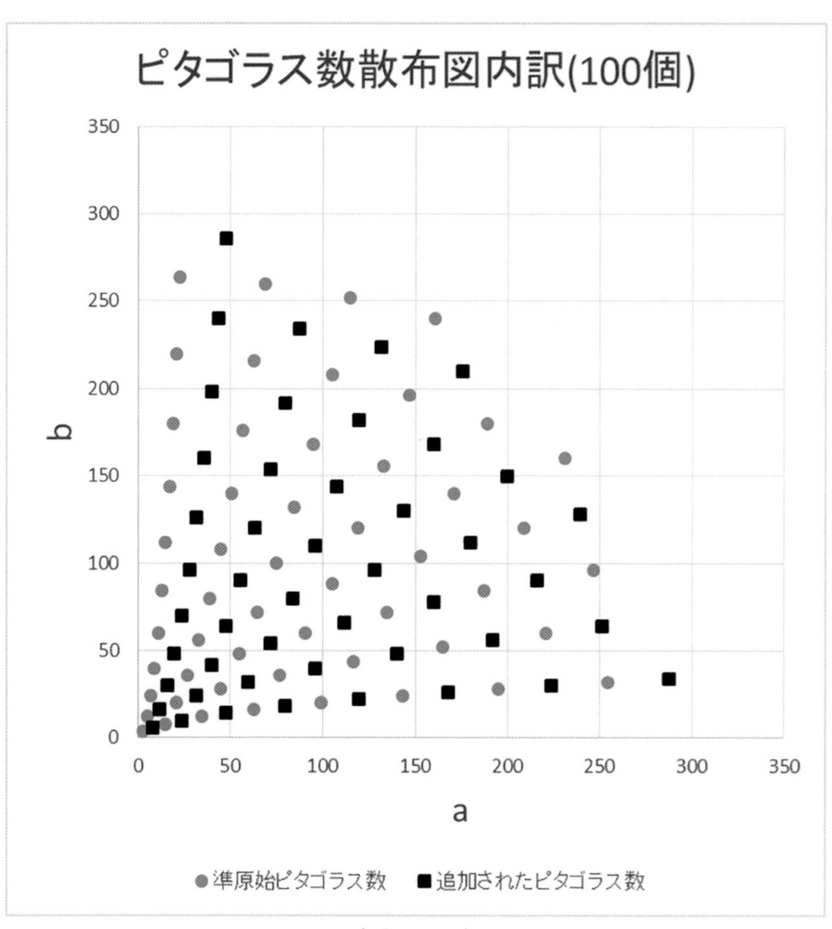
ピタゴラス数散布図内訳(100個)
350
300
250
200
150
100
50
0
b
0
50
100
150
200
250
300
350
a
準原始ピタゴラス数
追加されたピタゴラス数

〈グラフ43〉

座標未知の線分の交点に黒丸で印を付ける

前章では準原始ピタゴラス数４種類の数列群α, β, γ, δ内の各数列を線分で結び４種類の線分を重ね合わせ幾何模様の図形を得ている(202頁の〈グラフ41〉参照)。

この幾何模様の図形において、準原始ピタゴラス数の各座標は線で結ばれた４種類の数列（α, β, γ, δ）の交点にもなっていることが確認されたが、一方、線分の交点でありながら座標未知の部分も多数存在していた。この座標未知の線分の交点に黒丸で印をつけたのが下記〈グラフ44〉である。

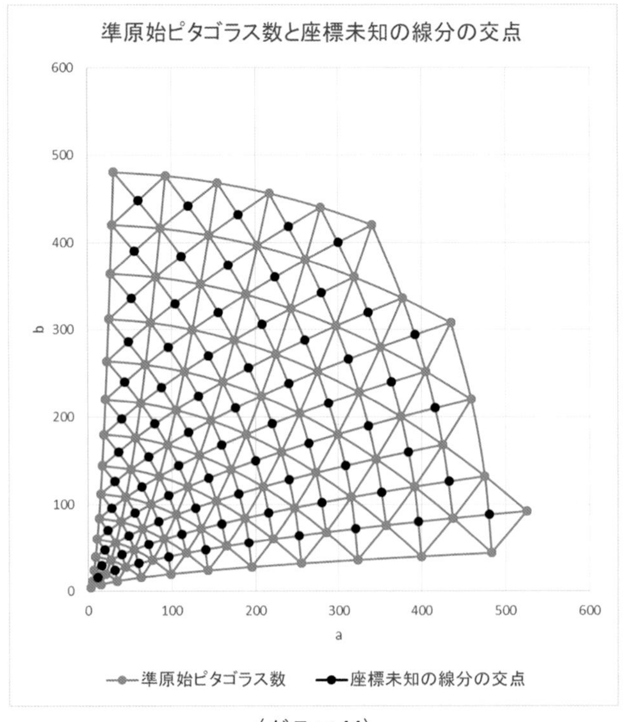

〈グラフ44〉

準原始ピタゴラス数と
座標未知の線分の交点

～両者の近似～

前頁〈グラフ44〉で●を付けた座標未知の線分の交点と、前々頁〈グラフ43〉で新に加えられたピタゴラス数の座標（■印の部分）を比べると両者は非常に近似していることが分かる（下記に再掲載）。

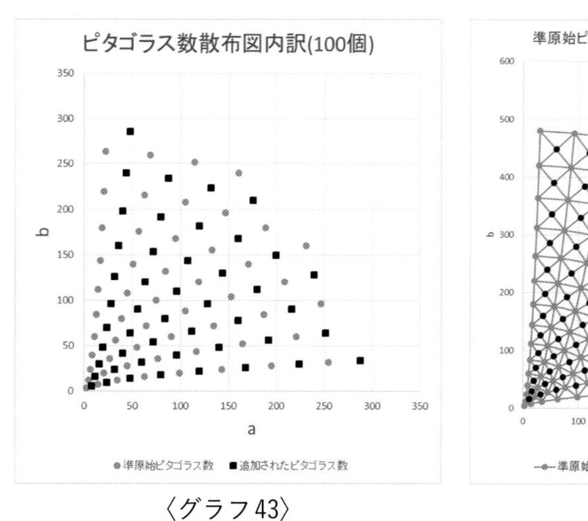

〈グラフ43〉

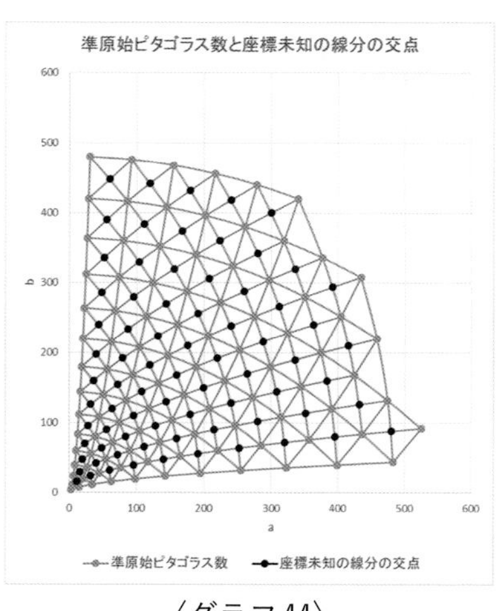

〈グラフ44〉

両者が同一の座標であることの確認は右の〈グラフ44〉の座標未知の交点（●）の座標を確定し、その座標が左の〈グラフ43〉で追加された■の座標と同一であれば良い。

座標未知の線分の交点の座標を求める

〜交点を囲む４座標の平均〜

下記〈グラフ45〉は〈グラフ44〉の左側２列の数列部分を抜き出し、準原始ピタゴラス数の座標の数値を吹き出しで表示している。一方、〈グラフ46〉は〈グラフ43〉の左側３列を主に座標の数値を吹き出しにより表示している。

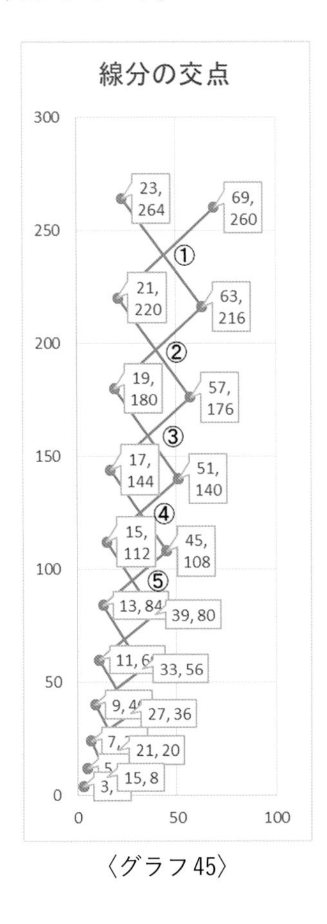

〈グラフ45〉

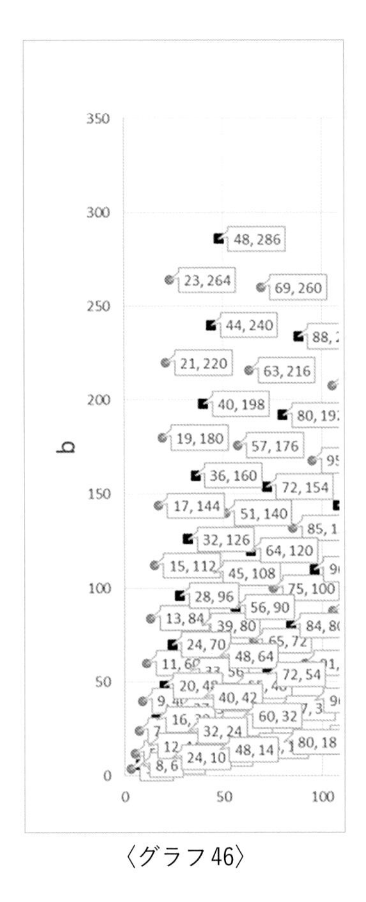

〈グラフ46〉

前頁〈グラフ45〉の数列の線分は数列を区分するために引いた線であり、方程式の線分とは異なるためこの方法では座標を確定できない。線分の交点の座標を求める方法として、交点を囲む４個の準原始ピタゴラス数の座標を平均する方法を採用した。線分の交点①, ②, ③, ④, ⑤の各々について座標を算出、計算結果を下記に示す。

〈交点①の座標の算出〉

$a=(23+21+63+69)/4=44$　　$a=44$

$b=(264+220+216+260)/4=240$　　$b=240$

〈交点②の座標の算出〉

$a=(21+19+57+63)/4=40$　　$a=40$

$b=(220+180+176+216)/4=198$　　$b=198$

〈交点③の座標の算出〉

$a=(19+17+51+57)/4=36$　　$a=36$

$b=(180+144+140+176)/4=160$　　$b=160$

〈交点④の座標の算出〉

$a=(17+15+45+51)/4=32$　　$a=32$

$b=(144+112+108+140)/4=126$　　$b=126$

〈交点⑤の座標の算出〉

$a=(15+13+39+45)/4=28$　　$a=28$

$b=(112+84+80+108)/4=96$　　$b=96$

計算により算出された線分の交点①, ②, ③, ④, ⑤の各々の座標の値に対して、〈グラフ46〉で対応する■（追加されたピタゴラス数）の座標の吹き出しの値を比較すると一致が確認される。従って、線分の交点は追加されたピタゴラス数の座標を示している。

散布図の模様を楽しむ⑥
ピタゴラス数、一の位で分類する

～散布図のパターンは５種類～

第６章では準原始ピタゴラス数において、斜辺 c の数値を位別に分類し、その散布図の変化について見た。本項目ではまずピタゴラス数を一の位で分類した散布図について見る。

準原始ピタゴラス数の一の位は奇数であるので、1, 3, 5, 7, 9の５種類であった。一方、ピタゴラス数の場合は奇数に限定されないため分類は1, 2, 3, 4, 5, 6, 7, 8, 9, 0の10種類となる。

昇順位が確定したピタゴラス数1300個を用意し、これを一の位10種類にふるい分け、各分類100個の散布図を作成した。

散布図の基となるピタゴラス数の分類表は一の位の「１」を代表として次頁〈表123〉として掲載した。また、表から作成した散布図を次々頁以降に〈グラフ47-1～2〉として掲載した。比較のために準原始ピタゴラス数の一の位1, 3, 5, 7, 9について〈グラフ48〉に再掲載した。

グラフからピタゴラス数の位10種類の散布図のパターンは準原始ピタゴラス数の一の位５種類のいずれかに集約されていることが分かった。

まとめると下記表〈表122〉のようになる。

〈表122〉散布図の一の位の同一パターン比較

準原始ピタゴラス数	ピタゴラス数	
1	1	6
3	3	8
5	5	10
7	7	2
9	9	4

〈表123〉

m	n	a	b	c
5	4	9	40	41
6	5	11	60	61
10	1	99	20	101
10	9	19	180	181
11	10	21	220	221
14	5	171	140	221
15	4	209	120	241
15	6	189	180	261
16	5	231	160	281
20	1	399	40	401
15	14	29	420	421
19	10	261	380	461
16	15	31	480	481
20	9	319	360	481
20	11	279	440	521
21	10	341	420	541
24	5	551	240	601
25	4	609	200	641
25	6	589	300	661
26	5	651	260	701
20	19	39	760	761
24	15	351	720	801
25	14	429	700	821
21	20	41	840	841
25	16	369	800	881
26	15	451	780	901
30	1	899	60	901
29	10	741	580	941
30	9	819	540	981
30	11	779	660	1021
31	10	861	620	1061
34	5	1131	340	1181
25	24	49	1200	1201
29	20	441	1160	1241

m	n	a	b	c
35	4	1209	280	1241
30	19	539	1140	1261
35	6	1189	420	1261
26	25	51	1300	1301
36	5	1271	360	1321
30	21	459	1260	1341
31	20	561	1240	1361
34	15	931	1020	1381
35	14	1029	980	1421
35	16	969	1120	1481
36	15	1071	1080	1521
40	1	1599	80	1601
39	10	1421	780	1621
40	9	1519	720	1681
40	11	1479	880	1721
30	29	59	1740	1741
34	25	531	1700	1781
41	10	1581	820	1781
35	24	649	1680	1801
31	30	61	1860	1861
35	26	549	1820	1901
36	25	671	1800	1921
39	20	1121	1560	1921
40	19	1239	1520	1961
44	5	1911	440	1961
40	21	1159	1680	2041
45	4	2009	360	2041
45	6	1989	540	2061
41	20	1281	1640	2081
46	5	2091	460	2141
44	15	1711	1320	2161
45	14	1829	1260	2221
45	16	1769	1440	2281
46	15	1891	1380	2341

m	n	a	b	c
35	34	69	2380	2381
39	30	621	2340	2421
40	29	759	2320	2441
49	10	2301	980	2501
50	1	2499	100	2501
36	35	71	2520	2521
40	31	639	2480	2561
44	25	1311	2200	2561
41	30	781	2460	2581
50	9	2419	900	2581
45	24	1449	2160	2601
50	11	2379	1100	2621
45	26	1349	2340	2701
51	10	2501	1020	2701
46	25	1491	2300	2741
49	20	2001	1960	2801
50	19	2139	1900	2861
50	21	2059	2100	2941
54	5	2891	540	2941
51	20	2201	2040	3001
55	4	3009	440	3041
55	6	2989	660	3061
40	39	79	3120	3121
54	15	2691	1620	3141
44	35	711	3080	3161
56	5	3111	560	3161
45	34	869	3060	3181
55	14	2829	1540	3221
41	40	81	3280	3281
55	16	2769	1760	3281
49	30	1501	2940	3301
45	36	729	3240	3321
46	35	891	3220	3341
50	29	1659	2900	3341

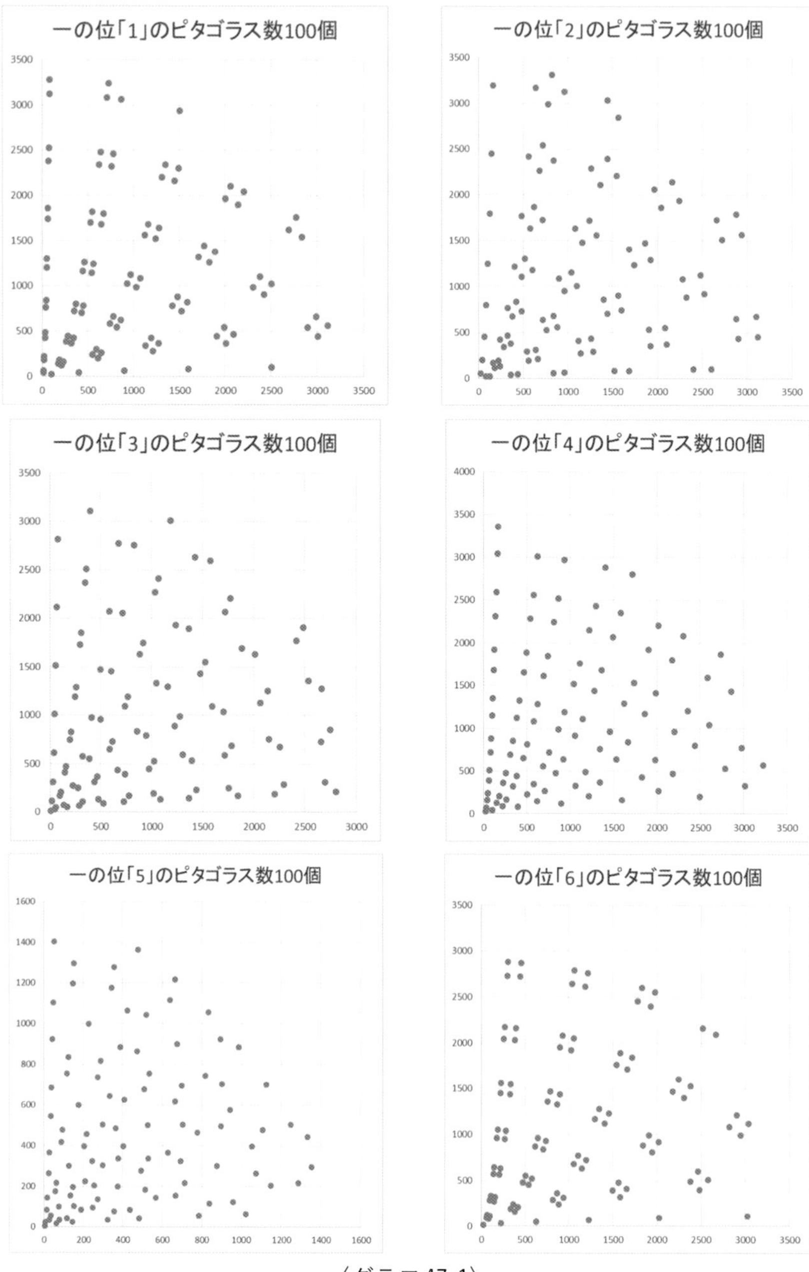
一の位「1」のピタゴラス数100個
一の位「2」のピタゴラス数100個
一の位「3」のピタゴラス数100個
一の位「4」のピタゴラス数100個
一の位「5」のピタゴラス数100個
一の位「6」のピタゴラス数100個

〈グラフ47-1〉

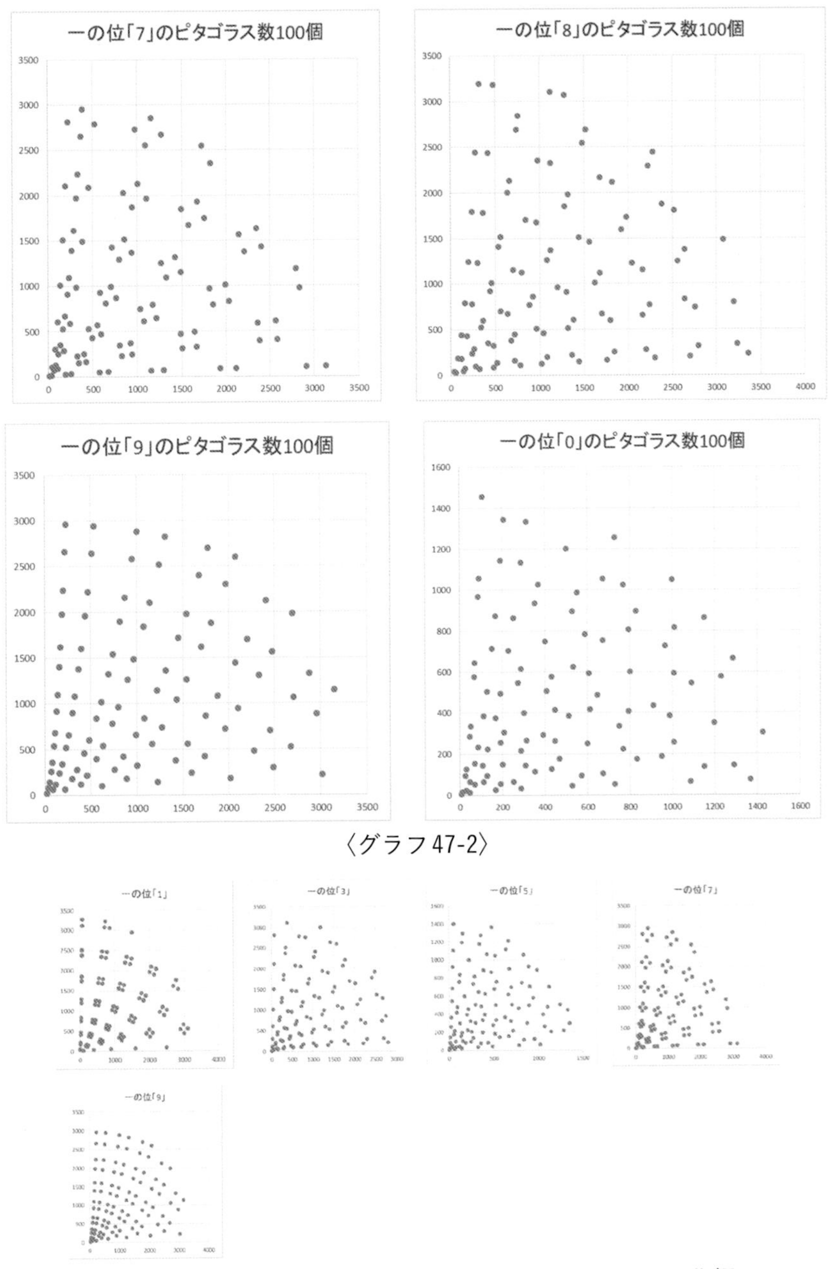

〈グラフ47-2〉

〈グラフ48〉準原始ピタゴラス数、一の位1, 3, 5, 7, 9の分類

散布図の模様を楽しむ⑦ ピタゴラス数、十の位で分類する

～100個、500個、1000個の散布図の作成～

第６章では準原始ピタゴラス数において、斜辺 c の数値を一の位で分類した散布図を作成した。そして、一の位を組み合わせた25通りの散布図作成も試みた。ピタゴラス数の場合一の位は10個であるので組合せパターンは下記式に示すように1012通りの組合せとなり組合せは膨大となる。

$${}_{10}C_2+{}_{10}C_3+{}_{10}C_4+{}_{10}C_5+{}_{10}C_6+{}_{10}C_7+{}_{10}C_8+{}_{10}C_9$$
$$=45+120+210+252+210+120+45+10=1012$$

ピタゴラス数の場合、一の位の散布図のパターンが準原始ピタゴラス数の散布図の５パターンと同一であることもあり作成は見送った。

ピタゴラス数一の位の散布図のパターンは準原始ピタゴラス数と同一であったが、本項目ではピタゴラス数の十の位の散布図を作成し、準原始ピタゴラス数の場合と比較をした。

事前に昇順位が確定し、c の値が10以上のピタゴラス数12706個を用意した。これを c の十の位1, 2, 3, 4, 5, 6, 7, 8, 9, 0別にふるい分けをし、各々について100個、500個、1000個のピタゴラス数の散布図を作成した。作成したグラフを220頁以降に〈グラフ49〉～〈グラフ52〉として掲載した。

尚、散布図の基となるピタゴラス数の分類表は十の位の「１」を代表として次頁に〈表124〉として102個分を掲載した。

〈表124〉

m	n	a	b	c
3	1	8	6	10
3	2	5	12	13
4	1	15	8	17
8	7	15	112	113
10	4	84	80	116
9	6	45	108	117
14	4	180	112	212
13	7	120	182	218
13	12	25	312	313
17	5	264	170	314
14	11	75	308	317
17	11	168	374	410
19	7	312	266	410
20	4	384	160	416
17	15	64	510	514
21	13	272	546	610
23	9	448	414	610
24	6	540	288	612
18	17	35	612	613
19	16	105	608	617
26	6	640	312	712
27	9	648	486	810
23	17	240	782	818
25	17	336	850	914
30	4	884	240	916
29	13	672	754	1010
31	7	912	434	1010
23	22	45	1012	1013
24	21	135	1008	1017
27	17	440	918	1018
33	5	1064	330	1114
26	21	235	1092	1117
33	11	968	726	1210
27	22	245	1188	1213

m	n	a	b	c
31	16	705	992	1217
36	4	1280	288	1312
28	23	255	1288	1313
32	17	735	1088	1313
33	15	864	990	1314
34	16	900	1088	1412
33	18	765	1188	1413
29	24	265	1392	1417
36	11	1175	792	1417
37	7	1320	518	1418
28	27	55	1512	1513
37	12	1225	888	1513
35	17	936	1190	1514
29	26	165	1508	1517
34	19	795	1292	1517
38	13	1275	988	1613
40	4	1584	320	1616
33	23	560	1518	1618
33	25	464	1650	1714
39	14	1325	1092	1717
41	6	1645	492	1717
37	21	928	1554	1810
39	17	1232	1326	1810
42	7	1715	588	1813
33	27	360	1782	1818
43	8	1785	688	1913
44	9	1855	792	2017
43	13	1680	1118	2018
33	32	65	2112	2113
34	31	195	2108	2117
46	1	2115	92	2117
37	29	528	2146	2210
41	23	1152	1886	2210
43	19	1488	1634	2210

m	n	a	b	c
47	1	2208	94	2210
47	2	2205	188	2213
46	10	2016	920	2216
47	3	2200	282	2218
46	14	1920	1288	2312
48	3	2295	288	2313
35	33	136	2310	2314
45	17	1736	1530	2314
41	27	952	2214	2410
49	3	2392	294	2410
49	4	2385	392	2417
44	24	1360	2112	2512
46	20	1716	1840	2516
50	4	2484	400	2516
39	33	432	2574	2610
51	3	2592	306	2610
44	26	1260	2288	2612
51	4	2585	408	2617
52	3	2695	312	2713
43	31	888	2666	2810
53	1	2808	106	2810
38	37	75	2812	2813
53	2	2805	212	2813
39	36	225	2808	2817
53	3	2800	318	2818
54	1	2915	108	2917
46	30	1216	2760	3016
54	10	2816	1080	3016
54	14	2720	1512	3112
45	33	936	2970	3114
56	9	3055	1008	3217
43	37	480	3182	3218
57	8	3185	912	3313
55	17	2736	1870	3314

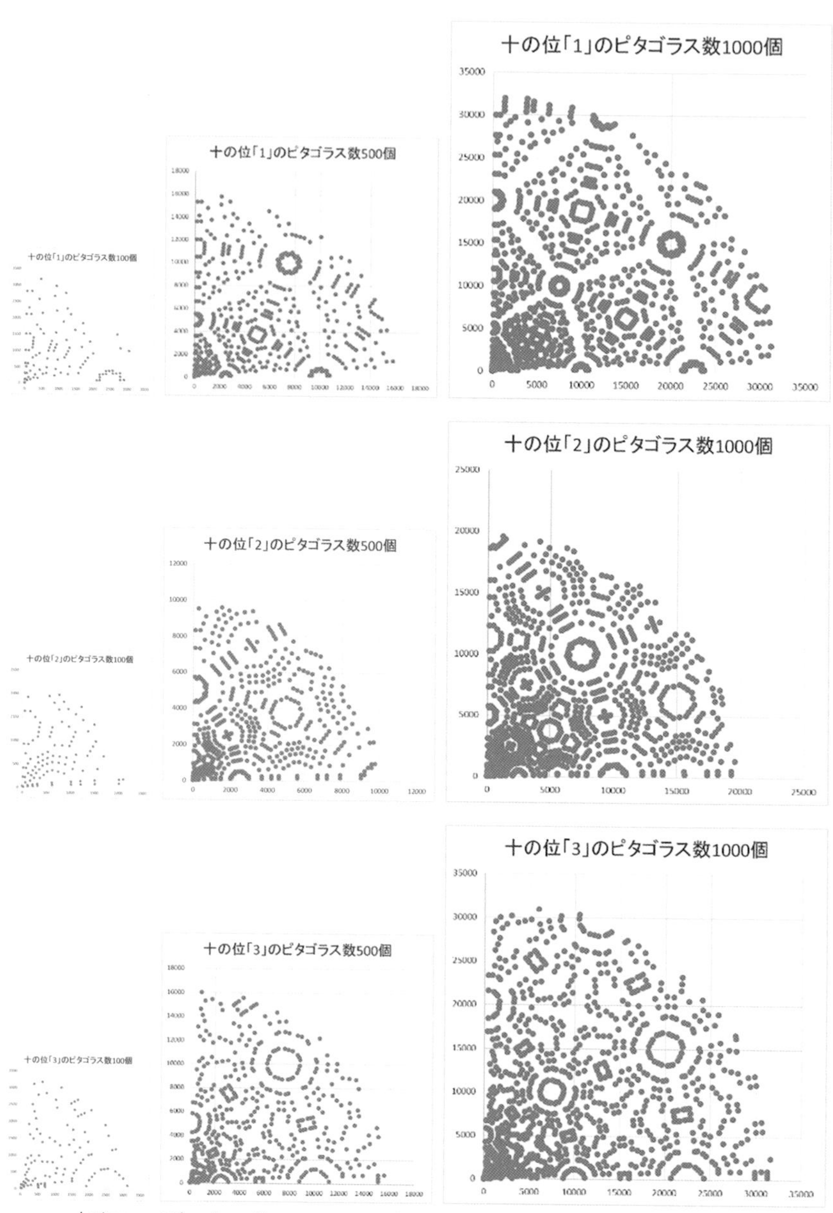

〈グラフ49〉十の位1, 2, 3の分類・ピタゴラス数100, 500, 1000個

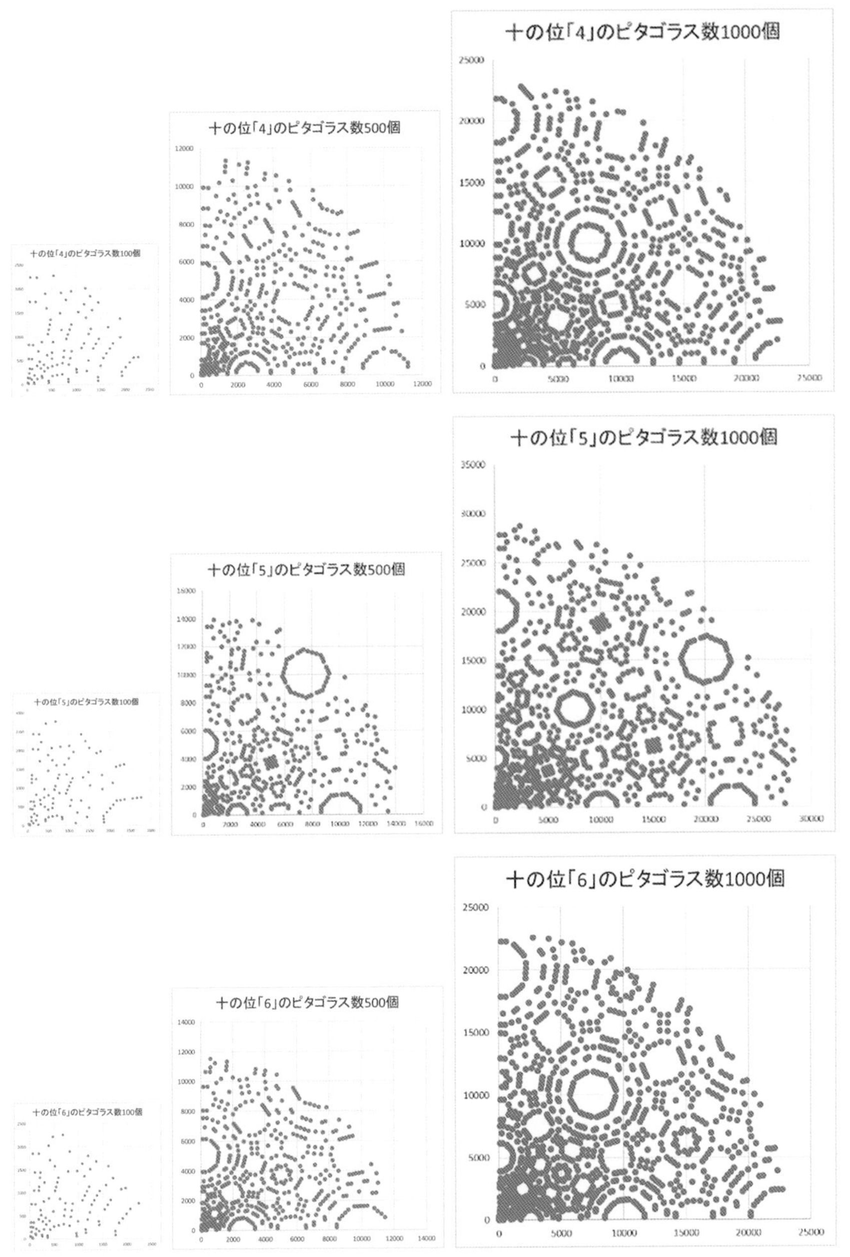

〈グラフ50〉 十の位4, 5, 6の分類・ピタゴラス数100, 500, 1000個

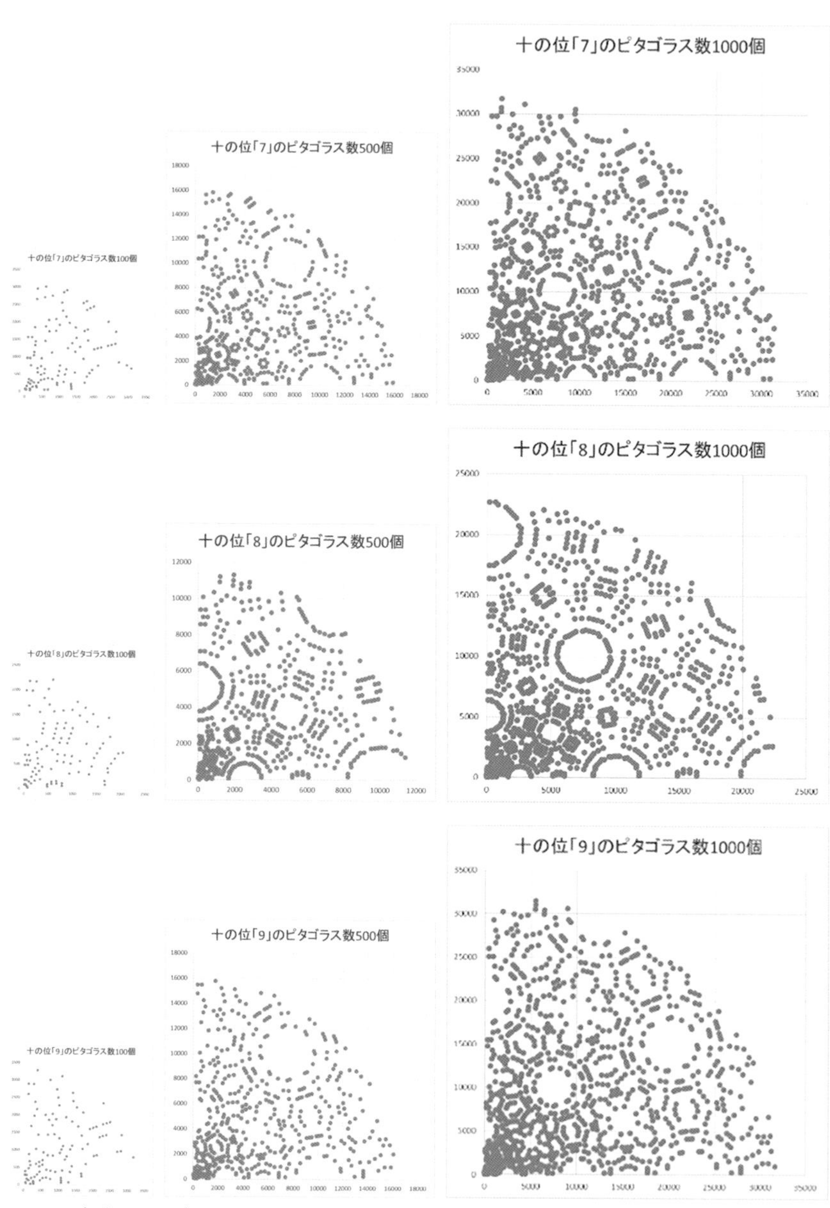

〈グラフ51〉十の位7, 8, 9の分類・ピタゴラス数100, 500, 1000個

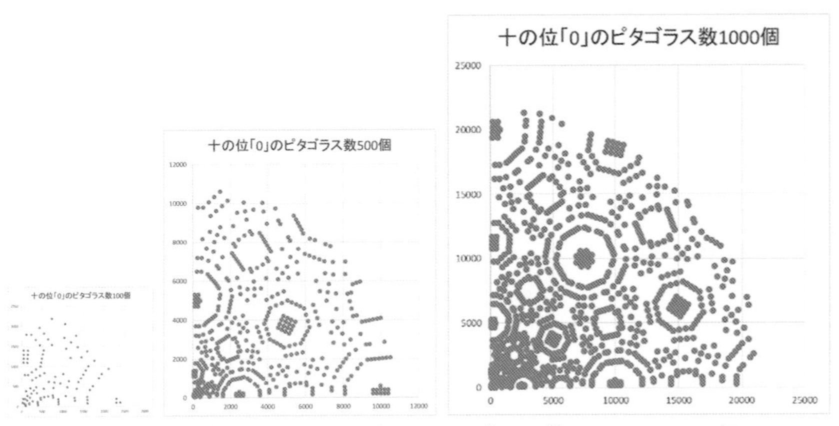

〈グラフ52〉十の位０の分類・ピタゴラス数100, 500, 1000個

～ピタゴラス数と準原始ピタゴラス数の散布図比較～

第６章では準原始ピタゴラス数の十の位において100個の散布図で模様の基本的パターンが、400個の散布図で模様の全容が確認できた(158～162頁、〈グラフ13～22〉参照)。

一方、今項目のピタゴラス数の十の位において100個の散布図は基本パターンの形成途中で、500個の散布図で基本的パターンが、1000個の散布図で模様の全容が確認できた。

両者の散布図の模様の比較では一の位の場合と異なり共通点は無く、両者の個々においても独自の散布図模様を示した。

また、ピタゴラス数の散布図模様は準原始ピタゴラス数に比べ複雑で、円模様を中心に放射状に広がるパターンを基本としていた。準原始ピタゴラス数にピタゴラス数が加わることで模様が複雑化したと推測される。

散布図の模様を楽しむ⑧
ピタゴラス数、百の位で分類する

～百の位の散布図の作成～

本項目ではピタゴラス数を百の位で分類した散布図を作成して準原始ピタゴラス数の散布図と比較する。

作成は昇順位が確定し、cの値が100以上のピタゴラス数12676個を事前に用意した。これをcの百の位1, 2, 3, 4, 5, 6, 7, 8, 9, 0別にふるい分けをし、各々について100個、500個、1000個のピタゴラス数について散布図を作成した。作成したグラフを次々頁以降に〈グラフ53〉～〈グラフ55〉として掲載した。

尚、散布図の基となるピタゴラス数の分類表は百の位の「４」を代表として次頁に〈表125〉として102個分を掲載した。

～散布図の基本パターンと準原始ピタゴラス数との比較～

作成した散布図を見ると「１」～「０」の数値間で部分的な差異はあるものの、模様の基本パターンは準原始ピタゴラス数の場合と同様で同一になっている。ピタゴラス数の個数が100個、500個、1000個と個数が増すに従って座標を表示しない点も多くなり、結果として円状模様が描かれることになっている。

ピタゴラス数と準原始ピタゴラス数との散布図の比較は百の位「４」を例で示した（229頁〈グラフ56〉,〈グラフ57〉）。

準原始ピタゴラス数の場合500個で模様の形成が確認されるが、一方、ピタゴラス数の場合は500個では未だ同心円状（四分円）の輪の状態で、1000個で準原始ピタゴラス数500個と同様な円模様になった。これはピタゴラス数の場合、座標点が準原始ピタゴラス数に比べ密になっているからと言える。

〈表125〉

m	n	a	b	c	m	n	a	b	c	m	n	a	b	c
16	12	112	384	400	22	2	480	88	488	34	18	832	1224	1480
20	1	399	40	401	21	7	392	294	490	38	6	1408	456	1480
20	2	396	80	404	18	13	155	468	493	35	16	969	1120	1481
18	9	243	324	405	22	3	475	132	493	33	20	689	1320	1489
20	3	391	120	409	31	21	520	1302	1402	31	23	432	1426	1490
17	11	168	374	410	27	26	53	1404	1405	37	11	1248	814	1490
19	7	312	266	410	37	6	1333	444	1405	36	14	1100	1008	1492
20	4	384	160	416	28	25	159	1400	1409	38	7	1395	532	1493
15	14	29	420	421	34	16	900	1088	1412	49	1	2400	98	2402
18	10	224	360	424	33	18	765	1188	1413	48	10	2204	960	2404
16	13	87	416	425	29	24	265	1392	1417	38	31	483	2356	2405
19	8	297	304	425	36	11	1175	792	1417	46	17	1827	1564	2405
20	5	375	200	425	37	7	1320	518	1418	47	14	2013	1316	2405
17	12	145	408	433	35	14	1029	980	1421	49	2	2397	196	2405
20	6	364	240	436	32	20	624	1280	1424	41	27	952	2214	2410
19	9	280	342	442	30	23	371	1380	1429	49	3	2392	294	2410
21	1	440	42	442	37	8	1305	592	1433	49	4	2385	392	2417
18	11	203	396	445	36	12	1152	864	1440	44	22	1452	1936	2420
21	2	437	84	445	31	22	477	1364	1445	39	30	621	2340	2421
20	7	351	280	449	34	17	867	1156	1445	43	24	1273	2064	2425
21	3	432	126	450	38	1	1443	76	1445	45	20	1625	1800	2425
16	14	60	448	452	38	2	1440	152	1448	48	11	2183	1056	2425
21	4	425	168	457	33	19	728	1254	1450	49	5	2376	490	2426
17	13	120	442	458	35	15	1000	1050	1450	47	15	1984	1410	2434
19	10	261	380	461	37	9	1288	666	1450	49	6	2365	588	2437
20	8	336	320	464	38	3	1435	228	1453	42	26	1088	2184	2440
21	5	416	210	466	28	26	108	1456	1460	46	18	1792	1656	2440
18	12	180	432	468	38	4	1428	304	1460	40	29	759	2320	2441
21	6	405	252	477	32	21	583	1344	1465	48	12	2160	1152	2448
16	15	31	480	481	36	13	1127	936	1465	49	7	2352	686	2450
20	9	319	360	481	29	25	216	1450	1466	36	34	140	2448	2452
19	11	240	418	482	37	10	1269	740	1469	37	33	280	2442	2458
17	14	93	476	485	38	5	1419	380	1469	41	28	897	2296	2465
22	1	483	44	485	30	24	324	1440	1476	44	23	1407	2024	2465

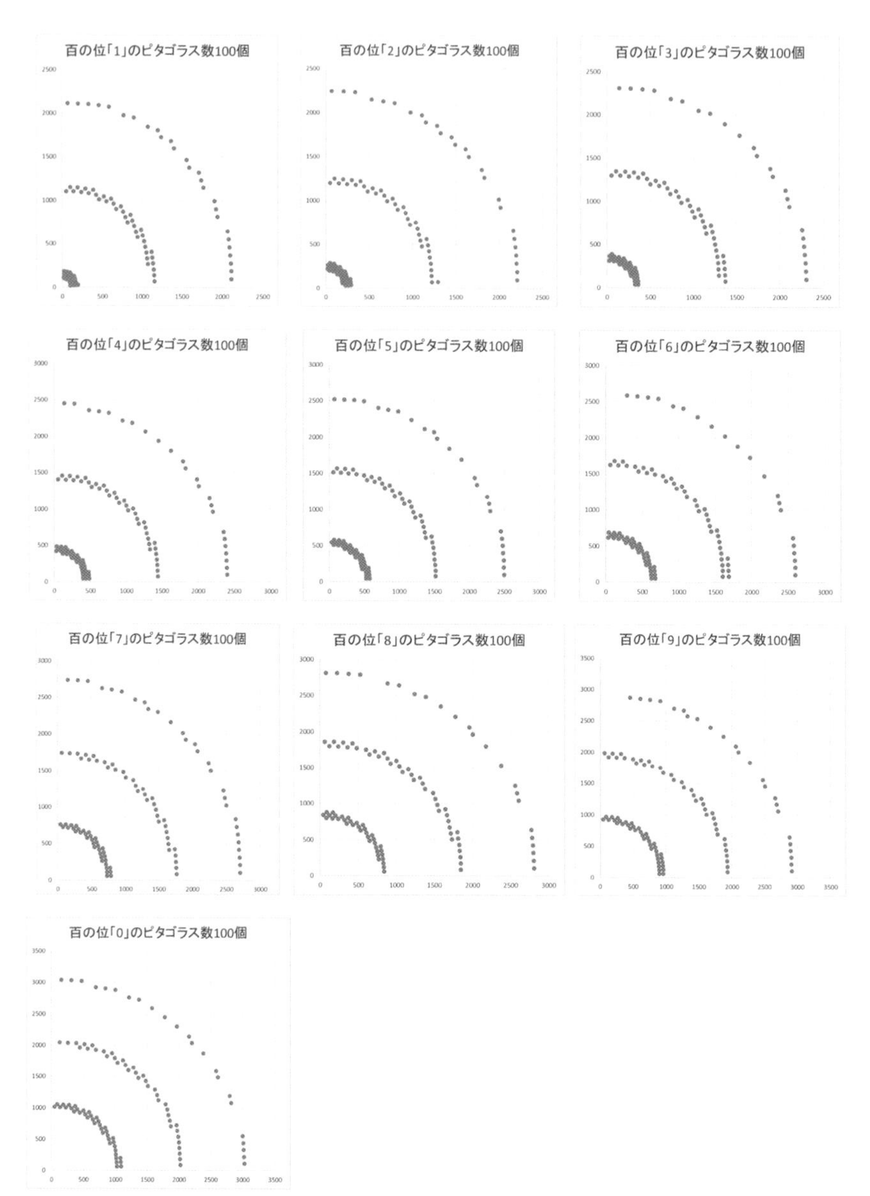

〈グラフ53〉ピタゴラス数・百の位「１」〜「０」：100個

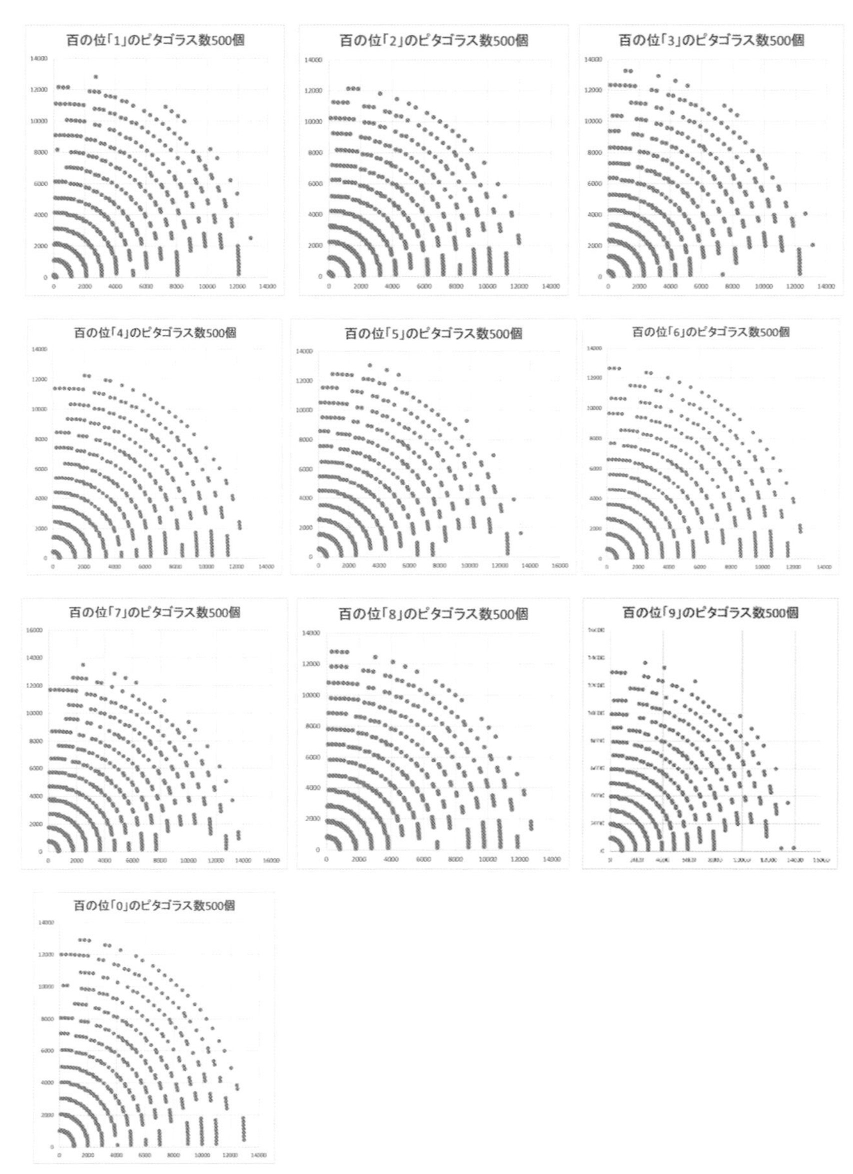

〈グラフ54〉ピタゴラス数・百の位「１」～「０」：500個

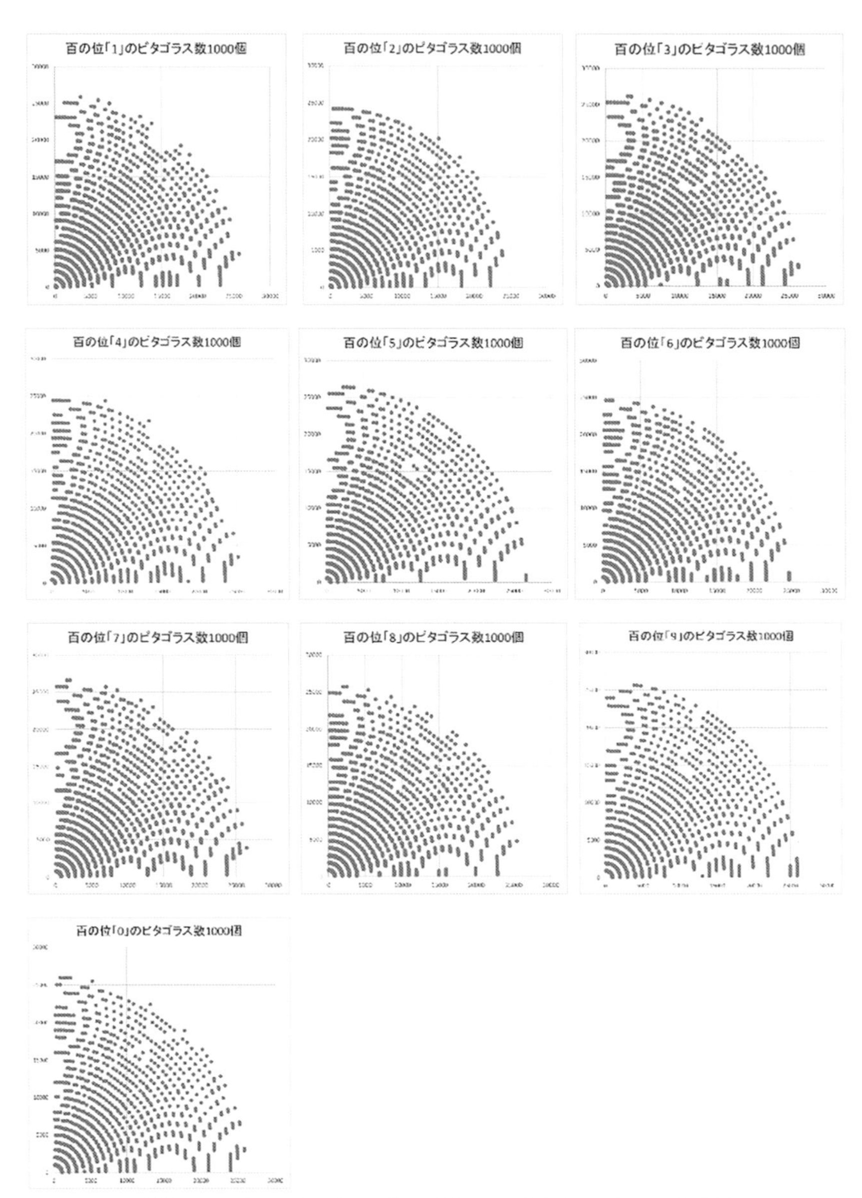

〈グラフ55〉ピタゴラス数・百の位「１」～「０」：1000個

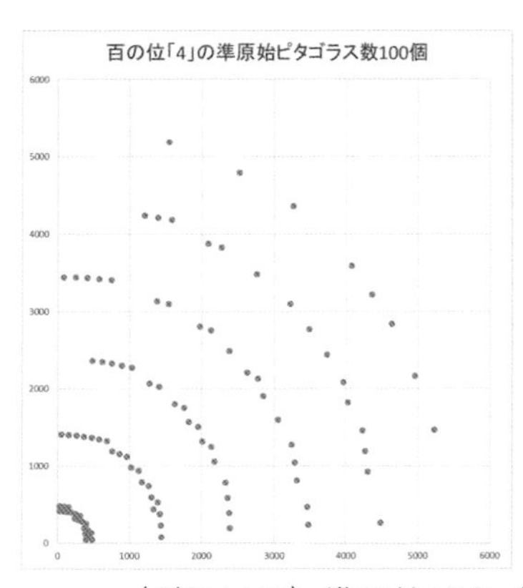

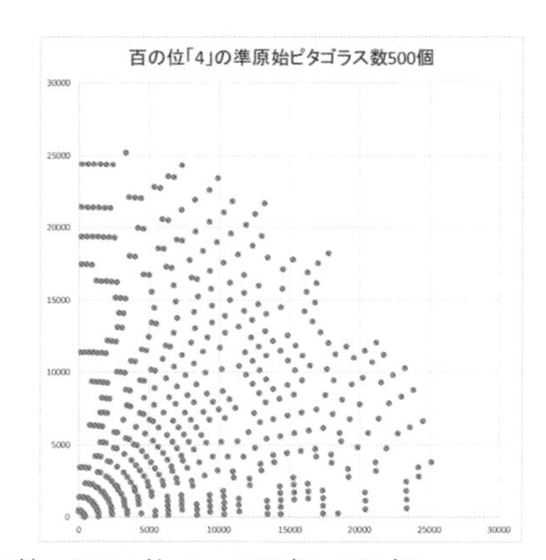

〈グラフ56〉準原始ピタゴラス数・百の位４：100個, 500個

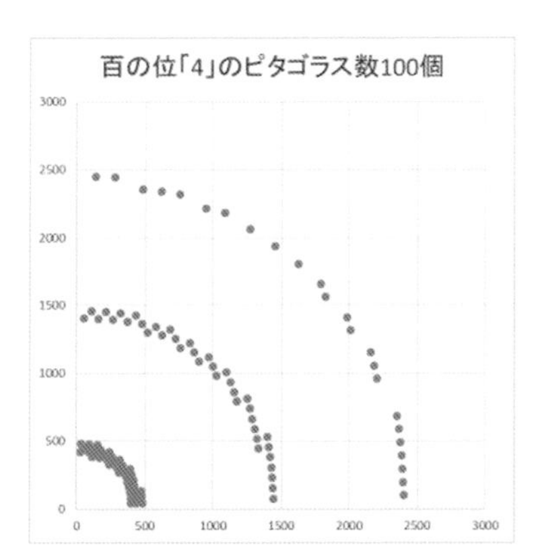

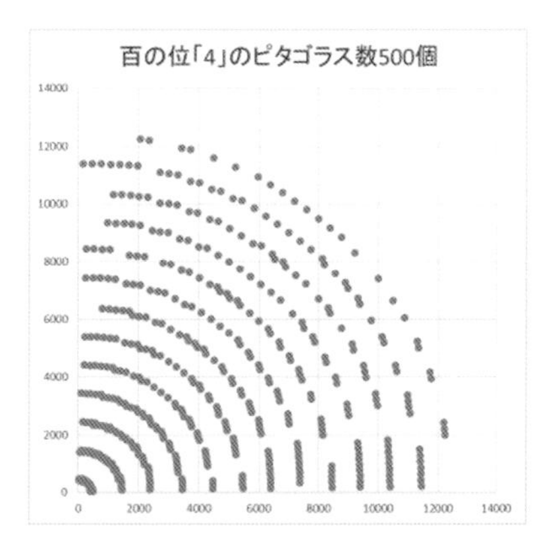

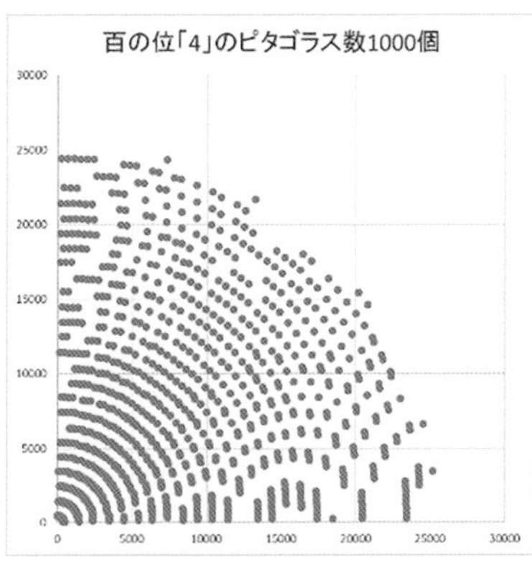

〈グラフ57〉ピタゴラス数・百の位４：100個, 500個, 1000個

ピタゴラス数の百の位に見る同心円状（四分円）の輪とcの値

～準原始ピタゴラス数と同様の輪の形成～

準原始ピタゴラス数の百の位の散布図において、一つの輪から上段に新たに輪が形成される過程では千の位の c の値が「１」⇒「２」、「２」⇒「３」のように変化していた。この変化はピタゴラス数の場合も同様であると考えられ、百の位の「０」について確認した（下記〈グラフ58〉及び次頁〈表126〉を参照）。

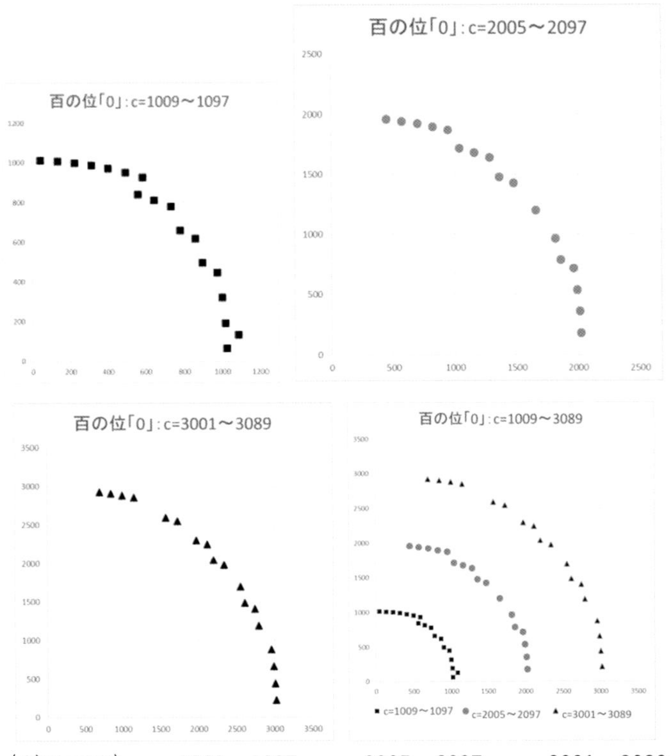

〈グラフ58〉 c＝1009～1097、c＝2005～2097、c＝3001～3089

〈表126〉

m	n	a	b	c	m	n	a	b	c	m	n	a	b	c
26	18	352	936	1000	40	20	1200	1600	2000	43	34	693	2924	3005
30	10	800	600	1000	44	8	1872	704	2000	53	14	2613	1484	3005
28	15	559	840	1009	39	22	1037	1716	2005	46	30	1216	2760	3016
29	13	672	754	1010	41	18	1357	1476	2005	54	10	2816	1080	3016
31	7	912	434	1010	35	28	441	1960	2009	44	33	847	2904	3025
23	22	45	1012	1013	44	9	1855	792	2017	49	25	1776	2450	3026
24	21	135	1008	1017	43	13	1680	1118	2018	55	1	3024	110	3026
27	17	440	918	1018	38	24	868	1824	2020	52	18	2380	1872	3028
30	11	779	660	1021	42	16	1508	1344	2020	50	23	1971	2300	3029
25	20	225	1000	1025	36	27	567	1944	2025	55	2	3021	220	3029
31	8	897	496	1025	45	1	2024	90	2026	48	27	1575	2592	3033
32	1	1023	64	1025	45	2	2021	180	2029	53	15	2584	1590	3034
32	2	1020	128	1028	45	3	2016	270	2034	55	3	3016	330	3034
32	3	1015	192	1033	44	10	1836	880	2036	54	11	2795	1188	3037
26	19	315	988	1037	40	21	1159	1680	2041	55	4	3009	440	3041
29	14	645	812	1037	45	4	2009	360	2041	51	21	2160	2142	3042
28	16	528	896	1040	41	19	1320	1558	2042	40	38	156	3040	3044
32	4	1008	256	1040	37	26	693	1924	2045	45	32	1001	2880	3049
31	9	880	558	1042	43	14	1653	1204	2045	41	37	312	3034	3050
30	12	756	720	1044	33	31	128	2046	2050	47	29	1368	2726	3050
32	5	999	320	1049	39	23	992	1794	2050	55	5	3000	550	3050
27	18	405	972	1053	45	5	2000	450	2050	42	36	468	3024	3060
24	22	92	1056	1060	42	17	1475	1428	2053	54	12	2772	1296	3060
32	6	988	384	1060	34	30	256	2040	2056	55	6	2989	660	3061
31	10	861	620	1061	44	11	1815	968	2057	52	19	2343	1976	3065
25	21	184	1050	1066	45	6	1989	540	2061	53	16	2553	1696	3065
29	15	616	870	1066	35	29	384	2030	2066	43	35	624	3010	3074
30	13	731	780	1069	38	25	819	1900	2069	55	7	2976	770	3074
28	17	495	952	1073	43	15	1624	1290	2074	50	24	1924	2400	3076
32	7	975	448	1073	45	7	1976	630	2074	46	31	1155	2852	3077
26	20	276	1040	1076	36	28	512	2016	2080	49	26	1725	2548	3077
31	11	840	682	1082	44	12	1792	1056	2080	51	22	2117	2244	3085
32	8	960	512	1088	41	20	1281	1640	2081	54	13	2747	1404	3085
27	19	368	1026	1090	40	22	1116	1760	2084	48	28	1520	2688	3088
33	1	1088	66	1090	42	18	1440	1512	2088	55	8	2961	880	3089
33	2	1085	132	1093	45	8	1961	720	2089	44	34	780	2992	3092
30	14	704	840	1096	39	24	945	1872	2097	53	17	2520	1802	3098
29	16	585	928	1097	37	27	640	1998	2098	52	36	1408	3744	4000
33	3	1080	198	1098	51	20	2201	2040	3001	60	20	3200	2400	4000

散布図の模様を楽しむ⑨
千の位で分類する

～千の位の散布図の作成～

本項目ではピタゴラス数を千の位で分類した散布図を作成して準原始ピタゴラス数との散布図を比較する。

作成は昇順位が確定し、cの値が1000以上のピタゴラス数1234個を事前に用意した。これをcの千の位1, 2, 3, 4, 5, 6, 7, 8, 9, 0別にふるい分けをし、各々について100個、500個、1000個のピタゴラス数について散布図を作成した。作成したグラフを次々頁以降に〈グラフ59〉～〈グラフ61〉として掲載した。

尚、散布図の基となるピタゴラス数の分類表は千の位の「３」を代表として次頁に〈表127〉として102個分を掲載した。

～散布図の基本パターンと準原始ピタゴラス数との比較～

作成した散布図を見ると「１」～「０」の数値間で部分的な差異はあるものの、模様の基本パターンは準原始ピタゴラス数の場合と同様で同一になっている。

ピタゴラス数の個数が100個、500個、1000個と個数が増すに従って同心円状（四分円）の輪が１～３個と増加している。

ピタゴラス数と準原始ピタゴラス数との散布図の比較は千の位「３」を例で示した（237頁〈グラフ62〉,〈グラフ63〉参照）。

準原始ピタゴラス数の場合500個で同心円状（四分円）の輪が３個になっている。一方、ピタゴラス数の場合500個では輪が２個で、1000個で輪が３個となっているが、これは百の位の場合と同様、座標点が準原始ピタゴラス数に比べ密になっているからと言える。

〈表127〉

m	n	a	b	c
51	20	2201	2040	3001
43	34	693	2924	3005
53	14	2613	1484	3005
46	30	1216	2760	3016
54	10	2816	1080	3016
44	33	847	2904	3025
49	25	1776	2450	3026
55	1	3024	110	3026
52	18	2380	1872	3028
50	23	1971	2300	3029
55	2	3021	220	3029
48	27	1575	2592	3033
53	15	2584	1590	3034
55	3	3016	330	3034
54	11	2795	1188	3037
55	4	3009	440	3041
51	21	2160	2142	3042
40	38	156	3040	3044
45	32	1001	2880	3049
41	37	312	3034	3050
47	29	1368	2726	3050
55	5	3000	550	3050
42	36	468	3024	3060
54	12	2772	1296	3060
55	6	2989	660	3061
52	19	2343	1976	3065
53	16	2553	1696	3065
43	35	624	3010	3074
55	7	2976	770	3074
50	24	1924	2400	3076
46	31	1155	2852	3077
49	26	1725	2548	3077
51	22	2117	2244	3085
54	13	2747	1404	3085

m	n	a	b	c
48	28	1520	2688	3088
55	8	2961	880	3089
44	34	780	2992	3092
53	17	2520	1802	3098
52	20	2304	2080	3104
55	9	2944	990	3106
47	30	1309	2820	3109
54	14	2720	1512	3112
45	33	936	2970	3114
40	39	79	3120	3121
41	38	237	3116	3125
50	25	1875	2500	3125
55	10	2925	1100	3125
49	27	1672	2646	3130
51	23	2072	2346	3130
42	37	395	3108	3133
53	18	2485	1908	3133
56	1	3135	112	3137
46	32	1092	2944	3140
56	2	3132	224	3140
54	15	2691	1620	3141
43	36	553	3096	3145
48	29	1463	2784	3145
52	21	2263	2184	3145
56	3	3127	336	3145
55	11	2904	1210	3146
56	4	3120	448	3152
44	35	711	3080	3161
56	5	3111	560	3161
55	12	2881	1320	3169
47	31	1248	2914	3170
53	19	2448	2014	3170
54	16	2660	1728	3172
56	6	3100	672	3172

m	n	a	b	c
50	26	1824	2600	3176
51	24	2025	2448	3177
45	34	869	3060	3181
49	28	1617	2744	3185
56	7	3087	784	3185
52	22	2220	2288	3188
55	13	2856	1430	3194
56	8	3072	896	3200
41	39	160	3198	3202
48	30	1404	2880	3204
46	33	1027	3036	3205
54	17	2627	1836	3205
42	38	320	3192	3208
53	20	2409	2120	3209
56	9	3055	1008	3217
43	37	480	3182	3218
55	14	2829	1540	3221
51	25	1976	2550	3226
50	27	1771	2700	3229
44	36	640	3168	3232
47	32	1185	3008	3233
52	23	2175	2392	3233
56	10	3036	1120	3236
54	18	2592	1944	3240
49	29	1560	2842	3242
45	35	800	3150	3250
53	21	2368	2226	3250
55	15	2800	1650	3250
57	1	3248	114	3250
57	2	3245	228	3253
56	11	3015	1232	3257
57	3	3240	342	3258
48	31	1343	2976	3265
57	4	3233	456	3265

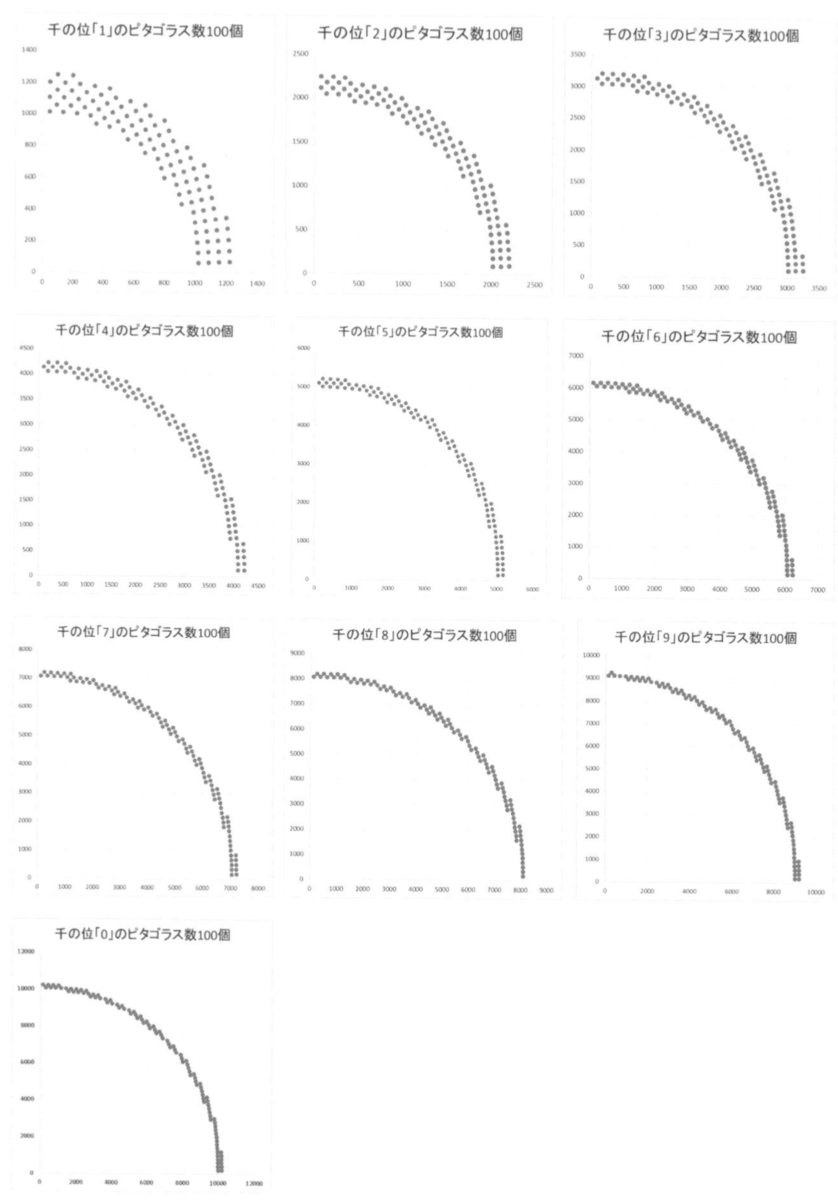

〈グラフ59〉ピタゴラス数・千の位「1」〜「0」：100個

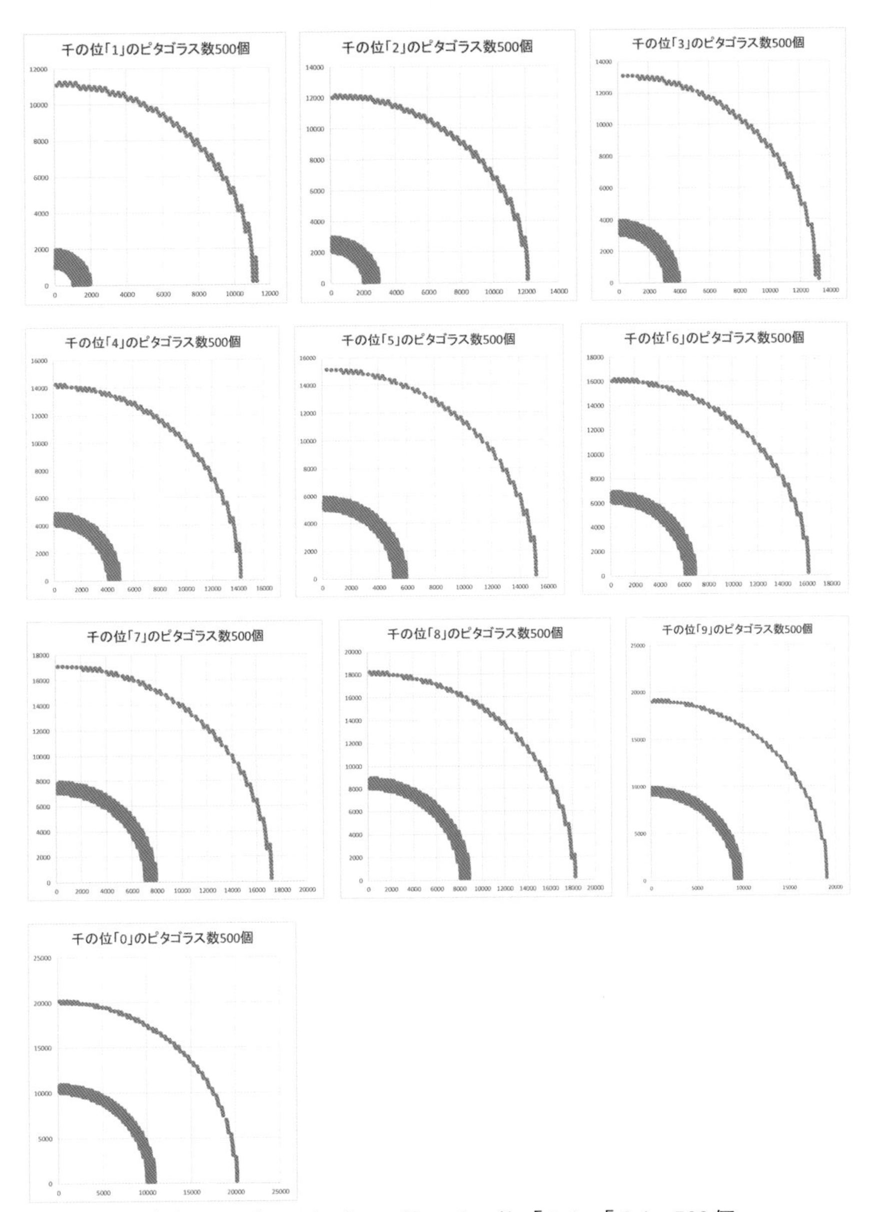

〈グラフ60〉 ピタゴラス数・千の位「１」〜「０」：500個

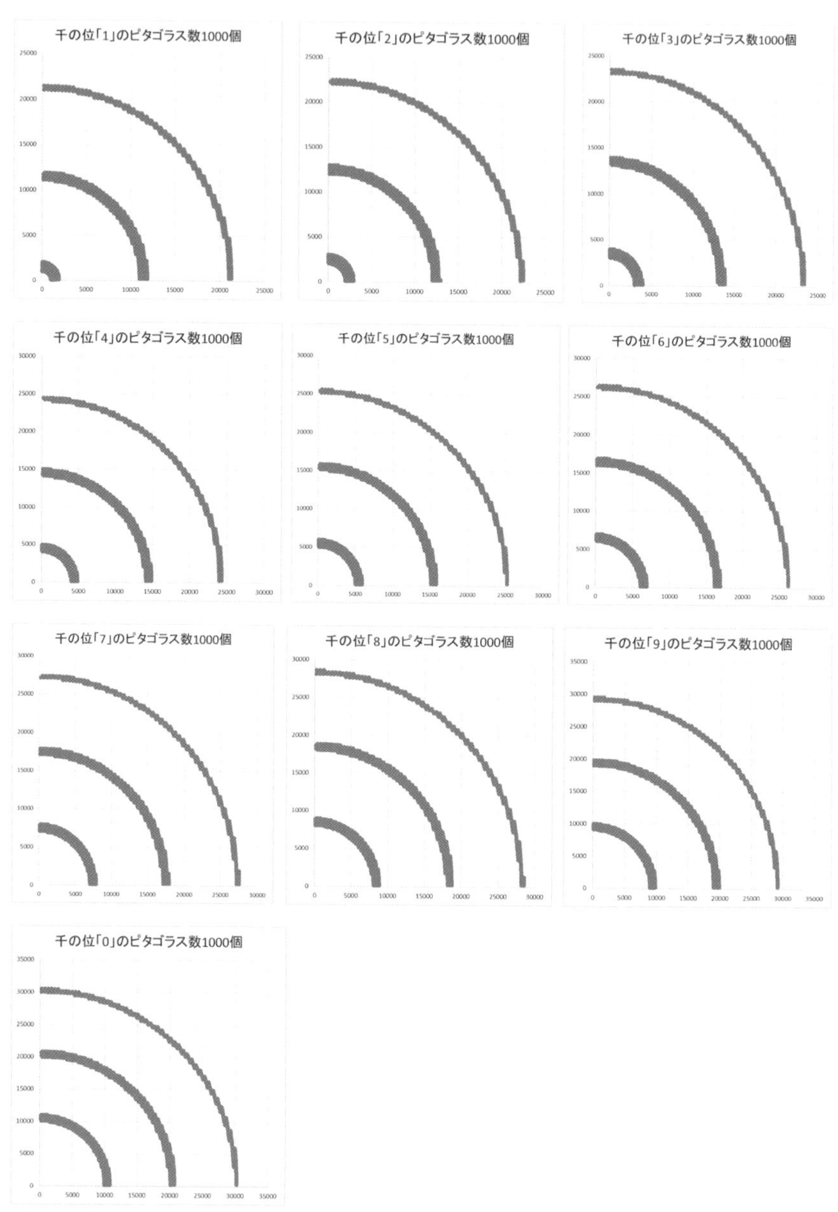

〈グラフ61〉ピタゴラス数・千の位「１」〜「０」：1000個

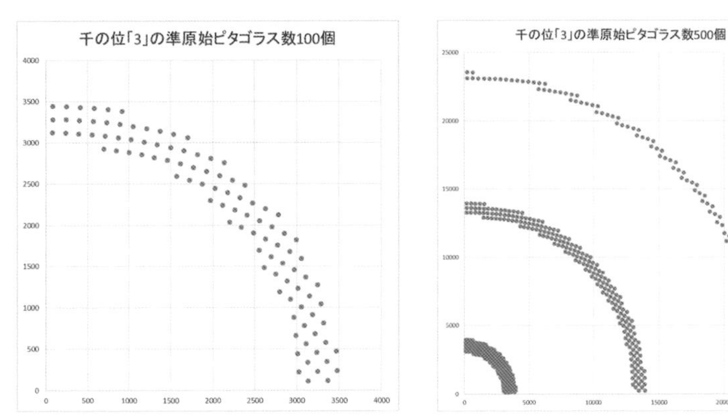

〈グラフ62〉 準原始ピタゴラス数・千の位３：100個, 500個

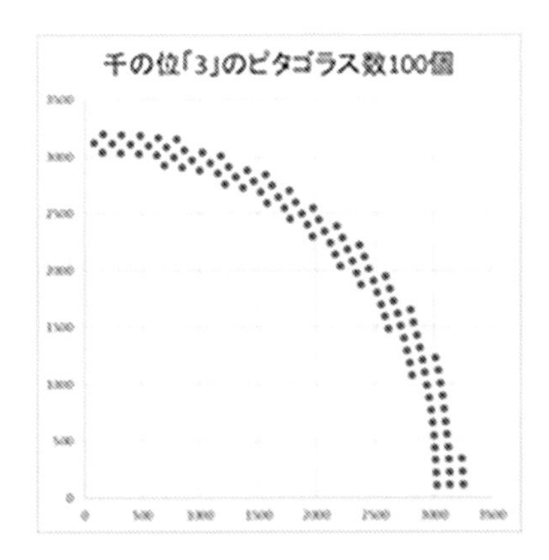

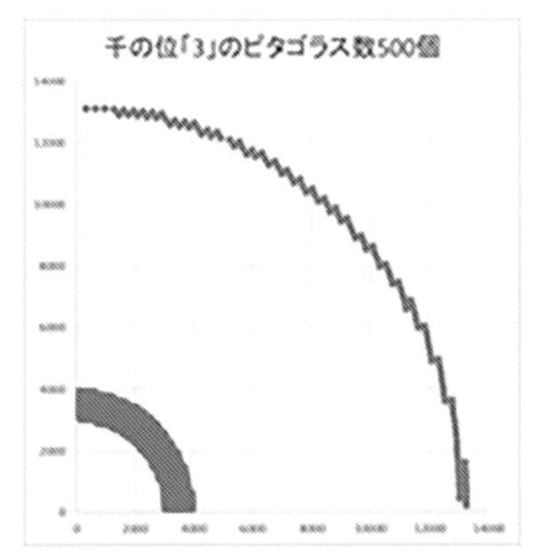

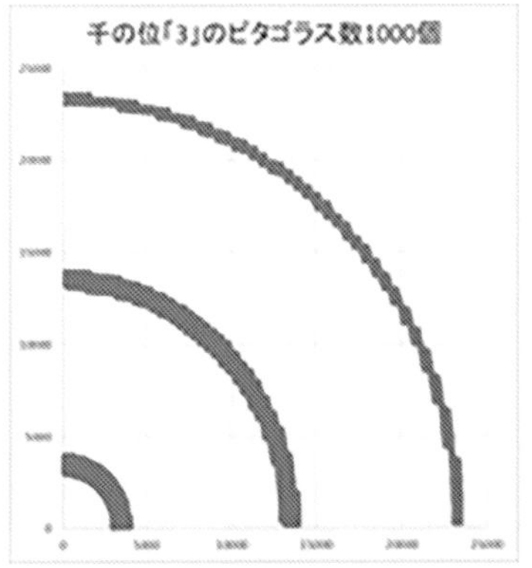

〈グラフ63〉 ピタゴラス数・千の位３：100個, 500個, 1000個

ピタゴラス数の千の位に見る同心円状（四分円）の輪とcの値

～準原始ピタゴラス数と同様の輪の形成～

準原始ピタゴラス数の千の位の散布図において、一つの輪から上段に新たに輪が形成される過程では万の位の c の値が「１」⇒「２」、「２」⇒「３」のように変化していた。この変化はピタゴラス数の場合も同様であると考えられ、千の位の「０」について確認した（下記〈グラフ64〉参照）。

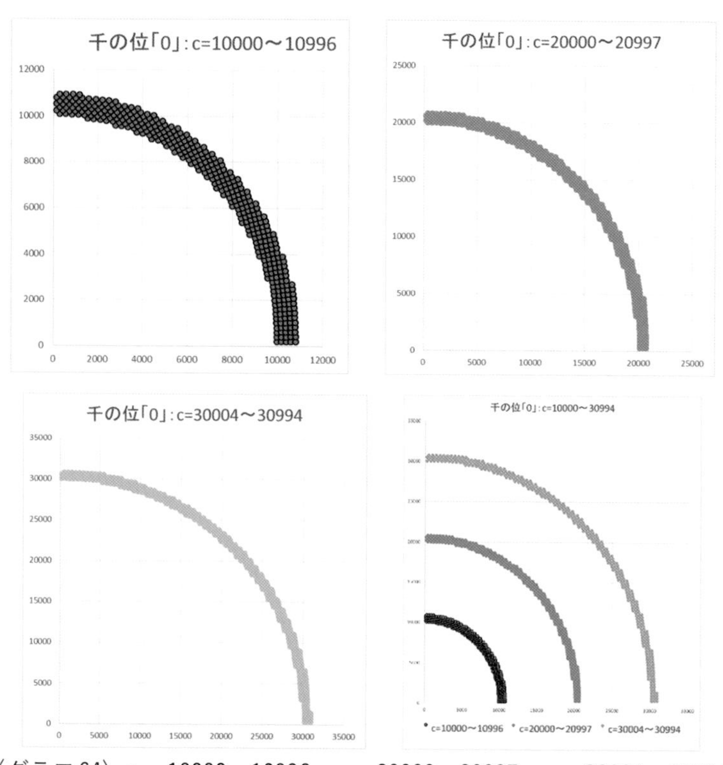

〈グラフ64〉 c＝10000～10996、c＝20000～20997、c＝30004～30994

第９章

ピタゴラス数の
数列群（４種類）

ピタゴラス数の数列群パターン

〜４種類の数列群のパターン〜

準原始ピタゴラス数では散布図の規則性から数列と思われる点を線でつないで４種類の数列群パターンを見出し、「数列群 α 」「数列群 β 」「数列群 γ 」「数列群 δ 」とした。

ピタゴラス数の散布図においても下記〈グラフ65〉に示すように一見して非常に規則正しい配列で、次頁〈グラフ66〉に示す４種類の数列群パターンが考えられ、各々のパターンを「数列群 α' 」「数列群 β' 」「数列群 γ' 」「数列群 δ' 」とした。

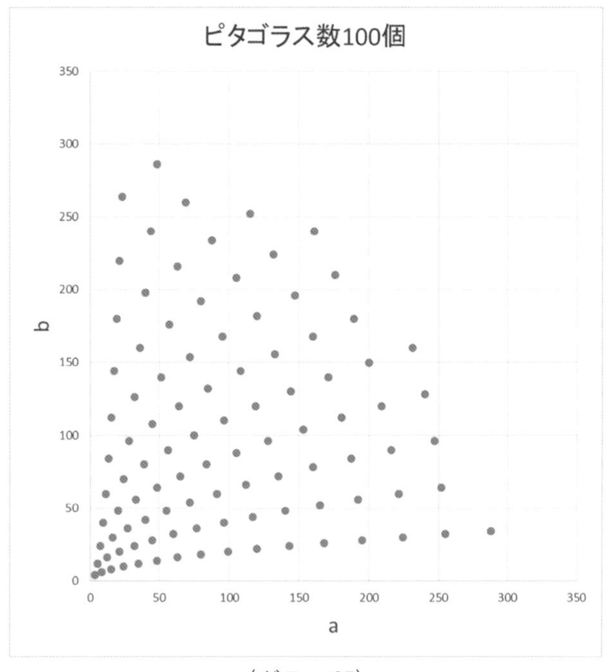

〈グラフ65〉

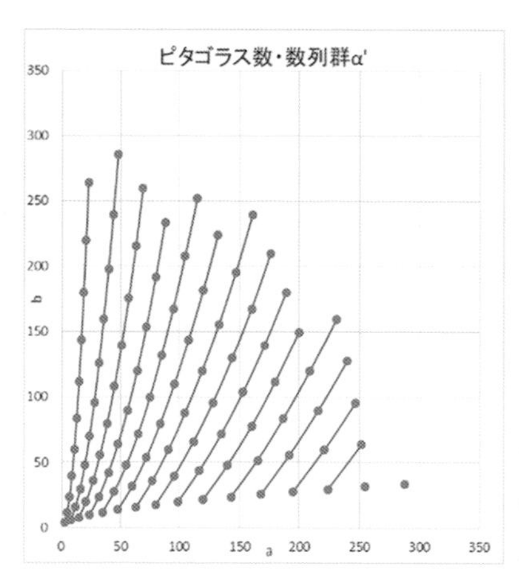

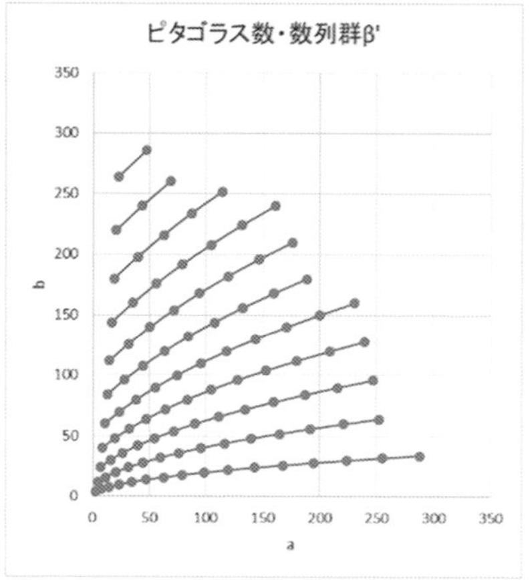

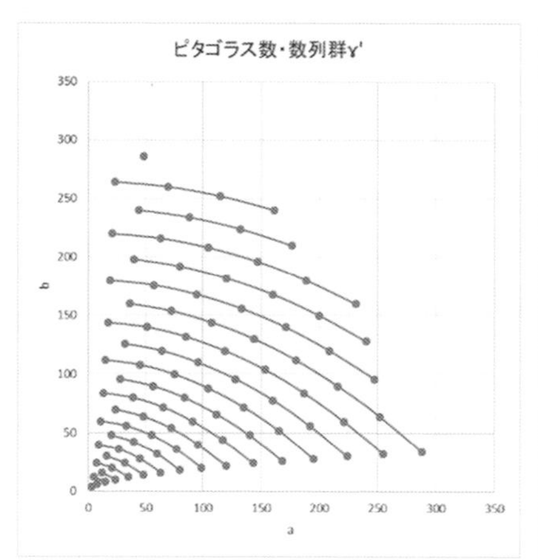

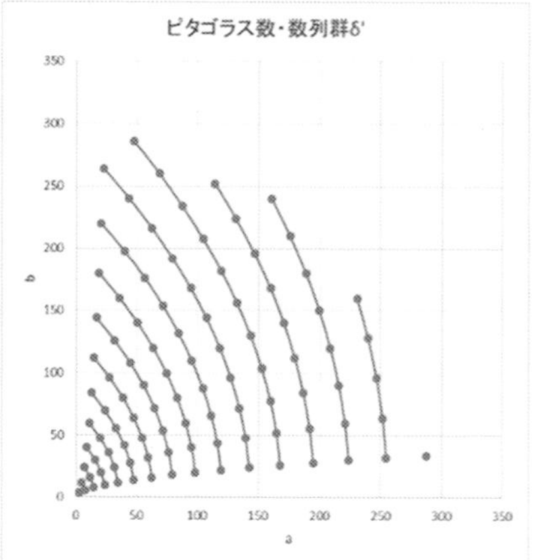

〈グラフ66〉ピタゴラス数の数列群 α', β', ɣ', δ'

散布図の
座標 (a, b) を確認する

〜マウスポインターで確認〜

ピタゴラス数の散布図の座標 (a, b) はマウスポインターを近づければ下記〈グラフ67〉に示すように a, b の値が表示され、確認できる。

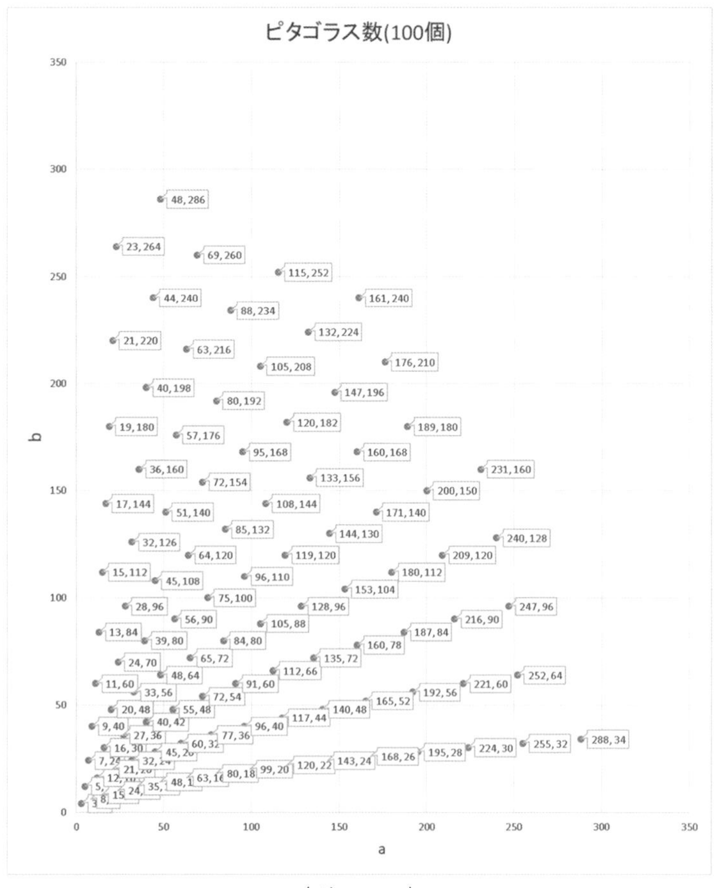

〈グラフ67〉

数列群α’の数列別の番号表記

～上に伸びる数列群～

４種類の数列群の内、上に伸びる数列群α′の各数列について①②③……と番号を下記〈グラフ68〉に示すように割り振った。

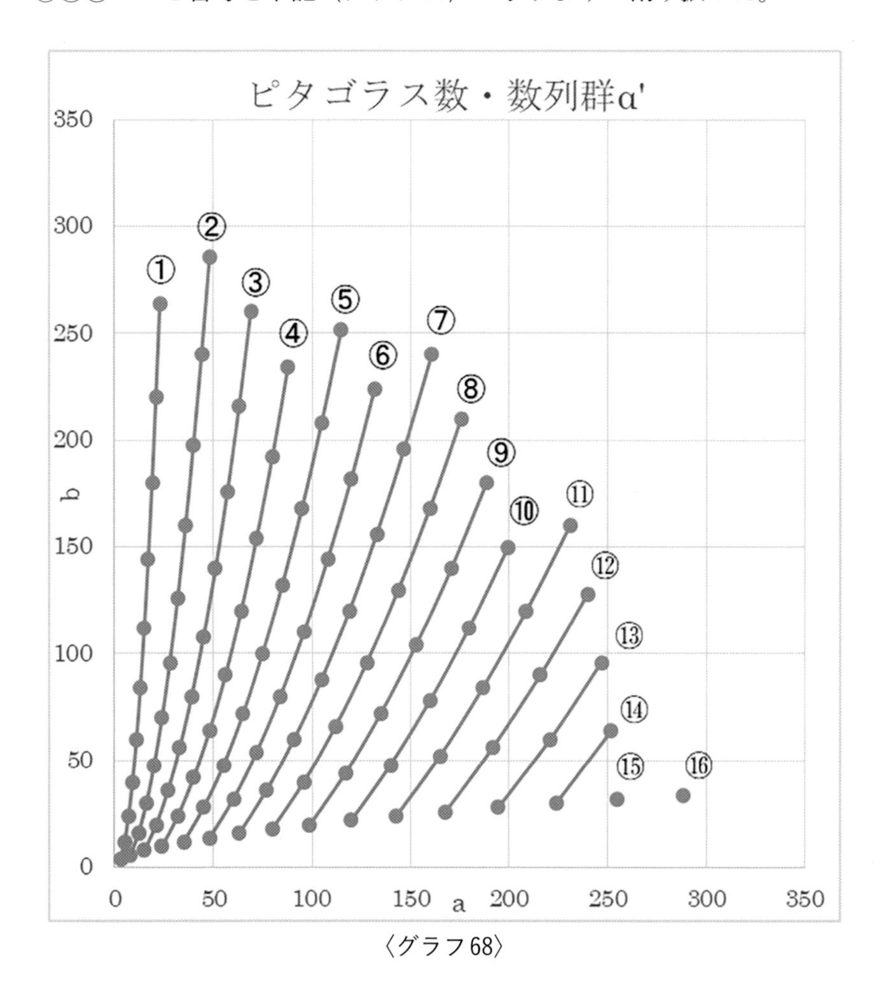

〈グラフ68〉

数列群α'の各数列の一般項を算出する

原始ピタゴラス数と同様の方法で数列群α'の数列①〜⑩のa, b, cについて一般項を算出した。下記〈表128〉に結果を示す。

〈表128〉

										一般項
①	a	3	5	7	9	11	13	15	17	1(2n+1)
	b	4	12	24	40	60	84	112	144	2n(n+1)
	c	5	13	25	41	61	85	113	145	$2n(n+1)+1^2$
②	a	8	12	16	20	24	28	32	36	2(2n+2)
	b	6	16	30	48	70	96	126	160	2n(n+2)
	c	10	20	34	52	74	100	130	164	$2n(n+2)+2^2$
③	a	15	21	27	33	39	45	51	57	3(2n+3)
	b	8	20	36	56	80	108	140	176	2n(n+3)
	c	17	29	45	65	89	117	149	185	$2n(n+3)+3^2$
④	a	24	32	40	48	56	64	72	80	4(2n+4)
	b	10	24	42	64	90	120	154	192	2n(n+4)
	c	26	40	58	80	106	136	170	208	$2n(n+4)+4^2$
⑤	a	35	45	55	65	75	85	95	105	5(2n+5)
	b	12	28	48	72	100	132	168	208	2n(n+5)
	c	37	53	73	97	125	157	193	233	$2n(n+5)+5^2$
⑥	a	48	60	72	84	96	108	120	132	6(2n+6)
	b	14	32	54	80	110	144	182	224	2n(n+6)
	c	50	68	90	116	146	180	218	260	$2n(n+6)+6^2$
⑦	a	63	77	91	105	119	133	147	161	7(2n+7)
	b	16	36	60	88	120	156	196	240	2n(n+7)
	c	65	85	109	137	169	205	245	289	$2n(n+7)+7^2$
⑧	a	80	96	112	128	144	160	176	-	8(2n+8)
	b	18	40	66	96	130	168	210	-	2n(n+8)
	c	82	104	130	160	194	232	274	-	$2n(n+8)+8^2$
⑨	a	99	117	135	153	171	189	-	-	9(2n+9)
	b	20	44	72	104	140	180	-	-	2n(n+9)
	c	101	125	153	185	221	261	-	-	$2n(n+9)+9^2$
⑩	a	120	140	160	180	200	-	-	-	10(2n+10)
	b	22	48	78	112	150	-	-	-	2n(n+10)
	c	122	148	178	212	250	-	-	-	$2n(n+10)+10^2$

（注）一般項は薄青色で着色。

数列群α'の
一般項の係数を解析する

～数列別にまとめる～

前項では数列群α'の各数列のa, b, cについて数列の一般項を算出し表にした。一方、一般項を数列$\{a_n\}$, 数列$\{b_n\}$, 数列$\{c_n\}$別にまとめると下記〈表129〉のようになる。表から一般項の係数の変化にも規則性が見られ（変化の係数を青色で着色）、解析すると〈表130〉に示すように数列番号に呼応した数列の変化になっている。

〈表129〉

番号	数列$\{a_n\}$	数列$\{b_n\}$	数列$\{c_n\}$
①	$1(2n+1)$	$2n(n+1)$	$2n(n+1)+1^2$
②	$2(2n+2)$	$2n(n+2)$	$2n(n+2)+2^2$
③	$3(2n+3)$	$2n(n+3)$	$2n(n+3)+3^2$
④	$4(2n+4)$	$2n(n+4)$	$2n(n+4)+4^2$
⑤	$5(2n+5)$	$2n(n+5)$	$2n(n+5)+5^2$
⑥	$6(2n+6)$	$2n(n+6)$	$2n(n+6)+6^2$
⑦	$7(2n+7)$	$2n(n+7)$	$2n(n+7)+7^2$
⑧	$8(2n+8)$	$2n(n+8)$	$2n(n+8)+8^2$
⑨	$9(2n+9)$	$2n(n+9)$	$2n(n+9)+9^2$
⑩	$10(2n+10)$	$2n(n+10)$	$2n(n+10)+10^2$

各数列の係数をmとすると下記の〈表130〉のようになる。

〈表130〉

番号	数列$\{a_n\}$	数列$\{b_n\}$	数列$\{c_n\}$
m	$m(2n+m)$	$2n(n+m)$	$2n(n+m)+m^2$

（注）mは数列番号。

数列群β’の
数列別の番号表記

～右上に伸びる数列群～

４種類の数列群の内、右上に伸びる数列群β′の各数列について①②③……と番号を下記〈グラフ69〉に示すように割り振った。

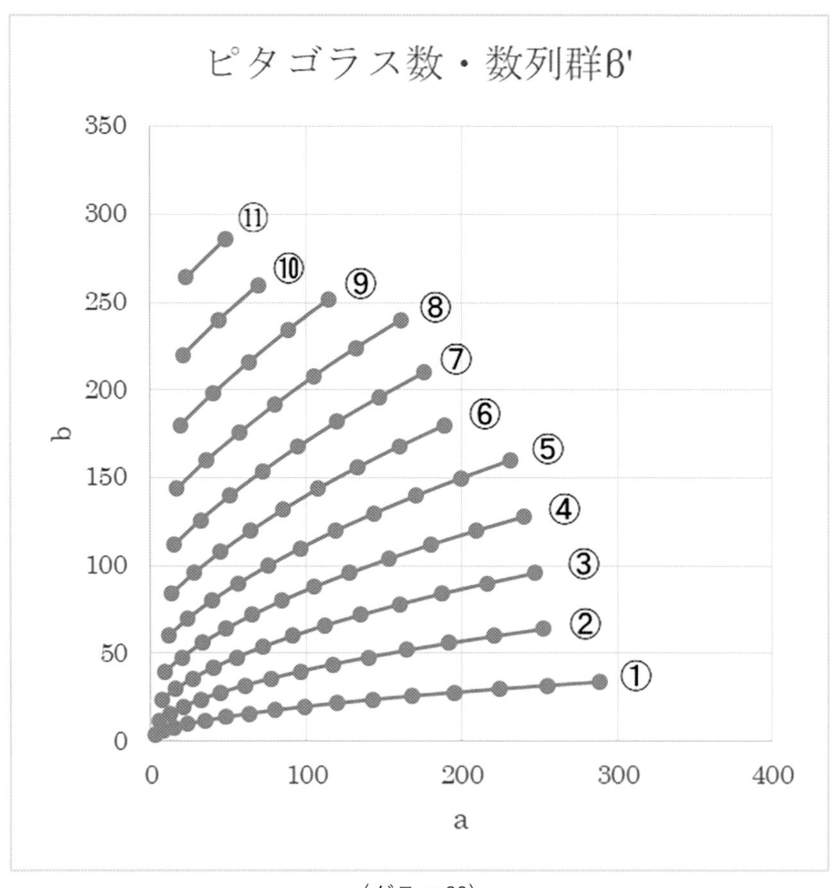

〈グラフ69〉

数列群β'の各数列の一般項を算出する

原始ピタゴラス数と同様の方法で数列群β′の数列①～⑩の a, b, c について一般項を算出した。下記〈表131〉に結果を示す。

〈表131〉

										一般項
①	a	3	8	15	24	35	48	63	80	**n(n+2)**
	b	4	6	8	10	12	14	16	18	**2(n+1)**
	c	5	10	17	26	37	50	65	82	**n(n+2)+2**
②	a	5	12	21	32	45	60	77	96	**n(n+4)**
	b	12	16	20	24	28	32	36	40	**4(n+2)**
	c	13	20	29	40	53	68	85	104	**n(n+4)+8**
③	a	7	16	27	40	55	72	91	112	**n(n+6)**
	b	24	30	36	42	48	54	60	66	**6(n+3)**
	c	25	34	45	58	73	90	109	130	**n(n+6)+18**
④	a	9	20	33	48	65	84	105	128	**n(n+8)**
	b	40	48	56	64	72	80	88	96	**8(n+4)**
	c	41	52	65	80	97	116	137	160	**n(n+8)+32**
⑤	a	11	24	39	56	75	96	119	144	**n(n+10)**
	b	60	70	80	90	100	110	120	130	**10(n+5)**
	c	61	74	89	106	125	146	169	194	**n(n+10)+50**
⑥	a	13	28	45	64	85	108	133	160	**n(n+12)**
	b	84	96	108	120	132	144	156	168	**12(n+6)**
	c	85	100	117	136	157	180	205	232	**n(n+12)+72**
⑦	a	15	32	51	72	95	120	147	176	**n(n+14)**
	b	112	126	140	154	168	182	196	210	**14(n+7)**
	c	113	130	149	170	193	218	245	274	**n(n+14)+98**
⑧	a	17	36	57	80	105	132	161	-	**n(n+16)**
	b	144	160	176	192	208	224	240	-	**16(n+8)**
	c	145	164	185	208	233	260	289	-	**n(n+16)+128**
⑨	a	19	40	63	88	115	-	-	-	**n(n+18)**
	b	180	198	216	234	252	-	-	-	**18(n+9)**
	c	181	202	225	250	277	-	-	-	**n(n+18)+162**
⑩	a	21	44	69	-	-	-	-	-	**n(n+20)**
	b	220	240	260	-	-	-	-	-	**20(n+10)**
	c	221	244	269	-	-	-	-	-	**n(n+20)+200**

（注）一般項は薄青色で着色。

数列群β’の
一般項の係数を解析する

～数列別にまとめる～

前項では数列群β′の各数列の a, b, c について数列の一般項を算出し表にした。一方、一般項を数列 $\{a_n\}$, 数列 $\{b_n\}$, 数列 $\{c_n\}$ 別にまとめると下記〈表132〉のようになる。表から一般項の係数の変化にも規則性が見られ（変化の係数を青色で着色）、解析すると〈表133〉に示すように数列番号に呼応した数列の変化になっている。

〈表132〉

番号	数列 $\{a_n\}$	数列 $\{b_n\}$	数列 $\{c_n\}$
①	$n(n+2)$	$2(n+1)$	$n(n+2)+2$
②	$n(n+4)$	$4(n+2)$	$n(n+4)+8$
③	$n(n+6)$	$6(n+3)$	$n(n+6)+18$
④	$n(n+8)$	$8(n+4)$	$n(n+8)+32$
⑤	$n(n+10)$	$10(n+5)$	$n(n+10)+50$
⑥	$n(n+12)$	$12(n+6)$	$n(n+12)+72$
⑦	$n(n+14)$	$14(n+7)$	$n(n+14)+98$
⑧	$n(n+16)$	$16(n+8)$	$n(n+16)+128$
⑨	$n(n+18)$	$18(n+9)$	$n(n+18)+162$
⑩	$n(n+20)$	$20(n+10)$	$n(n+20)+200$

各数列の係数を m とすると下記の〈表133〉のようになる。

〈表133〉

番号	数列 $\{a_n\}$	数列 $\{b_n\}$	数列 $\{c_n\}$
m	$n(n+2m)$	$2m(n+m)$	$n(n+2m)+2m^2$

（注）m は数列番号。

数列群γ'の
数列別の番号表記

～左上に伸びる数列群～

４種類の数列群の内、左上に伸びる数列群γ′の各数列について①②③……と番号を下記〈グラフ70〉に示すように割り振った。

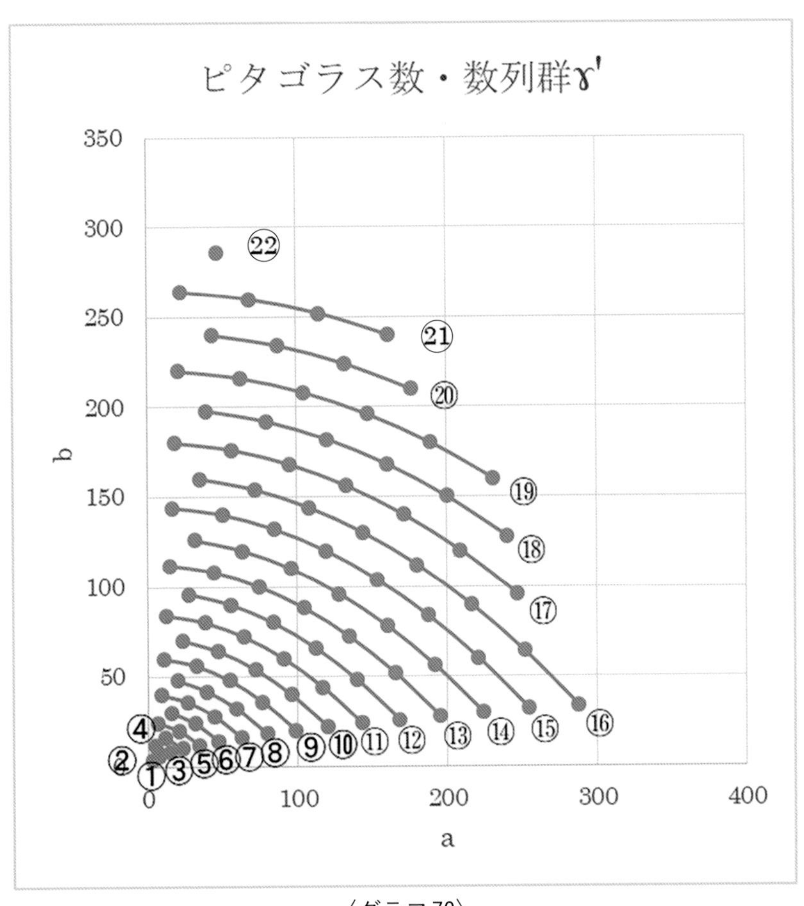

〈グラフ70〉

数列群γ'の各数列の一般項を算出する

原始ピタゴラス数と同様の方法で数列群γ′の数列⑦～⑯の a, b, c について一般項を算出した。下記〈表134〉に結果を示す。

〈表134〉

										一般項
⑦	a	63	45	27	9	－	－	－	－	9(9−2n)
	b	16	28	36	40	－	－	－	－	2n(9−n)
	c	65	53	45	41	－	－	－	－	2n(n−9)+81
⑧	a	80	60	40	20	－	－	－	－	10(10−2n)
	b	18	32	42	48	－	－	－	－	2n(10−n)
	c	82	68	58	52	－	－	－	－	2n(n−10)+100
⑨	a	99	77	55	33	11	－	－	－	11(11−2n)
	b	20	36	48	56	60	－	－	－	2n(11−n)
	c	101	85	73	65	61	－	－	－	2n(n−11)+121
⑩	a	120	96	72	48	24	－	－	－	12(12−2n)
	b	22	40	54	64	70	－	－	－	2n(12−n)
	c	122	104	90	80	74	－	－	－	2n(n−12)+144
⑪	a	143	117	91	65	39	13	－	－	13(13−2n)
	b	24	44	60	72	80	84	－	－	2n(13−n)
	c	145	125	109	97	89	85	－	－	2n(n−13)+169
⑫	a	168	140	112	84	56	28	－	－	14(14−2n)
	b	26	48	66	80	90	96	－	－	2n(14−n)
	c	170	148	130	116	106	100	－	－	2n(n−14)+196
⑬	a	195	165	135	105	75	45	15	－	15(15−2n)
	b	28	52	72	88	100	108	112	－	2n(15−n)
	c	197	173	153	137	125	117	113	－	2n(n−15)+225
⑭	a	224	192	160	128	96	64	32	－	16(16−2n)
	b	30	56	78	96	110	120	126	－	2n(16−n)
	c	226	200	178	160	146	136	130	－	2n(n−16)+256
⑮	a	255	221	187	153	119	85	51	17	17(17−2n)
	b	32	60	84	104	120	132	140	144	2n(17−n)
	c	257	229	205	185	169	157	149	145	2n(n−17)+289
⑯	a	288	252	216	180	144	108	72	36	18(18−2n)
	b	34	64	90	112	130	144	154	160	2n(18−n)
	c	290	260	234	212	194	180	170	164	2n(n−18)+324

（注）一般項は薄青色で着色。

数列群γ'の
一般項の係数を解析する

～数列別にまとめる～

前項では数列群γ'の各数列の a, b, c について数列の一般項を算出し表にした。一方、一般項を数列 $\{a_n\}$, 数列 $\{b_n\}$, 数列 $\{c_n\}$ 別にまとめると下記〈表135〉のようになる。表から一般項の係数の変化にも規則性が見られ（変化の係数を青色で着色）、解析すると〈表136〉に示すように数列番号に呼応した数列の変化になっている。

〈表135〉

番号	数列 $\{a_n\}$	数列 $\{b_n\}$	数列 $\{c_n\}$
⑦	$9(9-2n)$	$2n(9-n)$	$2n(n-9)+81$
⑧	$10(10-2n)$	$2n(10-n)$	$2n(n-10)+100$
⑨	$11(11-2n)$	$2n(11-n)$	$2n(n-11)+121$
⑩	$12(12-2n)$	$2n(12-n)$	$2n(n-12)+144$
⑪	$13(13-2n)$	$2n(13-n)$	$2n(n-13)+169$
⑫	$14(14-2n)$	$2n(14-n)$	$2n(n-14)+196$
⑬	$15(15-2n)$	$2n(15-n)$	$2n(n-15)+225$
⑭	$16(16-2n)$	$2n(16-n)$	$2n(n-16)+256$
⑮	$17(17-2n)$	$2n(17-n)$	$2n(n-17)+289$
⑯	$18(18-2n)$	$2n(18-n)$	$2n(n-18)+324$

各数列の係数を x, y とすると下記の〈表136〉のようになる。

〈表136〉

番号	数列 $\{a_n\}$	数列 $\{b_n\}$	数列 $\{c_n\}$
m	$x(x-2n)$	$2n(x-n)$	$2n(n-x)+y$

（注）$x=m+2$、$y=m(m+4)+4$。m は数列番号。

数列群δ’の
数列別の番号表記

～下に伸びる数列群～

４種類の数列群の内、下に伸びる数列群δ′の各数列について①②③……と番号を下記〈グラフ71〉に示すように割り振った。

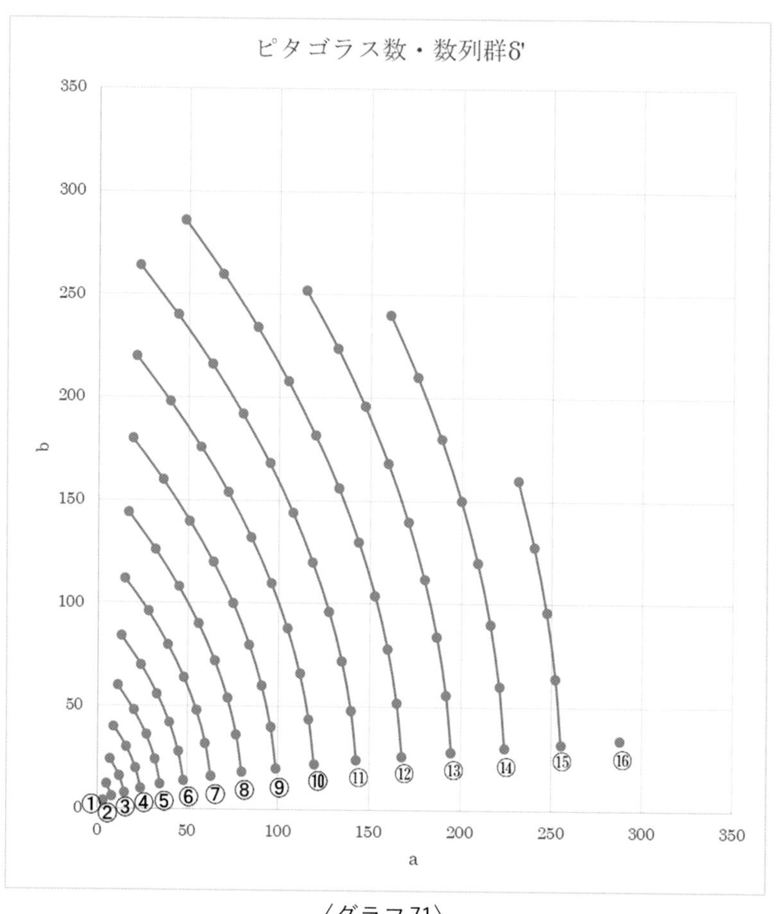

〈グラフ71〉

数列群δ'の各数列の一般項を算出する

原始ピタゴラス数と同様の方法で数列群 δ′ の数列④～⑪の a, b, c について一般項を算出した。下記〈表137〉に結果を示す。

〈表137〉

										一般項
④	a	9	16	21	24					n(10−n)
	b	40	30	20	10					2(25−5n)
	c	41	34	29	26					n(n−10)+50
⑤	a	11	20	27	32	35				n(12−n)
	b	60	48	36	24	12				2(36−6n)
	c	61	52	45	40	37				n(n−12)+72
⑥	a	13	24	33	40	45	48			n(14−n)
	b	84	70	56	42	28	14			2(49−7n)
	c	85	74	65	58	53	50			n(n−14)+98
⑦	a	15	28	39	48	55	60	63		n(16−n)
	b	112	96	80	64	48	32	16		2(64−8n)
	c	113	100	89	80	73	68	65		n(n−16)+128
⑧	a	17	32	45	56	65	72	77	80	n(18−n)
	b	144	126	108	90	72	54	36	18	2(81−9n)
	c	145	130	117	106	97	90	85	82	n(n−18)+162
⑨	a	19	36	51	64	75	84	91	96	n(20−n)
	b	180	160	140	120	100	80	60	40	2(100−10n)
	c	181	164	149	136	125	116	109	104	n(n−20)+200
⑩	a	21	40	57	72	85	96	105	112	n(22−n)
	b	220	198	176	154	132	110	88	66	2(121−11n)
	c	221	202	185	170	157	146	137	130	n(n−22)+242
⑪	a	23	44	63	80	95	108	119	128	n(24−n)
	b	264	240	216	192	168	144	120	96	2(144−12n)
	c	265	244	225	208	193	180	169	160	n(n−24)+288

（注）一般項は薄青色で着色。

数列群δ'の
一般項の係数を解析する

～数列別にまとめる～

前項では数列群δ′の各数列の a, b, c について数列の一般項を算出し表にした。一方、一般項を数列 $\{a_n\}$, 数列 $\{b_n\}$, 数列 $\{c_n\}$ 別にまとめると下記〈表138〉のようになる。表から一般項の係数の変化にも規則性が見られ（変化の係数を青色で着色)、解析すると〈表139〉に示すように数列番号に呼応した数列の変化になっている。

〈表138〉

番号	数列 $\{a_n\}$	数列 $\{b_n\}$	数列 $\{c_n\}$
④	$n(10-n)$	$2(25-5n)$	$n(n-10)+50$
⑤	$n(12-n)$	$2(36-6n)$	$n(n-12)+72$
⑥	$n(14-n)$	$2(49-7n)$	$n(n-14)+98$
⑦	$n(16-n)$	$2(64-8n)$	$n(n-16)+128$
⑧	$n(18-n)$	$2(81-9n)$	$n(n-18)+162$
⑨	$n(20-n)$	$2(100-10n)$	$n(n-20)+200$
⑩	$n(22-n)$	$2(121-11n)$	$n(n-22)+242$
⑪	$n(24-n)$	$2(144-12n)$	$n(n-24)+288$

各数列の係数を z, p, q, r とすると下記〈表139〉のようになる。

〈表139〉

番号	数列 $\{a_n\}$	数列 $\{b_n\}$	数列 $\{c_n\}$
m	$n(z-n)$	$2(p-qn)$	$n(n-z)+r$

（注）$z=2(m+1)$、$p=m(m+2)+1$、$q=m+1$、$r=2m(m+2)+2$。m は数列番号。

ピタゴラス数作成表と数列群δ’の各数列表

〜両者は同一〜

下記上段〈表140〉は $m=5$〜8までのピタゴラス数作成表である。一方、下段の〈表141〉は数列群δ・④〜⑦の表である。両者の表を比べると、$m=5$ と④、$m=6$ と⑤、$m=7$ と⑥、$m=8$ と⑦において a, b, c の一致が確認される。

〈表140〉ピタゴラス数作成表（m = 5〜8）

m	n	a	b	c
5	1	24	10	26
	2	21	20	29
	3	16	30	34
	4	9	40	41
6	1	35	12	37
	2	32	24	40
	3	27	36	45
	4	20	48	52
	5	11	60	61
7	1	48	14	50
	2	45	28	53
	3	40	42	58
	4	33	56	65
	5	24	70	74
	6	13	84	85
8	1	63	16	65
	2	60	32	68
	3	55	48	73
	4	48	64	80
	5	39	80	89
	6	28	96	100
	7	15	112	113

〈表141〉数列群δ’・④〜⑦の表（詳細は前々頁参照）

④	a	9	16	21	24			
	b	40	30	20	10			
	c	41	34	29	26			
⑤	a	11	20	27	32	35		
	b	60	48	36	24	12		
	c	61	52	45	40	37		
⑥	a	13	24	33	40	45	48	
	b	84	70	56	42	28	14	
	c	85	74	65	58	53	50	
⑦	a	15	28	39	48	55	60	63
	b	112	96	80	64	48	32	16
	c	113	100	89	80	73	68	65

下記左の〈グラフ72〉は前頁〈表140〉をmの値別にグラフ化したものである。一方、下記右の〈グラフ73〉は前頁〈表141〉の数列群δ'・④～⑦をグラフ化したもので、両者のグラフの一致が確認される。

両者の表とグラフの一致から、数列群δ'はピタゴラス数作成表が反映された数列であると言える。

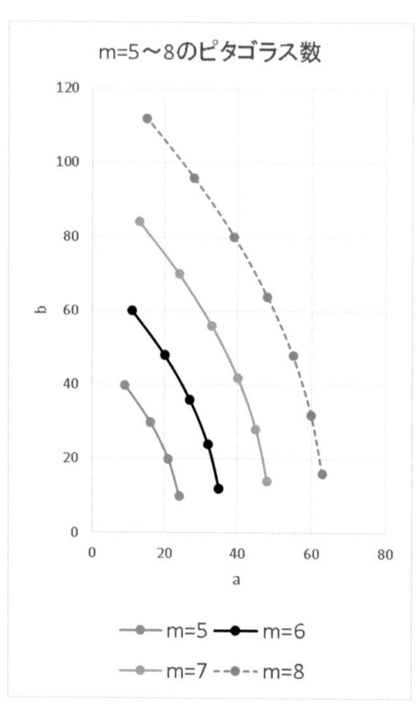

〈グラフ72〉

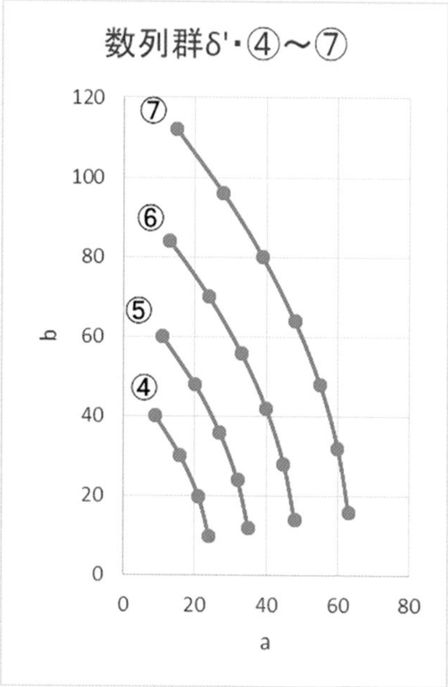

数列群δ'・④～⑦

〈グラフ73〉

数列群を重ねる
α'+β'+γ'+δ'

～再び幾何模様の出現～

これまで４種類の数列群α′, β′, γ′, δ′ 各々について数列の一般項を求めることにより数列群の規則性を確認してきた。

準原始ピタゴラス数の場合と同様に４種類の数列群を順次重ね合わせた。この結果、規則的な各数列群の結びつきが幾何模様として再び得られた（下記〈グラフ74〉参照）。

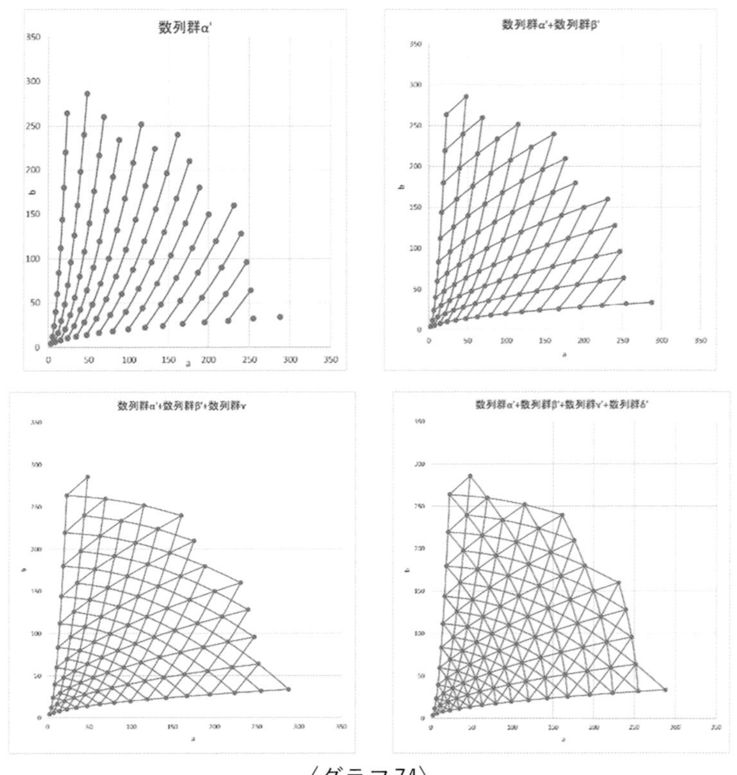

〈グラフ74〉

前頁の数列群を４種類重ね合わせたグラフを下記に〈グラフ75〉として拡大し再掲載する。

グラフからピタゴラス数の各座標点は上下左右の座焦点と数列を介して密接に結びついており、準原始ピタゴラス数の場合と同様に各座標点は統一された規則性を持っていることが示された。

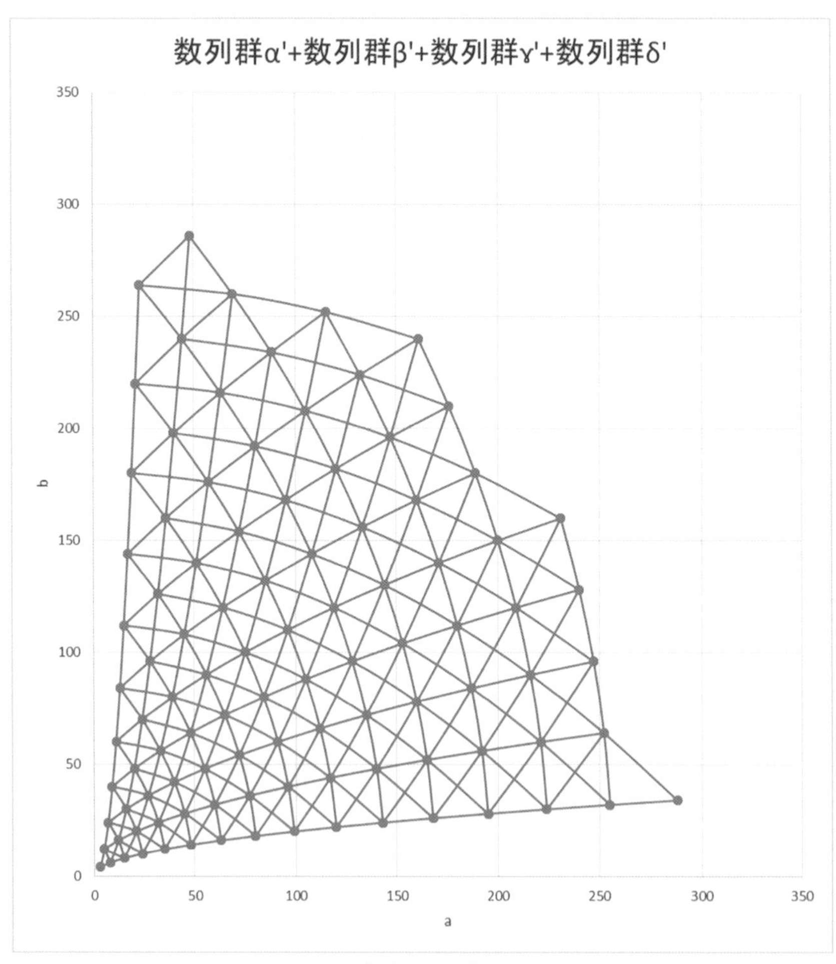

〈グラフ75〉

第10章

原始ピタゴラス数の素数と散布図

素数（ピタゴラス数）の散布図を作成する

～素数の約半数を二次元で可視化～

原始ピタゴラス数（a, b, c）の斜辺cは必ず「4で割って1余る数」となっている。

一方、素数は2を除き「4で割って1余る数」と「4で割って3余る数」に大別され、原始ピタゴラス数（a, b, c）の斜辺cで見られる素数は「4で割って1余る数」に属する。

斜辺cの素数は値だけを見れば下記〈グラフ76〉のように数直線上の点に過ぎないが、斜辺cはピタゴラス数のa, bを介して座標を持っている。

斜辺cの素数の散布図を作成することにより、約半数の素数を数直線上の点から広がりを持った二次元空間の点として表示できるようになる。

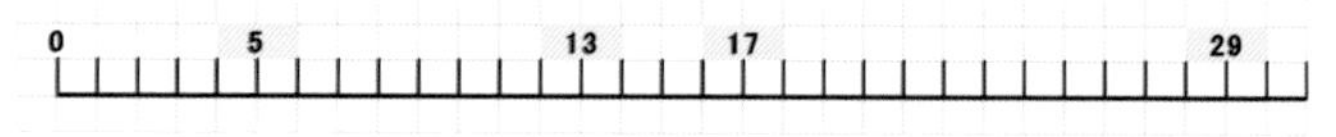

〈グラフ76〉

（注）ピタゴラス数の素数5, 13, 17, 29を表記。

次頁以降にピタゴラス数（c）の素数の散布図を素数100個、250個、500個について掲載した（〈グラフ77〉～〈グラフ79〉）。また、散布図の基となる素数のみのピタゴラスの表を600個分について264頁以降（〈表142-1〉～〈表142-5〉）に掲載した。

～散布図の解析結果～

ピタゴラス数（c）の素数の散布図からは規則性を読み取ることはできないが、迷路を想起させる模様となっている。

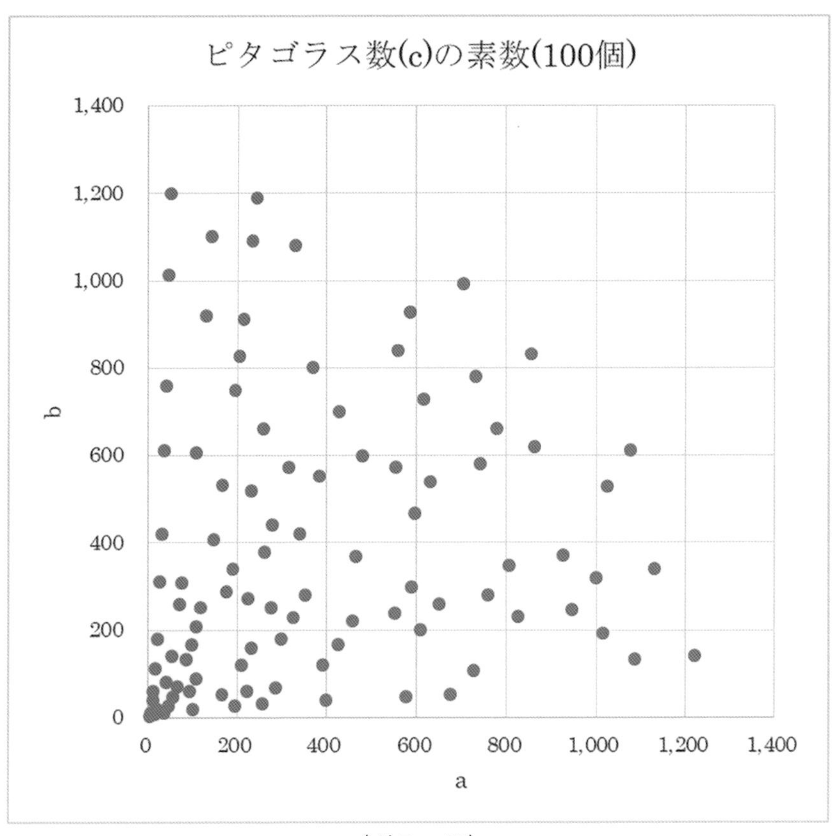
ピタゴラス数(c)の素数(100個)
1,400
1,200
1,000
800
600
400
200
0
b
0
200
400
600
800
1,000
1,200
1,400
a

〈グラフ77〉

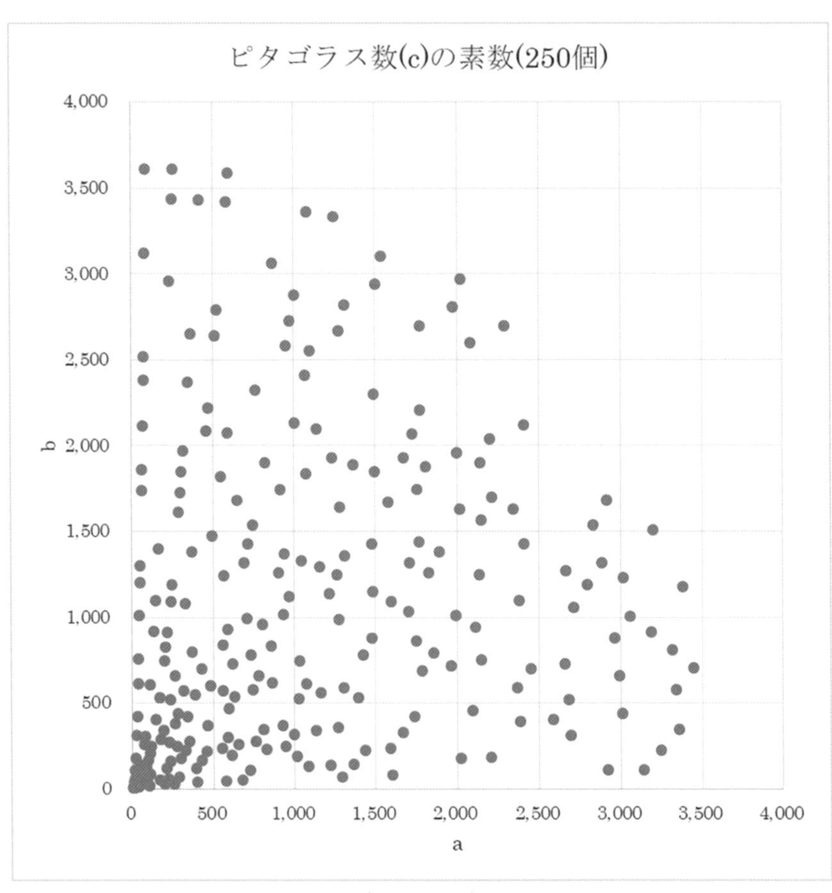
ピタゴラス数(c)の素数(250個)
4,000
3,500
3,000
2,500
2,000
1,500
1,000
500
0
b
0
500
1,000
1,500
2,000
2,500
3,000
3,500
4,000
a

〈グラフ78〉

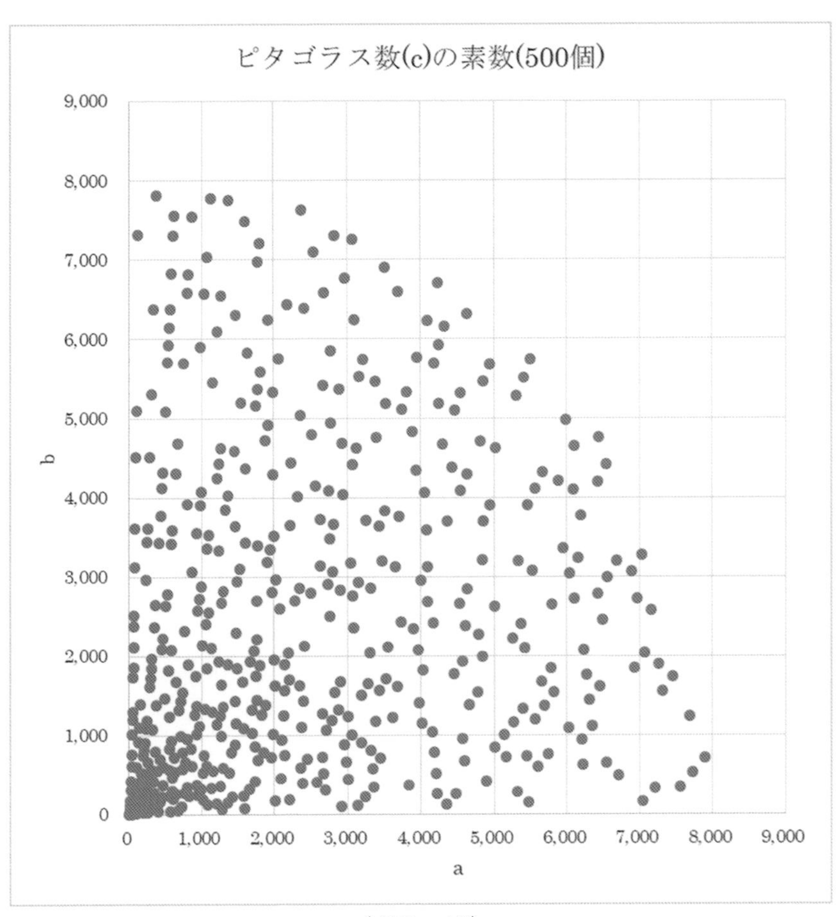
ピタゴラス数(c)の素数(500個)
9,000
8,000
7,000
6,000
5,000
4,000
3,000
2,000
1,000
0
b
0
1,000
2,000
3,000
4,000
5,000
6,000
7,000
8,000
9,000
a

〈グラフ79〉

〈表142-1〉

m	n	a	b	c
2	1	3	4	5
3	2	5	12	13
4	1	15	8	17
5	2	21	20	29
6	1	35	12	37
5	4	9	40	41
7	2	45	28	53
6	5	11	60	61
8	3	55	48	73
8	5	39	80	89
9	4	65	72	97
10	1	99	20	101
10	3	91	60	109
8	7	15	112	113
11	4	105	88	137
10	7	51	140	149
11	6	85	132	157
13	2	165	52	173
10	9	19	180	181
12	7	95	168	193
14	1	195	28	197
15	2	221	60	229
13	8	105	208	233
15	4	209	120	241
16	1	255	32	257
13	10	69	260	269
14	9	115	252	277
16	5	231	160	281
17	2	285	68	293
13	12	25	312	313
14	11	75	308	317
16	9	175	288	337
18	5	299	180	349
17	8	225	272	353
18	7	275	252	373
17	10	189	340	389
19	6	325	228	397
20	1	399	40	401
20	3	391	120	409
15	14	29	420	421

m	n	a	b	c
17	12	145	408	433
20	7	351	280	449
21	4	425	168	457
19	10	261	380	461
22	5	459	220	509
20	11	279	440	521
21	10	341	420	541
19	14	165	532	557
20	13	231	520	569
24	1	575	48	577
23	8	465	368	593
24	5	551	240	601
18	17	35	612	613
19	16	105	608	617
25	4	609	200	641
22	13	315	572	653
25	6	589	300	661
23	12	385	552	673
26	1	675	52	677
26	5	651	260	701
22	15	259	660	709
27	2	725	108	733
26	9	595	468	757
20	19	39	760	761
25	12	481	600	769
22	17	195	748	773
26	11	555	572	797
28	5	759	280	809
25	14	429	700	821
27	10	629	540	829
23	18	205	828	853
29	4	825	232	857
29	6	805	348	877
25	16	369	800	881
23	20	129	920	929
24	19	215	912	937
29	10	741	580	941
28	13	615	728	953
31	4	945	248	977
31	6	925	372	997

m	n	a	b	c
28	15	559	840	1009
23	22	45	1012	1013
30	11	779	660	1021
32	3	1015	192	1033
32	5	999	320	1049
31	10	861	620	1061
30	13	731	780	1069
33	2	1085	132	1093
29	16	585	928	1097
25	22	141	1100	1109
26	21	235	1092	1117
27	20	329	1080	1129
33	8	1025	528	1153
34	5	1131	340	1181
32	13	855	832	1193
25	24	49	1200	1201
27	22	245	1188	1213
31	16	705	992	1217
35	2	1221	140	1229
34	9	1075	612	1237
32	15	799	960	1249
34	11	1035	748	1277
35	8	1161	560	1289
36	1	1295	72	1297
26	25	51	1300	1301
36	5	1271	360	1321
31	20	561	1240	1361
37	2	1365	148	1373
34	15	931	1020	1381
28	25	159	1400	1409
30	23	371	1380	1429
37	8	1305	592	1433
38	3	1435	228	1453
35	16	969	1120	1481
33	20	689	1320	1489
38	7	1395	532	1493
35	18	901	1260	1549
32	23	495	1472	1553
34	21	715	1428	1597
40	1	1599	80	1601

（注）　は双子素数片（次項目・269頁参照）。

〈表142-2〉

m	n	a	b	c
40	3	1591	240	1609
38	13	1275	988	1613
39	10	1421	780	1621
31	26	285	1612	1637
36	19	935	1368	1657
38	15	1219	1140	1669
37	18	1045	1332	1693
41	4	1665	328	1697
35	22	741	1540	1709
40	11	1479	880	1721
38	17	1155	1292	1733
30	29	59	1740	1741
32	27	295	1728	1753
39	16	1265	1248	1777
42	5	1739	420	1789
35	24	649	1680	1801
31	30	61	1860	1861
33	28	305	1848	1873
41	14	1485	1148	1877
40	17	1311	1360	1889
35	26	549	1820	1901
43	8	1785	688	1913
42	13	1595	1092	1933
43	10	1749	860	1949
38	23	915	1748	1973
43	12	1705	1032	1993
34	29	315	1972	1997
44	9	1855	792	2017
45	2	2021	180	2029
42	17	1475	1428	2053
38	25	819	1900	2069
41	20	1281	1640	2081
45	8	1961	720	2089
33	32	65	2112	2113
40	23	1071	1840	2129
36	29	455	2088	2137
46	5	2091	460	2141
37	28	585	2072	2153
44	15	1711	1320	2161
47	2	2205	188	2213

m	n	a	b	c
45	14	1829	1260	2221
46	11	1995	1012	2237
37	30	469	2220	2269
47	8	2145	752	2273
45	16	1769	1440	2281
42	23	1235	1932	2293
44	19	1575	1672	2297
47	10	2109	940	2309
43	22	1365	1892	2333
46	15	1891	1380	2341
41	26	1005	2132	2357
44	21	1495	1848	2377
35	34	69	2380	2381
42	25	1139	2100	2389
37	32	345	2368	2393
49	4	2385	392	2417
49	6	2365	588	2437
40	29	759	2320	2441
48	13	2135	1248	2473
46	19	1755	1748	2477
36	35	71	2520	2521
50	7	2451	700	2549
46	21	1675	1932	2557
48	17	2015	1632	2593
47	20	1809	1880	2609
51	4	2585	408	2617
50	11	2379	1100	2621
43	28	1065	2408	2633
49	16	2145	1568	2657
39	34	365	2652	2677
40	33	511	2640	2689
47	22	1725	2068	2693
52	3	2695	312	2713
52	5	2679	520	2729
46	25	1491	2300	2741
43	30	949	2580	2749
52	7	2655	728	2753
44	29	1095	2552	2777
50	17	2211	1700	2789
51	14	2405	1428	2797

m	n	a	b	c
49	20	2001	1960	2801
48	23	1775	2208	2833
41	34	525	2788	2837
51	16	2345	1632	2857
50	19	2139	1900	2861
44	31	975	2728	2897
53	10	2709	1060	2909
54	1	2915	108	2917
53	12	2665	1272	2953
46	29	1275	2668	2957
40	37	231	2960	2969
51	20	2201	2040	3001
54	11	2795	1188	3037
55	4	3009	440	3041
45	32	1001	2880	3049
55	6	2989	660	3061
55	8	2961	880	3089
47	30	1309	2820	3109
40	39	79	3120	3121
56	1	3135	112	3137
55	12	2881	1320	3169
45	34	869	3060	3181
53	20	2409	2120	3209
56	9	3055	1008	3217
55	14	2829	1540	3221
50	27	1771	2700	3229
57	2	3245	228	3253
56	11	3015	1232	3257
49	30	1501	2940	3301
57	8	3185	912	3313
52	25	2079	2600	3329
56	15	2911	1680	3361
58	3	3355	348	3373
58	5	3339	580	3389
58	7	3315	812	3413
52	27	1975	2808	3433
43	40	249	3440	3449
44	39	415	3432	3457
50	31	1539	3100	3461
45	38	581	3420	3469

（注）■は双子素数片（次項目・269頁参照）。

〈表142-3〉

m	n	a	b	c	m	n	a	b	c	m	n	a	b	c
59	6	3445	708	3517	64	9	4015	1152	4177	61	34	2565	4148	4877
48	35	1079	3360	3529	51	40	1001	4080	4201	67	20	4089	2680	4889
58	13	3195	1508	3533	64	11	3975	1408	4217	70	3	4891	420	4909
54	25	2291	2700	3541	65	2	4221	260	4229	62	33	2755	4092	4933
49	34	1245	3332	3557	65	4	4209	520	4241	64	29	3255	3712	4937
59	10	3381	1180	3581	53	38	1365	4028	4253	69	14	4565	1932	4957
53	28	2025	2968	3593	65	6	4189	780	4261	60	37	2231	4440	4969
43	42	85	3612	3613	57	32	2225	3648	4273	67	22	4005	2948	4973
44	41	255	3608	3617	65	8	4161	1040	4289	63	32	2945	4032	4993
46	39	595	3588	3637	61	24	3145	2928	4297	65	28	3441	3640	5009
48	37	935	3552	3673	49	44	465	4312	4337	70	11	4779	1540	5021
59	14	3285	1652	3677	50	43	651	4300	4349	71	6	5005	852	5077
49	36	1105	3528	3697	66	1	4355	132	4357	59	40	1881	4720	5081
55	26	2349	2860	3701	62	23	3315	2852	4373	51	50	101	5100	5101
53	30	1909	3180	3709	61	26	3045	3172	4397	53	48	505	5088	5113
57	22	2765	2508	3733	53	40	1209	4240	4409	68	23	4095	3128	5153
56	25	2511	2800	3761	65	14	4029	1820	4421	70	17	4611	2380	5189
60	13	3431	1560	3769	60	29	2759	3480	4441	66	29	3515	3828	5197
52	33	1615	3432	3793	64	19	3735	2432	4457	72	5	5159	720	5209
46	41	435	3772	3797	65	16	3969	2080	4481	72	7	5135	1008	5233
61	10	3621	1220	3821	67	2	4485	268	4493	71	14	4845	1988	5237
53	32	1785	3392	3833	48	47	95	4512	4513	70	19	4539	2660	5261
62	3	3835	372	3853	49	46	285	4508	4517	67	28	3705	3752	5273
54	31	1955	3348	3877	65	18	3901	2340	4549	60	41	1919	4920	5281
59	20	3081	2360	3881	60	31	2639	3720	4561	71	16	4785	2272	5297
60	17	3311	2040	3889	54	41	1235	4428	4597	53	50	309	5300	5309
61	14	3525	1708	3917	61	30	2821	3660	4621	73	2	5325	292	5333
52	35	1479	3640	3929	59	34	2325	4012	4637	65	34	3069	4420	5381
58	25	2739	2900	3989	68	5	4599	680	4649	73	8	5265	1168	5393
49	40	801	3920	4001	56	39	1615	4368	4657	63	38	2525	4788	5413
62	13	3675	1612	4013	68	7	4575	952	4673	59	44	1545	5192	5417
50	39	979	3900	4021	64	25	3471	3200	4721	69	26	4085	3588	5437
55	32	2001	3520	4049	52	45	679	4680	4729	71	20	4641	2840	5441
59	24	2905	2832	4057	58	37	1995	4292	4733	60	43	1751	5160	5449
52	37	1335	3848	4073	55	42	1261	4620	4789	74	1	5475	148	5477
58	27	2635	3132	4093	68	13	4455	1768	4793	74	5	5451	740	5501
60	23	3071	2760	4129	65	24	3649	3120	4801	65	36	2929	4680	5521
62	17	3555	2108	4133	67	18	4165	2412	4813	74	9	5395	1332	5557
48	43	455	4128	4153	56	41	1455	4592	4817	63	40	2369	5040	5569
59	26	2805	3068	4157	69	10	4661	1380	4861	58	47	1155	5452	5573

（注）▒は双子素数片（次項目・269頁参照）。

〈表142-4〉

m	n	a	b	c
66	35	3131	4620	5581
75	4	5609	600	5641
73	18	5005	2628	5653
61	44	1785	5368	5657
65	38	2781	4940	5669
75	8	5561	1200	5689
62	43	1995	5332	5693
74	15	5251	2220	5701
71	26	4365	3692	5717
56	51	535	5712	5737
70	29	4059	4060	5741
57	50	749	5700	5749
76	5	5751	760	5801
73	22	4845	3212	5813
75	14	5429	2100	5821
68	35	3399	4760	5849
76	9	5695	1368	5857
70	31	3939	4340	5861
62	45	1819	5580	5869
75	16	5369	2400	5881
76	11	5655	1672	5897
57	52	545	5928	5953
59	50	981	5900	5981
77	10	5829	1540	6029
66	41	2675	5412	6037
62	47	1635	5828	6053
77	12	5785	1848	6073
67	40	2889	5360	6089
74	25	4851	3700	6101
73	28	4545	4088	6113
64	45	2071	5760	6121
78	7	6035	1092	6133
58	53	555	6148	6173
71	34	3885	4828	6197
76	21	5335	3192	6217
61	50	1221	6100	6221
73	30	4429	4380	6229
79	4	6225	632	6257
70	37	3531	5180	6269
79	6	6205	948	6277

m	n	a	b	c
75	26	4949	3900	6301
74	29	4635	4292	6317
77	20	5529	3080	6329
71	36	3745	5112	6337
73	32	4305	4672	6353
69	40	3161	5520	6361
78	17	5795	2652	6373
58	55	339	6380	6389
59	54	565	6372	6397
70	39	3379	5460	6421
80	7	6351	1120	6449
63	50	1469	6300	6469
68	43	2775	5848	6473
80	9	6319	1440	6481
80	11	6279	1760	6521
65	48	1921	6240	6529
72	37	3815	5328	6553
80	13	6231	2080	6569
81	4	6545	648	6577
70	41	3219	5740	6581
61	54	805	6588	6637
62	53	1035	6572	6653
81	10	6461	1620	6661
63	52	1265	6552	6673
80	17	6111	2720	6689
74	35	4251	5180	6701
78	25	5459	3900	6709
82	3	6715	492	6733
76	31	4815	4712	6737
80	19	6039	3040	6761
75	34	4469	5100	6781
67	48	2185	6432	6793
77	30	5029	4620	6829
68	47	2415	6392	6833
80	21	5959	3360	6841
61	56	585	6832	6857
62	55	819	6820	6869
79	26	5565	4108	6917
82	15	6499	2460	6949
81	20	6161	3240	6961

m	n	a	b	c
71	44	3105	6248	6977
74	39	3955	5772	6997
76	35	4551	5320	7001
82	17	6435	2788	7013
84	1	7055	168	7057
75	38	4181	5700	7069
70	47	2691	6580	7109
64	55	1071	7040	7121
80	27	5671	4320	7129
84	11	6935	1848	7177
67	52	1785	6968	7193
83	18	6565	2988	7213
85	2	7221	340	7229
81	26	5885	4212	7237
82	23	6195	3772	7253
76	39	4255	5928	7297
78	35	4859	5460	7309
61	60	121	7320	7321
63	58	605	7308	7333
82	25	6099	4100	7349
85	12	7081	2040	7369
72	47	2975	6768	7393
84	19	6695	3192	7417
68	53	1815	7208	7433
76	41	4095	6232	7457
86	9	7315	1548	7477
85	16	6969	2720	7481
80	33	5311	5280	7489
86	11	7275	1892	7517
77	40	4329	6160	7529
79	36	4945	5688	7537
71	50	2541	7100	7541
85	18	6901	3060	7549
75	44	3689	6600	7561
87	2	7565	348	7573
64	59	615	7552	7577
65	58	861	7540	7589
86	15	7171	2580	7621
68	55	1599	7480	7649
87	10	7469	1740	7669

（注）■は双子素数片（次項目・269頁参照）。

〈表 142-5〉

m	n	a	b	c
83	28	6105	4648	7673
84	25	6431	4200	7681
81	34	5405	5508	7717
75	46	3509	6900	7741
88	3	7735	528	7753
86	19	7035	3268	7757
83	30	5989	4980	7789
88	7	7695	1232	7793
64	61	375	7808	7817
73	50	2829	7300	7829
79	40	4641	6320	7841
67	58	1125	7772	7853
68	57	1375	7752	7873
74	49	3075	7252	7877
85	26	6549	4420	7901
78	43	4235	6708	7933
89	4	7905	712	7937
82	35	5499	5740	7949
72	53	2375	7632	7993
85	28	6441	4760	8009
84	31	6095	5208	8017
87	22	7085	3828	8053
65	62	381	8060	8069
80	41	4719	6560	8081
67	60	889	8040	8089
82	37	5355	6068	8093
90	1	8099	180	8101
89	14	7725	2492	8117
81	40	4961	6480	8161
72	55	2159	7920	8209
90	11	7979	1980	8221
77	48	3625	7392	8233
86	29	6555	4988	8237
90	13	7931	2340	8269
88	23	7215	4048	8273
78	47	3875	7332	8293
91	4	8265	728	8297
91	6	8245	1092	8317
75	52	2921	7800	8329
87	28	6785	4872	8353

m	n	a	b	c
88	25	7119	4400	8369
76	51	3175	7752	8377
90	17	7811	3060	8389
77	50	3429	7700	8429
90	19	7739	3420	8461
74	55	2451	8140	8501
92	7	8415	1288	8513
85	36	5929	6120	8521
91	16	8025	2912	8537
82	43	4875	7052	8573
66	65	131	8580	8581
89	26	7245	4628	8597
80	47	4191	7520	8609
90	23	7571	4140	8629
71	60	1441	8520	8641
85	38	5781	6460	8669
81	46	4445	7452	8677
91	20	7881	3640	8681
92	15	8239	2760	8689
73	58	1965	8468	8693
93	8	8585	1488	8713
84	41	5375	6888	8737
79	50	3741	7900	8741
92	17	8175	3128	8753
75	56	2489	8400	8761
89	30	7021	5340	8821
94	1	8835	188	8837
68	65	399	8840	8849
94	5	8811	940	8861
78	53	3275	8268	8893
73	60	1729	8760	8929
82	47	4515	7708	8933
90	29	7259	5220	8941
88	35	6519	6160	8969
80	51	3799	8160	9001
87	38	6125	6612	9013
95	2	9021	380	9029
95	4	9009	760	9041
93	20	8249	3720	9049
78	55	3059	8580	9109

m	n	a	b	c
93	22	8165	4092	9133
71	64	945	9088	9137
79	54	3325	8532	9157
85	44	5289	7480	9161
73	62	1485	9052	9173
91	30	7381	5460	9181
80	53	3591	8480	9209
95	14	8829	2660	9221
96	5	9191	960	9241
76	59	2295	8968	9257
94	21	8395	3948	9277
95	16	8769	3040	9281
77	58	2565	8932	9293
96	11	9095	2112	9337
85	46	5109	7820	9341
95	18	8701	3420	9349
79	56	3105	8848	9377
71	66	685	9372	9397
97	2	9405	388	9413
86	45	5371	7740	9421
93	28	7865	5208	9433
91	34	7125	6188	9437
94	25	8211	4700	9461
97	8	9345	1552	9473
76	61	2055	9272	9497
89	40	6321	7120	9521
82	53	3915	8692	9533
95	24	8449	4560	9601
98	3	9595	588	9613
98	5	9579	980	9629
80	57	3151	9120	9649
70	69	139	9660	9661
94	29	7995	5452	9677
92	35	7239	6440	9689
81	56	3425	9072	9697
75	64	1529	9600	9721
97	18	9085	3492	9733
82	55	3699	9020	9749
88	45	5719	7920	9769
90	41	6419	7380	9781

（注） は双子素数片（次項目・269頁参照）。

ピタゴラス数（c）素数中の双子素数の片の散布図

〜２つの集合の架け橋〜

双子素数は２つの奇素数が偶数を挟んで隣り合っている組のことをいう。３と５の素数は偶数の４を挟んで隣り合っているので双子素数である。この関係から、双子素数の一方は「４で割って１余る素数」であり、他方は「４で割って３余る素数」となっている。先の例では３は「４で割って３余る素数」であり、５は「４で割って１余る素数」である。

２を除く全素数は「４で割って１余る素数」と「４で割って３余る素数」の集合と考えることができ、双子素数はこの２つの集合の架け橋である。次頁〈表143〉は自然数の素数867個中の双子素数309個を表示している。

ピタゴラス数（c）の素数は「４で割って１余る素数」の集合であるが、その中で双子素数の片がどのような分布になっているかを調べた。

次々頁の〈表144〉はピタゴラス数（c）素数中の双子素数の片を薄青色で表示している。この表を基にピタゴラス数（c）素数263個中の双子素数の片100個、及びピタゴラス数（c）素数417個中の双子素数の片150個の散布図を〈グラフ80〉及び〈グラフ81〉で示した（272, 273頁参照）。

〜散布図の解析結果〜

ピタゴラス数（c）素数中の双子素数の片の散布図からは規則性を読み取ることはできない。表からピタゴラス数（c）素数中に占める双子素数の割合は36.0％（150/417）となっている。

〈表143〉素数（867個）中の双子素数（309個）

2	3	5	7	11	13	17	19	23	29	31	37	41	43	47	53	59
61	67	71	73	79	83	89	97	101	103	107	109	113	127	131	137	139
149	151	157	163	167	173	179	181	191	193	197	199	211	223	227	229	233
239	241	251	257	263	269	271	277	281	283	293	307	311	313	317	331	337
347	349	353	359	367	373	379	383	389	397	401	409	419	421	431	433	439
443	449	457	461	463	467	479	487	491	499	503	509	521	523	541	547	557
563	569	571	577	587	593	599	601	607	613	617	619	631	641	643	647	653
659	661	673	677	683	691	701	709	719	727	733	739	743	751	757	761	769
773	787	797	809	811	821	823	827	829	839	853	857	859	863	877	881	883
887	907	911	919	929	937	941	947	953	967	971	977	983	991	997	1009	1013
1019	1021	1031	1033	1039	1049	1051	1061	1063	1069	1087	1091	1093	1097	1103	1109	1117
1123	1129	1151	1153	1163	1171	1181	1187	1193	1201	1213	1217	1223	1229	1231	1237	1249
1259	1277	1279	1283	1289	1291	1297	1301	1303	1307	1319	1321	1327	1361	1367	1373	1381
1399	1409	1423	1427	1429	1433	1439	1447	1451	1453	1459	1471	1481	1483	1487	1489	1493
1499	1511	1523	1531	1543	1549	1553	1559	1567	1571	1579	1583	1597	1601	1607	1609	1613
1619	1621	1627	1637	1657	1663	1667	1669	1693	1697	1699	1709	1721	1723	1733	1741	1747
1753	1759	1777	1783	1787	1789	1801	1811	1823	1831	1847	1861	1867	1871	1873	1877	1879
1889	1901	1907	1913	1931	1933	1949	1951	1973	1979	1987	1993	1997	1999	2003	2011	2017
2027	2029	2039	2053	2063	2069	2081	2083	2087	2089	2099	2111	2113	2129	2131	2137	2141
2143	2153	2161	2179	2203	2207	2213	2221	2237	2239	2243	2251	2267	2269	2273	2281	2287
2293	2297	2309	2311	2333	2339	2341	2347	2351	2357	2371	2377	2381	2383	2389	2393	2399
2411	2417	2423	2437	2441	2447	2459	2467	2473	2477	2503	2521	2531	2539	2543	2549	2551
2557	2579	2591	2593	2609	2617	2621	2633	2647	2657	2659	2663	2671	2677	2683	2687	2689
2693	2699	2707	2711	2713	2719	2729	2731	2741	2749	2753	2767	2777	2789	2791	2797	2801
2803	2819	2833	2837	2843	2851	2857	2861	2879	2887	2897	2903	2909	2917	2927	2939	2953
2957	2963	2969	2971	2999	3001	3011	3019	3023	3037	3041	3049	3061	3067	3079	3083	3089
3109	3119	3121	3137	3163	3167	3169	3181	3187	3191	3203	3209	3217	3221	3229	3251	3253
3257	3259	3271	3299	3301	3307	3313	3319	3323	3329	3331	3343	3347	3359	3361	3371	3373
3389	3391	3407	3413	3433	3449	3457	3461	3463	3467	3469	3491	3499	3511	3517	3527	3529
3533	3539	3541	3547	3557	3559	3571	3581	3583	3593	3607	3613	3617	3623	3631	3637	3643
3659	3671	3673	3677	3691	3697	3701	3709	3719	3727	3733	3739	3761	3767	3769	3779	3793
3797	3803	3821	3823	3833	3847	3851	3853	3863	3877	3881	3889	3907	3911	3917	3919	3923
3929	3931	3943	3947	3967	3989	4001	4003	4007	4013	4019	4021	4027	4049	4051	4057	4073
4079	4091	4093	4099	4111	4127	4129	4133	4139	4153	4157	4159	4177	4201	4211	4217	4219
4229	4231	4241	4243	4253	4259	4261	4271	4273	4283	4289	4297	4327	4337	4339	4349	4357
4363	4373	4391	4397	4409	4421	4423	4441	4447	4451	4457	4463	4481	4483	4493	4507	4513
4517	4519	4523	4547	4549	4561	4567	4583	4591	4597	4603	4621	4637	4639	4643	4649	4651
4657	4663	4673	4679	4691	4703	4721	4723	4729	4733	4751	4759	4783	4787	4789	4793	4799
4801	4813	4817	4831	4861	4871	4877	4889	4903	4909	4919	4931	4933	4937	4943	4951	4957
4967	4969	4973	4987	4993	4999	5003	5009	5011	5021	5023	5039	5051	5059	5077	5081	5087
5099	5101	5107	5113	5119	5147	5153	5167	5171	5179	5189	5197	5209	5227	5231	5233	5237
5261	5273	5279	5281	5297	5303	5309	5323	5333	5347	5351	5381	5387	5393	5399	5407	5413
5417	5419	5431	5437	5441	5443	5449	5471	5477	5479	5483	5501	5503	5507	5519	5521	5527
5531	5557	5563	5569	5573	5581	5591	5623	5639	5641	5647	5651	5653	5657	5659	5669	5683
5689	5693	5701	5711	5717	5737	5741	5743	5749	5779	5783	5791	5801	5807	5813	5821	5827
5839	5843	5849	5851	5857	5861	5867	5869	5879	5881	5897	5903	5923	5927	5939	5953	5981
5987	6007	6011	6029	6037	6043	6047	6053	6067	6073	6079	6089	6091	6101	6113	6121	6131
6133	6143	6151	6163	6173	6197	6199	6203	6211	6217	6221	6229	6247	6257	6263	6269	6271
6277	6287	6299	6301	6311	6317	6323	6329	6337	6343	6353	6359	6361	6367	6373	6379	6389
6397	6421	6427	6449	6451	6469	6473	6481	6491	6521	6529	6547	6551	6553	6563	6569	6571
6577	6581	6599	6607	6619	6637	6653	6659	6661	6673	6679	6689	6691	6701	6703	6709	6719

は「4で割って1余る素数」、は4で割って3余る素数」。

〈表144〉ピタゴラス数（c）素数（420個）中の双子素数片（151個：薄青色表示）

5	13	17	29	37	41	53	61	73	89
97	101	109	113	137	149	157	173	181	193
197	229	233	241	257	269	277	281	293	313
317	337	349	353	373	389	397	401	409	421
433	449	457	461	509	521	541	557	569	577
593	601	613	617	641	653	661	673	677	701
709	733	757	761	769	773	797	809	821	829
853	857	877	881	929	937	941	953	977	997
1009	1013	1021	1033	1049	1061	1069	1093	1097	1109
1117	1129	1153	1181	1193	1201	1213	1217	1229	1237
1249	1277	1289	1297	1301	1321	1361	1373	1381	1409
1429	1433	1453	1481	1489	1493	1549	1553	1597	1601
1609	1613	1621	1637	1657	1669	1693	1697	1709	1721
1733	1741	1753	1777	1789	1801	1861	1873	1877	1889
1901	1913	1933	1949	1973	1993	1997	2017	2029	2053
2069	2081	2089	2113	2129	2137	2141	2153	2161	2213
2221	2237	2269	2273	2281	2293	2297	2309	2333	2341
2357	2377	2381	2389	2393	2417	2437	2441	2473	2477
2521	2549	2557	2593	2609	2617	2621	2633	2657	2677
2689	2693	2713	2729	2741	2749	2753	2777	2789	2797
2801	2833	2837	2857	2861	2897	2909	2917	2953	2957
2969	3001	3037	3041	3049	3061	3089	3109	3121	3137
3169	3181	3209	3217	3221	3229	3253	3257	3301	3313
3329	3361	3373	3389	3413	3433	3449	3457	3461	3469
3517	3529	3533	3541	3557	3581	3593	3613	3617	3637
3673	3677	3697	3701	3709	3733	3761	3769	3793	3797
3821	3833	3853	3877	3881	3889	3917	3929	3989	4001
4013	4021	4049	4057	4073	4093	4129	4133	4153	4157
4177	4201	4217	4229	4241	4253	4261	4273	4289	4297
4337	4349	4357	4373	4397	4409	4421	4441	4457	4481
4493	4513	4517	4549	4561	4597	4621	4637	4649	4657
4673	4721	4729	4733	4789	4793	4801	4813	4817	4861
4877	4889	4909	4933	4937	4957	4969	4973	4993	5009
5021	5077	5081	5101	5113	5153	5189	5197	5209	5233
5237	5261	5273	5281	5297	5309	5333	5381	5393	5413
5417	5437	5441	5449	5477	5501	5521	5557	5569	5573
5581	5641	5653	5657	5669	5689	5693	5701	5717	5737
5741	5749	5801	5813	5821	5849	5857	5861	5869	5881
5897	5953	5981	6029	6037	6053	6073	6089	6101	6113
6121	6133	6173	6197	6217	6221	6229	6257	6269	6277
6301	6317	6329	6337	6353	6361	6373	6389	6397	6421
6449	6469	6473	6481	6521	6529	6553	6569	6577	6581

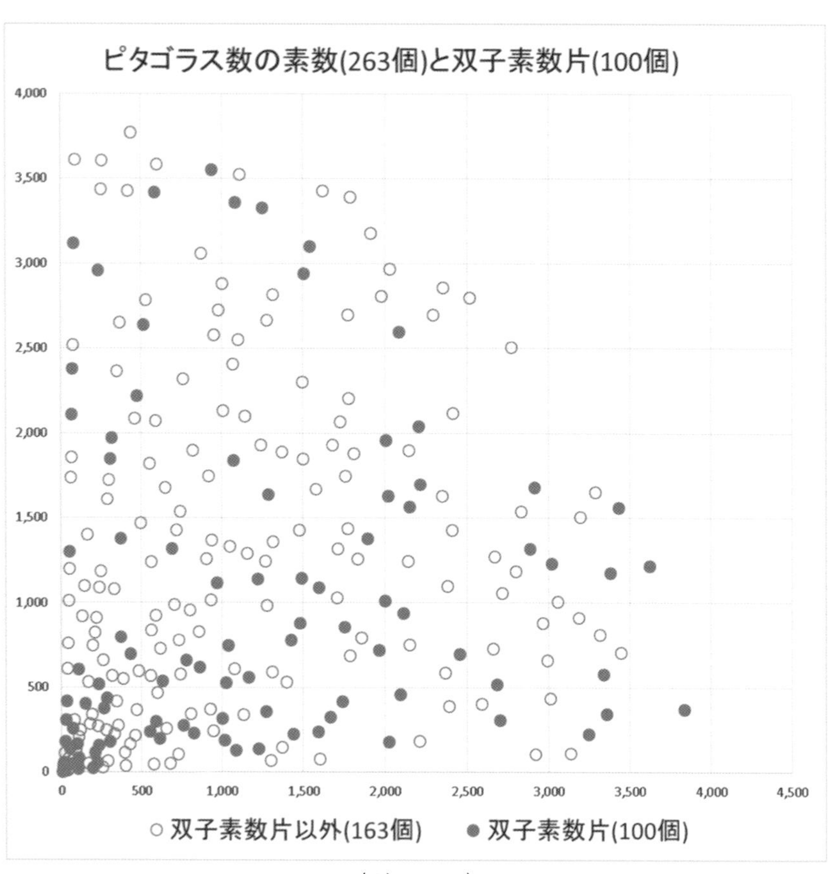
ピタゴラス数の素数(263個)と双子素数片(100個)
4,000
3,500
3,000
2,500
2,000
1,500
1,000
500
0
0
500
1,000
1,500
2,000
2,500
3,000
3,500
4,000
4,500
双子素数片以外(163個)
双子素数片(100個)

〈グラフ80〉

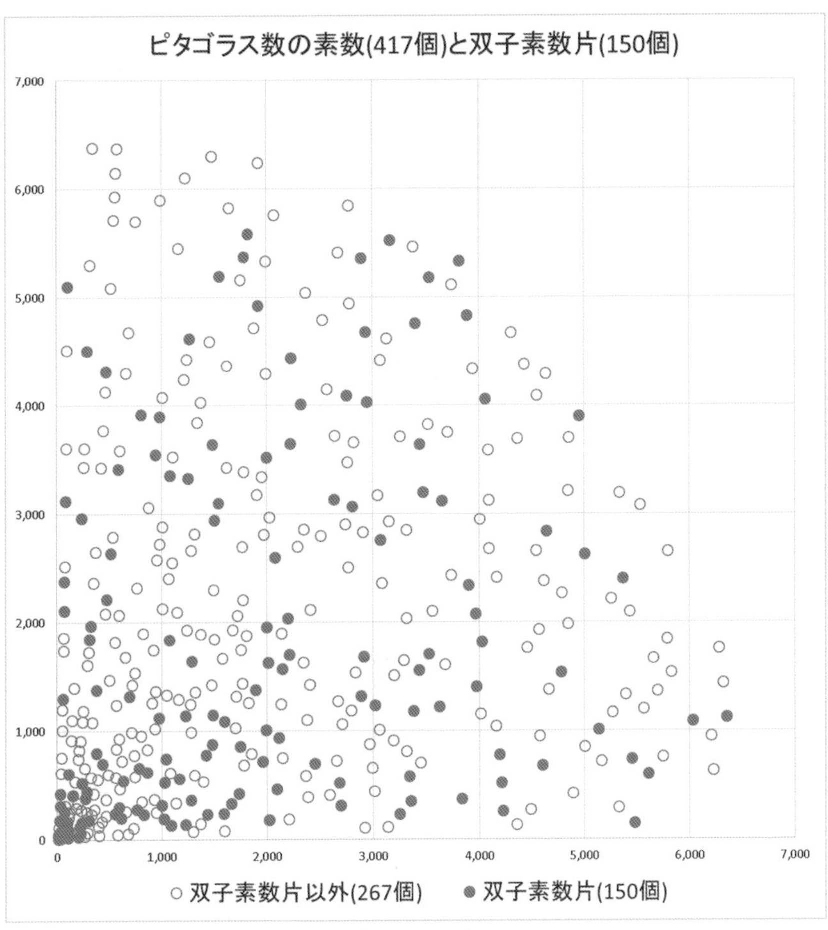
ピタゴラス数の素数(417個)と双子素数片(150個)
7,000
6,000
5,000
4,000
3,000
2,000
1,000
0
0
1,000
2,000
3,000
4,000
5,000
6,000
7,000
双子素数片以外(267個)
双子素数片(150個)

〈グラフ81〉

「ウラムのらせん」と
ピタゴラス数（c）素数の散布図

～「ウラムのらせん」との違い～

ピタゴラス数（c）の素数は単に数直線上の点ではなく座標を持っており、散布図により二次元空間の点として表示できることは前々項で見た。

素数を二次元空間の点として表示したものでは「ウラムのらせん」が有名である。この「ウラムのらせん」は一次空間の数直線を半ば強制的に折り曲げて二次空間を作り出しており、ピタゴラス数（c）の素数に見られるように完全に数直線から独立しているとは言い難く、一次空間と二次空間の中間としての位置づけが妥当と思われる。

～「ウラムのらせん」の作成～

ウラムのらせんの作成は下記〈表145〉のように自然数を中心「1」から左回りでらせんを描くように並べ、素数のみを表示する。

〈表145〉

17	16	15	14	13
18	5	4	3	12
19	6	1	2	11
20	7	8	9	10
21	22	23	24	25

（注）薄青色の枠は素数。

自然数10,201個のラウムのらせんを〈グラフ82〉に示す。

図からいくつもの斜めの線や空白の部分などがあり、素数分布は一様でないことが分かる。

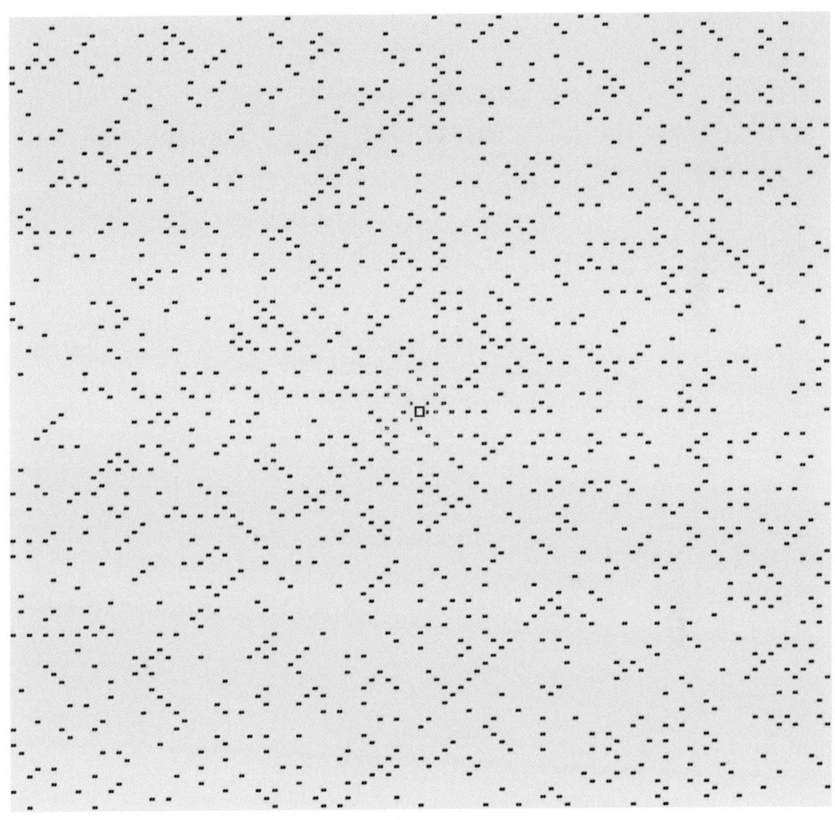

〈グラフ82〉「ウラムのらせん」

黒点（数値）が素数、中心の黒色の□は出発点(1)。

参考文献

『Newton別冊：ゼロと無限　素数と暗号』(2012年) の中の「素数と複素数とピタゴラスの三角形」木村俊一　株式会社ニュートンプレス

『図解雑学：フェルマーの最終定理』富永裕久　2000年　ナツメ社

「素数のふしぎ」(『Newton』2013年４月号)

「Web：高校数学の美しい物語/ピタゴラス数の求め方とその証明」

「Web：原始ピタゴラス数の決定とフェルマーの定理」谷戸光昭

「Web：素数あれこれ」

おわりに

中学校でピタゴラスの定理を学習はしますが、その証明以外は深入りしていません。

数学者の秋山仁さんはNHK 高校講座『数学基礎』のテキスト『秋山仁　数学センスをみがこう《生活応用編》』(2008年・NHK 出版) の冒頭「数学と付き合うための秋山流心得10か条」の中で、同じジムに通うビートたけしさんからジムのサウナで「中学校で習う三平方の定理 (ピタゴラスの定理) に登場する $a^2+b^2=c^2$ という式の整数解は (3, 4, 5) (5, 12, 13) およびそれらの整数倍しか存在しないのか」と質問され、汗だくで説明した話を紹介していました。

私も同じ疑問を持っており、このエピソードの紹介が「ピタゴラスの定理を色々と弄(いじ)くってみよう」と思い立つきっかけにもなりました。本書が数学への興味の一助になればと思っています。

伊藤　俊康（いとう　としやす）

1949年愛知県生まれ。1972年信州大学農学部農芸化学科卒業。卒業後、試薬関連の会社の研究所に36年間勤務。2014年リタイア後、数学を趣味の一つにする。

ピタゴラスの定理の扉を開く
～組合せ・散布図・数列・素数～

2023年６月24日　初版第１刷発行

著　者　伊藤俊康
発行者　中田典昭
発行所　東京図書出版
発行発売　株式会社 リフレ出版
〒112-0001　東京都文京区白山 5-4-1-2F
電話 (03)6772-7906　FAX 0120-41-8080
印　刷　株式会社 ブレイン

ISBN978-4-86641-636-6 C0041
Printed in Japan 2023